D0550091

LA JUSTICE
DE L'ANCILLAIRE

ANN LECKIE

LA JUSTICE DE L'ANCILLAIRE

Les chroniques du Radch, I

roman

Traduit de l'anglais (États-Unis)
par Patrick Marcel

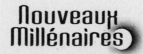

nouveaux
Millénaires

Titre original :
ANCILLARY JUSTICE
Imperial Radch, 1

Collection Nouveaux Millénaires
dirigée par Thibaud Eliroff

Retrouvez-nous sur Facebook :
www.facebook.com/jailu.collection.imaginaire

Pour mes parents, Mary P. et David N. Dietzler,
qui n'ont pas vécu pour voir ce livre
mais ont toujours été certains qu'il existerait un jour.

Chapitre premier

Le corps, d'un gris funèbre, gisait nu, face contre terre, des mouchetures de sang teignant la neige autour de lui. Il faisait moins quinze degrés centigrades et une tempête était passée quelques heures à peine auparavant. La neige s'étalait, lisse dans le lever d'un soleil blême ; seules quelques traces conduisaient à un proche bâtiment en blocs de glace. Une taverne. Ou ce qui passait pour tel dans ce bourg.

Il y avait quelque chose d'une familiarité irritante dans ce bras étendu, la ligne allant de l'épaule jusqu'aux hanches. Mais il était peu probable que je connaisse cette personne. Je ne connaissais personne, ici. Ces confins glacés d'une planète froide et isolée étaient aussi éloignés de la notion radchaaïe de civilisation qu'on pouvait l'être. Je n'étais ici, sur ce monde, dans ce bourg, que pour régler une affaire personnelle urgente. Les cadavres dans les rues ne me concernaient pas.

Parfois, je ne sais pas pourquoi j'agis comme je le fais. Même après tout ce temps, ne pas savoir, ne pas avoir d'ordres à suivre, reste pour moi une nouveauté. Je ne pourrais donc pas vous expliquer pourquoi je me suis arrêté et, d'un pied, j'ai soulevé l'épaule nue afin de voir le visage.

Toute gelée, meurtrie et ensanglantée que soit cette personne, je l'ai reconnue. Elle s'appelait Seivarden Vendaaï et avait été, longtemps auparavant, une de mes officiers, une jeune lieutenant, promue par la suite à son propre commandement, un autre vaisseau. Je l'aurais crue morte depuis mille ans mais, indéniablement, elle était ici. Je me suis accroupi et j'ai cherché un pouls, le moindre signe de respiration.

Encore en vie.

Seivarden Vendaaï ne me concernait plus, n'était plus sous ma responsabilité. Et elle n'avait jamais compté parmi mes officiers préférées. J'avais obéi à ses ordres, bien entendu, et elle n'avait jamais maltraité aucun ancillaire, jamais porté atteinte à aucun de mes segments (comme à l'occasion une officier pouvait le faire). Je n'avais aucune raison d'avoir mauvaise opinion d'elle. Au contraire, elle avait les manières d'une personne éduquée, bien élevée, de bonne famille. Pas envers moi, bien entendu – je n'étais pas une personne, j'étais du matériel, une partie du vaisseau. Mais je ne l'avais jamais particulièrement aimée.

Je me suis levé et suis entré dans la taverne. L'endroit était sombre, le blanc des parois de glace depuis longtemps recouvert de crasse ou pire. L'air puait l'alcool et le vomi. Une serveur se tenait derrière un comptoir. C'était une indigène – courte et grasse, pâle, les yeux écartés. Trois clients étaient affalées sur des sièges à une table sale. Malgré le froid, elles ne portaient que des pantalons et des chemises doublées – c'était le printemps, dans cet hémisphère de Nilt, et elles profitaient de la douceur de la saison. Elles affectèrent de ne pas me voir, bien qu'elles m'aient certainement aperçu dans la rue et sachent ce qui avait motivé mon entrée. Probablement, l'une d'elles ou plus étaient impliquées ; Seivarden n'était pas là-bas dehors depuis longtemps, sinon elle serait morte.

« Je viens louer un traîneau, ai-je déclaré, et acheter une trousse d'hypothermie. »

Derrière moi, une des clients a gloussé et commenté, d'un ton moqueur : « T'es un vrai dur à cuire, fillette. »

Je me suis retourné pour la regarder, étudier son visage. Elle était plus grande que la moyenne des Niltais, mais grasse et pâle comme elles toutes. Elle me surpassait en masse, mais j'étais plus grand, et considérablement plus fort que je ne paraissais, aussi. Elle ne savait pas avec qui elle jouait. Elle devait être mâle, à en juger par les motifs anguleux en dédales qui parsemaient sa chemise. Je n'en étais pas absolument certain. Ça n'aurait pas eu d'importance, si j'avais été dans l'espace du Radch. Les Radchaaïs se soucient peu du genre, et la langue qu'elles parlent – ma propre première langue – ne le marque d'aucune façon. Celle que nous parlions en ce moment le faisait, et je pouvais m'attirer des ennuis en employant une formulation erronée. Pour ne rien arranger, les signes conçus pour distinguer les genres changeaient d'un lieu à un autre, parfois de façon radicale, et avaient rarement un sens pour moi.

J'ai décidé de ne rien répondre. Au bout de quelques secondes, elle a accordé soudain un intérêt fasciné au dessus de la table. J'aurais pu la tuer, à ce moment-là, sans beaucoup d'effort. L'idée m'a séduit. Mais, pour le moment, Seivarden était ma priorité. J'ai levé les yeux vers l'employée au bar.

Négligemment voûtée, elle a lancé, comme s'il n'y avait eu aucune interruption : « Vous vous croyez dans quel genre d'endroit ?

— Le genre d'endroit, ai-je répondu toujours en sécurité dans un territoire linguistique qui ne nécessitait aucun marqueur de genre, qui va me louer un traîneau et me vendre une trousse d'hypothermie. Combien ?

— Deux cents shens. » Au moins le double du tarif courant, j'en étais sûr. « Pour le traîneau. À l'arrière. Vous allez devoir le récupérer vous-même. Et cent de plus pour la trousse.

— Complète. Pas déjà entamée. »

Elle m'en a sorti de sous le comptoir une, dont le sceau paraissait intact. « Votre pote là-dehors avait une ardoise. » Peut-être un mensonge. Peut-être pas. De toute façon, le chiffre serait de pure fiction. « Combien ?

— Trois cent cinquante. »

Je pouvais me débrouiller pour continuer à éviter de faire référence au genre de l'employé du bar. Ou je pouvais deviner. Au pire, la probabilité était de cinquante-cinquante. « Vous êtes très confiant, ai-je dit en supposant *masculin*, pour laisser un pareil indigent (je savais que Seivarden était mâle, là c'était facile) accumuler une telle dette. » L'employé est resté muet. « Six cent cinquante couvre le tout ?

— Ouais. À peu près.

— Non, tout. Nous allons nous mettre d'accord maintenant. Si certains viennent plus tard à mes trousses m'en réclamer davantage ou essayer de me voler, ils mourront. »

Silence. Puis derrière moi le bruit de quelqu'une qui crachait. « Ordure radchaaïe.

— Je ne suis pas radchaaï. » Ce qui était la vérité. On doit être humaine pour être radchaaïe.

« Lui, si, a précisé l'employé du bar avec un infime haussement d'épaules en direction de la porte. T'as pas l'accent, mais tu pues le Radchaaï.

— C'est la bouillie que tu sers à tes clients. » Huées des clients derrière moi. J'ai plongé la main dans une poche dont j'ai tiré une poignée de jetons que j'ai jetée sur le comptoir. « Garde la monnaie. » Je me suis détourné pour partir.

« Ton argent a intérêt à être bon.

— Ton traîneau a intérêt à se trouver où tu l'as dit. » Et je suis parti.

D'abord, la trousse d'hypothermie. J'ai mis Seivarden sur le dos. Puis j'ai brisé le sceau de la trousse, détaché une interne de la carte et l'ai forcée dans sa bouche entrouverte et à demi gelée. Une fois l'indicateur sur la carte passé au vert, j'ai déplié la fine enveloppe, me suis assuré qu'elle était chargée et en ai emballé Seivarden, avant d'allumer. Ensuite, je suis allé à l'arrière chercher le traîneau.

Personne ne m'y attendait, ce qui était heureux. Je ne tenais pas à laisser déjà des corps derrière moi, je n'étais pas venu ici pour créer des problèmes. J'ai remorqué le traîneau jusqu'à la façade, y ai embarqué Seivarden et envisagé de retirer mon manteau de dessus pour l'en recouvrir, mais j'ai finalement décidé que ça n'ajouterait pas grand-chose à l'enveloppe d'hypothermie. J'ai démarré le traîneau et je suis parti.

J'ai loué une chambre aux limites du bourg, un cube de deux mètres sur deux parmi une douzaine, en plastique préfab sale et vert-de-gris. Pas de couchette, et les couvertures étaient en supplément, de même que le chauffage. J'ai payé – j'avais déjà gaspillé une somme d'argent ridicule pour tirer Seivarden de la neige.

J'ai lavé de mon mieux le sang qui la couvrait, pris son pouls (toujours là) et sa température (en hausse). Autrefois, j'aurais su sa température interne sans même y penser, le rythme de son cœur, l'oxygène de son sang, les niveaux d'hormones. J'aurais vu la totalité des blessures simplement en désirant savoir. Désormais, j'étais aveugle. À l'évidence, on l'avait battue – elle avait le visage tuméfié, le torse meurtri. À voir d'autres blessures, il se pouvait qu'elle ait été violée, mais il était difficile d'être catégorique.

La trousse d'hypothermie comprenait un correctif très basique, mais un seul, et uniquement approprié aux premiers soins. Seivarden pouvait avoir des blessures internes ou un grave traumatisme crânien, et je n'étais en mesure de traiter que coupures et foulures. Avec un peu de chance, ses maux se limitaient au froid et aux meurtrissures. Mais je ne connaissais plus grand-chose à la médecine, à présent. Tout diagnostic que j'émettrais serait des plus sommaires.

Je lui ai enfoncé une autre interne dans la gorge. Nouvelle évaluation – sa peau n'était pas plus glacée qu'on ne devait s'y attendre, tout bien considéré, et ne semblait pas moite. Sa couleur, compte tenu de ses blessures, reprenait un brun plus naturel. J'ai apporté un récipient de neige à faire fondre, l'ai déposé dans un coin où j'espérais qu'elle ne le renverserait pas d'un coup de pied si elle se réveillait, et puis je suis ressorti, fermant la porte à clé derrière moi.

Le soleil était monté plus haut dans le ciel, mais la lumière n'avait guère augmenté. Désormais, de nouvelles traces souillaient la neige lisse de la tempête de la veille, et on croisait une ou deux Niltais. J'ai halé le traîneau jusqu'à la taverne, l'ai garé à l'arrière. Personne ne m'a accosté, aucun bruit n'a émergé de l'entrée obscure. Je me suis dirigé vers le centre-ville.

Il y avait des gens dehors, vaquant à leurs activités. Des enfants pâles et grasses en pantalons et chemises doublées s'envoyaient de la neige à coups de pied, mais elles ont cessé dès qu'elles m'ont aperçu, pour me fixer avec de grands yeux à l'expression ébahie. Les adultes faisaient comme si je n'existais pas, bien que leurs regards se tournent vers moi lorsqu'elles me croisaient. Je suis entré dans une boutique, passant de ce qui tenait lieu de lumière du jour à la pénombre, dans un froid d'à peine cinq degrés de plus qu'à l'extérieur.

Une douzaine de personnes se tenaient là en train de discuter, mais un silence immédiat est tombé à mon entrée. Je me suis rendu compte que je n'avais aucune expression sur le visage, aussi ai-je disposé mes muscles faciaux pour un abord aimable et neutre.

« Qu'est-ce que vous voulez ? a grondé la marchand.

— Ces gens-là doivent passer avant. » Espérant en le disant que c'était un groupe de genres mélangés, comme ma phrase l'indiquait. Je n'ai reçu que le silence pour réponse. « Je voudrais quatre miches de pain et une tranche de lard.

Ainsi que deux trousses d'hypothermie et deux correctifs tous usages, si une telle chose est disponible.

— J'ai des dix, des vingt et des trente.

— Des trente, s'il vous plaît. »

Elle empila mes emplettes sur le comptoir. « Trois cent soixante-quinze. » Quelqu'une toussa derrière moi – encore une fois, on me faisait surpayer.

J'ai réglé et je suis parti. Les enfants étaient toujours en grappes, riant, dans la rue. Les adultes continuaient à me croiser comme si je n'existais pas. J'ai fait un arrêt supplémentaire – Seivarden aurait besoin de vêtements. Puis je suis rentré à la chambre.

Seivarden était toujours inconsciente, et il n'y avait aucun signe d'état de choc, pour autant que je puisse voir. Dans le récipient, le plus gros de la neige avait fondu ; j'y ai plongé la moitié d'une miche de pain dure comme la brique, pour qu'elle y trempe.

Une blessure à la tête ou à un organe interne était l'éventualité la plus dangereuse. J'ai brisé pour les ouvrir les deux correctifs que je venais d'acheter et soulevé la couverture pour en appliquer un sur l'abdomen de Seivarden. Je l'ai regardé former une flaque, s'étendre puis durcir en une coque transparente. J'ai apposé l'autre contre le côté du visage qui paraissait le plus tuméfié. Quand celui-là a durci, j'ai retiré mon manteau de dessus, me suis couché et me suis endormi.

Un peu plus de sept heures et demie plus tard, Seivarden a remué, me tirant du sommeil. « Vous êtes réveillée ? » ai-je demandé. Le correctif que j'avais posé lui fermait un œil et une moitié de la bouche, mais les ecchymoses et l'enflure de son visage avaient considérablement diminué. J'ai réfléchi un instant à l'expression faciale appropriée, et l'ai composée. « Je vous ai trouvée dans la neige, devant une taverne. Vous sembliez avoir besoin d'aide. » Elle a émis un faible souffle rauque, mais n'a pas tourné la tête vers moi. « Vous avez faim ? » Pas de réponse, rien qu'un regard vide. « Vous vous êtes cogné la tête ?

— Non, a-t-elle dit doucement, le visage détendu et vague.

— Vous avez faim ?

— Non.

— Quand avez-vous mangé pour la dernière fois ?

— Je ne sais pas. » Sa voix était calme, sans inflexions.

Je l'ai redressée et appuyée contre le mur vert-de-gris, avec précautions, ne souhaitant pas causer de nouvelles blessures, veillant à ce qu'elle ne s'avachisse pas. Elle est demeurée assise, aussi ai-je introduit lentement dans sa bouche une bouillie de pain et d'eau à la cuillère, contournant soigneusement le correctif. « Avalez », lui ai-je dit, et elle s'est exécutée. Je lui ai fait ingérer de cette façon la moitié de ce que le bol contenait, puis j'ai mangé le reste, et j'ai apporté une nouvelle bassine de neige.

Elle m'a regardé déposer une autre miche de pain dans la bassine, mais n'a rien dit, son visage toujours placide. « Quel est votre nom ? » lui ai-je demandé. Pas de réponse.

Elle avait pris du kef, ai-je supposé. La plupart des gens vous diront que le kef supprime les émotions, ce qui est le cas, mais ce n'est pas son seul effet. Il fut un temps où j'aurais su expliquer avec précision l'action du kef et son mécanisme, mais je ne suis plus ce que j'ai été.

Pour autant que je sache, les gens prenaient du kef pour cesser de ressentir les choses. Ou parce qu'elles croyaient qu'une fois leurs émotions court-circuitées, il en résulterait une rationalité suprême, une logique totale, une illumination authentique. Mais ça ne fonctionne pas comme ça.

Tirer Seivarden de la neige m'avait coûté du temps et de l'argent dont j'aurais du mal me passer, et pour quoi ? Livrée à elle-même, elle se trouverait deux ou trois autres doses de kef, échouerait encore dans un lieu semblable à la taverne crasseuse et se ferait tuer une bonne fois pour toutes. Si c'était ce qu'elle cherchait, je n'avais aucun droit de l'en empêcher. Mais si elle avait voulu mourir, pourquoi n'avait-elle pas procédé proprement, enregistré son intention et n'était-elle pas allée voir la médic comme le ferait n'importe qui ? Je ne comprenais pas.

Il y avait beaucoup de choses qui m'échappaient, et dix-neuf années à passer pour humaine ne m'en avaient pas appris autant que je l'aurais pensé.

Chapitre deux

Dix-neuf ans, trois mois et une semaine avant de
trouver Seivarden dans la neige, j'étais un transport
de troupes en orbite autour de la planète Shis'urna.
Les transports de troupes sont les plus massifs vaisseaux
radchaaïs, seize ponts empilés les uns sur les autres. Le
commandement, l'administratif, le médical, l'hydroponique,
l'ingénierie, un pont pour chaque décade, les quartiers de
vie et de travail de mes officiers dont chaque souffle, chaque
frémissement de chaque muscle, étaient connus de moi.

Les transports de troupes se déplacent rarement. J'étais
en attente, comme j'avais passé en attente le plus clair de
mes deux mille ans d'existence dans un système ou un autre,
ressentant le froid cruel du vide à l'extérieur de ma coque ;
la planète Shis'urna pareille à un jeton de verre bleu et
blanc, sa station orbitale qui allait et passait, un flot régulier de vaisseaux qui arrivaient, s'amarraient, appareillaient
et partaient vers l'une ou l'autre des portes entourées de
bouées-fanal. De ma position, les délimitations des divers
territoires et nations de Shis'urna n'étaient pas visibles,
même si, sur sa face nocturne, brillaient çà et là les villes de
la planète et entre elles des réseaux de routes, aux endroits
où elles avaient été rétablies depuis l'annexion.

Je sentais et entendais – mais sans toujours les voir –
la présence de mes vaisseaux compagnons – les *Épées*, les
Miséricordes et, plus nombreux à cette époque, les *Justices*,

des transports de troupes comme moi. Le plus vieux d'entre nous avait presque trois mille ans. Nous nous connaissions depuis longtemps, et nous n'avions désormais plus grand-chose à nous dire qui n'ait pas déjà été maintes fois répété. Nous observions, dans l'ensemble, un silence amical, en dehors des communications de routine.

Comme j'avais encore des ancillaires, je pouvais me trouver en plusieurs lieux en même temps. J'étais aussi détaché en mission dans la ville d'Ors, sur la planète Shis'urna, sous le commandement de la lieutenant de Première Décade Esk Awn.

Ors s'étendait à moitié sur une terre gorgée d'eau, à moitié sur un lac marécageux, ce pan lacustre édifié sur des dalles coiffant des fondations profondément enfoncées dans la vase du marais. Une fange verte poussait dans les canaux et les jointures des dalles, longeant le bord inférieur des piliers de soutènement sur tout objet stationnaire qu'atteignait l'eau, ce qui variait avec la saison. La puanteur persistante d'hydrogène sulfuré se dissipait parfois, lorsque les tempêtes d'été faisaient trembler la moitié lacustre de la ville et que les voies de circulation se retrouvaient plongées jusqu'à hauteur de genou dans l'eau refoulée d'au-delà des îles-barrière. Parfois seulement. Le plus souvent, les tempêtes aggravaient l'odeur. Elles rafraîchissaient un temps l'atmosphère, mais ce soulagement en général ne dépassait pas quelques jours. À ces exceptions près, il faisait toujours chaud et humide.

Je ne voyais pas Ors, de mon orbite. C'était plus un village qu'une ville, bien qu'il se soit jadis dressé à l'embouchure d'un fleuve et ait été la capitale d'un pays qui s'étirait le long de la côte. Le commerce remontait et descendait le fleuve, et des navires à fond plat sillonnaient le marais littoral, transportant les gens de ville en ville. Le fleuve s'était déplacé au fil des siècles, et Ors était désormais à moitié en ruine. Les kilomètres d'îles rectangulaires inscrites autrefois dans une grille de canaux occupaient désormais un espace bien plus réduit, cerné et parsemé de dalles brisées, à moitié noyées, parfois avec des toits et des colonnes émergeant de l'eau boueuse à la saison sèche. Des millions de gens qu'elle abritait jadis ne restaient plus que six mille trois cent dix-huit personnes qui vivaient ici quand les forces radchaaïes avaient annexé Shis'urna cinq ans plus tôt. Bien entendu, l'annexion avait encore réduit ce nombre. Moins à Ors qu'en d'autres lieux. Dès que nous étions apparues, moi-même sous forme de mes cohortes Esk et leurs lieutenants de décade, armées et armurées, alignées dans les rues de la ville, la grande prêtre d'Ikkt s'était approchée de l'officier la plus haut gradée présente – la lieutenant Awn, comme je l'ai dit – pour offrir une reddition immédiate. La grande prêtre avait expliqué à ses fidèles cc qu'elles devaient faire pour survivre à l'annexion et, en effet, pour la plupart, ces fidèles avaient survécu. Ce n'était pas aussi courant qu'on pourrait le croire – nous avions toujours clairement établi d'emblée que, lors d'une annexion, la moindre irrégularité de respiration suffisait à entraîner la mort, et dès l'instant où une annexion commençait nous procédions à des démonstrations largement diffusées de ce que cela signifiait, mais il y avait toujours quelqu'une qui ne pouvait s'empêcher de nous mettre à l'épreuve.

Néanmoins, la grande prêtre avait une influence impressionnante. La taille modeste de la ville était à un certain degré trompeuse – durant la saison des pèlerinages, des centaines de milliers de visiteurs défilaient sur la place devant le temple, campaient sur les dalles des rues abandonnées. Pour les adorateurs d'Ikkt, c'était ici le deuxième site le plus sacré de la planète, et la grande prêtre revêtait une divine présence.

D'ordinaire, une force de police civile était déjà en place quand une annexion était officiellement terminée, chose qui exigeait souvent cinquante ans ou plus. Cette annexion-là avait été différente – on avait accordé la citoyenneté aux Shis'urniens survivantes bien plus tôt que d'habitude. Personne dans l'administration du système ne se fiait encore assez aux civils indigènes pour leur confier la sécurité et la présence militaire demeurait assez lourde. Aussi, quand l'annexion de Shis'urna fut officiellement achevée, la majeure partie de l'Esk du *Justice de Toren* avait-elle regagné le vaisseau, mais la lieutenant Awn resta, et j'étais resté avec elle en tant qu'Un (premier) Esk du *Justice de Toren*, une unité de vingt ancillaires.

La grande prêtre vivait dans une demeure proche du temple, un des rares bâtiments encore inchangés depuis l'époque où Ors était une ville – trois étages, un toit incliné, ouvert sur tous les côtés, bien qu'on puisse lever des cloisons chaque fois qu'un occupant désirait de l'intimité, et dérouler des volets sur le pourtour durant les tempêtes. La grande prêtre reçut la lieutenant Awn dans une enclave de quelque cinq mètres carrés, la lumière filtrant par-dessus le sommet des parois sombres.

« Vous ne trouvez pas difficile de servir à Ors ? » commença la prêtre, une vieille personne aux cheveux cendrés et à la barbe grise taillée de près. Elle et la lieutenant Awn étaient toutes deux assises sur des coussins – humides comme tout à Ors, imprégnés d'une odeur fongique. La prêtre portait un pan d'étoffe jaune tordu autour de la taille, ses épaules tatouées de formes tantôt courbes, tantôt anguleuses, qui changeaient en fonction de la connotation liturgique du jour. Par respect de la pudeur radchaaïe, elle portait des gants.

« Bien sûr que non », répondit la lieutenant, avec amabilité mais, me sembla-t-il, pas une sincérité totale. Elle avait des yeux marron foncé et des cheveux sombres coupés ras. Elle avait la peau assez sombre pour qu'on ne la juge pas pâle, mais pas assez pour être à la mode – elle aurait pu modifier cela, ses cheveux et ses yeux aussi, mais ne l'avait jamais fait. Au lieu de son uniforme – long manteau brun avec son semis d'épinglettes ornées de pierres précieuses, chemise et pantalon, bottes et gants – elle portait le même genre de jupe que la grande prêtre, une fine chemise et les plus légers des gants. Elle transpirait quand même. Je me tenais à l'entrée, silencieux et droit, tandis qu'une prêtre auxiliaire déposait des coupes et des bols entre la lieutenant Awn et la Sublime.

Je me tenais également à quarante mètres de là, dans le temple proprement dit – un espace clos atypique, 43,5 mètres de haut, 65,7 de long et 29,9 de large. À une extrémité se dressaient des portes presque aussi grandes que le toit était haut et, à l'autre, dominant les gens au sol en contrebas, la représentation très détaillée d'une falaise de montagne dans une autre région de Shis'urna. À sa base s'étendait une plateforme, de larges degrés descendant vers un sol de pierre gris et vert. La lumière entrait par des dizaines de lucarnes vertes, sur des murs peints de scènes de la vie des saints du culte d'Ikkt. L'édifice n'avait pas d'équivalent sur Ors. Son architecture, comme le culte d'Ikkt lui-même, avait été importée. Durant la saison du pèlerinage, cet espace serait envahi de fidèles. Il y avait d'autres sites sacrés, mais quand une Orsien disait « pèlerinage », elle parlait du pèlerinage annuel en ce lieu, qui ne se déroulerait cependant pas avant plusieurs semaines. Pour l'heure, l'air du temple bruissait faiblement dans un coin des prières susurrées par une douzaine de fidèles.

La grande prêtre rit. « Vous êtes diplomate, lieutenant Awn.

— Je suis soldat, Sublime. » Elles parlaient radchaaï, et la lieutenant s'exprimait avec lenteur et précision, en soignant son accent. « Je ne considère pas que mon devoir soit difficile. »

La grande prêtre n'eut pas de sourire en réponse. Dans le bref silence qui suivit, la prêtre auxiliaire déposa un bol muni d'un rebord, contenant ce que les Shis'urniens qualifiaient de thé, un liquide épais, tiède et sucré, sans guère de rapport avec le thé véritable.

Devant les portes du temple, je me tenais aussi sur la place maculée de cyanophytes, observant les passants. La plupart étaient vêtues de la même jupe simple de couleur vive que la grande prêtre, bien que seules de très petites enfants ou les très dévotes arborent un grand nombre de marques, et que très peu d'entre elles portent des gants. Certaines de ces passants étaient des transplantées, des Radchaaïs affectées à des emplois ou gratifiées de domaines ici à Ors après l'annexion. La plupart d'entre elles avaient adopté la jupe simple et ajouté une chemise légère, ample, comme la lieutenant Awn. Certaines s'accrochaient avec ténacité au pantalon et à la veste, et transpiraient en traversant la place. Toutes arboraient les bijoux que peu de Radchaaïs auraient abandonnés – cadeaux d'amis ou d'amants, souvenirs des morts, marques de famille ou associations de clientélage.

Au nord, au-delà d'une étendue d'eau rectangulaire dénommée l'« avant-temple », d'après le quartier qu'elle constituait jadis, Ors s'élevait légèrement jusqu'à un point où la ville reposait sur un sol véritable durant la saison sèche, une zone toujours appelée, par politesse, la hauteville. J'y patrouillais également. En longeant le bord de l'eau, je me voyais debout sur la place.

Des bateaux avançaient lentement à la perche sur le lac marécageux, remontant ou descendant les canaux séparant les groupements de dalles. L'eau était souillée d'écharpes d'algues, hérissées çà et là de sommets d'herbes aquatiques. À l'écart de la ville, à l'est et à l'ouest, des bouées délimitaient les zones d'eau interdites, et les ailes iridescentes des mouches des marais vibraient au-dessus des plantes lacustres qui émergeaient par grappes enchevêtrées dans leurs confins. Autour d'elles flottaient des navires plus gros

et les grandes dragues, désormais silencieuses et immobiles, qui, avant l'annexion, remontaient la vase puante qui
reposait sous l'eau.

Au sud, la vue était semblable, à l'exception d'un infime
aperçu de la mer véritable à l'horizon, au-delà de l'éperon
détrempé qui bornait le marais. Je voyais tout cela, posté
comme je l'étais en divers lieux autour du temple, et arpen-
tant les rues de la ville même. Il faisait vingt-sept degrés
centigrades, et toujours aussi humide.

Cela prenait en compte presque la moitié de mes
vingt corps. Le reste dormait ou travaillait dans la maison
qu'occupait la lieutenant Awn – spacieux, doté d'un étage,
l'édifice abritait jadis une grande famille recomposée et
un bureau de location de bateaux. Un côté s'ouvrait sur un
large canal d'un vert vaseux, et celui d'en face sur la plus
grande rue de l'endroit.

Trois des segments dans la maison, éveillés, accom-
plissaient des tâches administratives (j'étais assis sur une
carpette, couvrant une plateforme basse au centre du
rez-de-chaussée de la maison et j'écoutais une Orsien se
plaindre auprès de moi de l'allocation des droits de pêche)
et montaient la garde. « Vous devriez en parler à la magistrat de secteur, citoyen », disais-je à l'Orsien, dans le dialecte local. Comme je connaissais tout le monde, ici, je
savais qu'elle était de sexe féminin, et grand-parente, deux
traits que je me devais de prendre en compte si je devais
m'adresser à elle en respectant non seulement la grammaire
mais aussi la courtoisie.

« Je ne connais pas la magistrat de secteur », protesta-
t-elle avec indignation. La magistrat siégeait dans une
grande ville peuplée, loin en amont d'Ors et de la proche
Kould Ves. Assez loin en amont pour que l'air y soit souvent frais et sec, et que les objets ne sentent pas le moisi en
permanence. « Que sait-elle d'Ors, la magistrat de secteur ?
Pour ce que j'en sais, la magistrat de secteur n'existe même

pas ! » Elle poursuivit, en m'exposant la longue histoire de l'association entre sa maison et la zone délimitée par les bouées, interdite d'accès, et assurément proscrite à la pêche pour les trois ans à venir.

Et comme toujours, au fond de mon crâne, la conscience permanente de me trouver en orbite au-dessus, assez loin pour que le signal me parvienne avec un décalage. « Allons, lieutenant, disait la grande prêtre. Nul n'aime Ors, à l'exception de celles d'entre nous qui ont été assez infortunées pour y naître. La plupart des Shis'urniens que je connais, sans même parler des Radchaaïs, préféreraient vivre dans une ville avec de la terre à sec et de vraies saisons, autres que pluvieuse et non pluvieuse. »

La lieutenant Awn, toujours en sueur, accepta une tasse de pseudo-thé, et but sans faire la grimace – une question de pratique et d'opiniâtreté. « Mes supérieures demandent mon retour. »

Sur les limites nord du bourg, relativement sèches, deux soldats en uniforme brun passant dans un véhicule découvert me virent, levèrent la main en salut. Je levai la mienne, brièvement. « Un Esk ! » lança l'une d'elles. C'étaient des soldats ordinaires, de l'unité (seconde) Sept Issa du *Justice d'Enté* sous les ordres de la lieutenant Skaaïat. Elles patrouillaient le territoire entre Ors et la bordure à l'extrême sud-ouest de Kould Ves, la ville qui s'était développée autour de la nouvelle embouchure du fleuve. Les Sept Issa du *Justice d'Enté* étaient humaines, et savaient que je ne l'étais pas. Elles me traitaient toujours avec une amitié légèrement retenue.

« Je souhaiterais que vous restiez », déclara la grande prêtre à la lieutenant Awn. Mais la lieutenant le savait déjà. Nous serions rentrées sur le *Justice de Toren* depuis deux ans, sans l'insistance de la Sublime pour que nous restions.

« Vous comprenez, dit la lieutenant Awn, elles préféreraient de beaucoup remplacer Un Esk par une unité humaine. Les ancillaires peuvent rester en suspension indéfiniment. Les humains... » Elle déposa son thé, prit un gâteau plat, jaune-brun. « Les humains ont des familles qu'elles voudraient revoir, elles ont des vies. Elles ne peuvent rester congelées pendant des siècles, comme c'est parfois le cas des ancillaires. Ça n'a pas de sens d'avoir des ancillaires au travail hors des cales, alors que des soldats humaines pourraient s'en charger. » Bien que la lieutenant Awn soit ici depuis cinq ans et qu'elle rencontre couramment la grande prêtre, c'était la première fois qu'elles abordaient le sujet aussi ouvertement. La lieutenant fronça les sourcils, et des fluctuations de sa respiration et de ses niveaux hormonaux m'apprirent qu'elle avait eu une pensée désagréable. « Vous n'avez pas rencontré de problèmes avec la Sept Issa du *Justice d'Enté*, si ?

— Non », dit la grande prêtre. Elle considéra la lieutenant Awn, un pli acerbe à la bouche. « Je vous connais. Je connais Un Esk. Celles qu'on m'enverra... je ne les connaîtrai pas. Mes paroissiens non plus.

— Les annexions sont chaotiques », déclara la lieutenant. La grande prêtre frémit légèrement au mot *annexion*, et je crus voir la lieutenant le remarquer, mais elle poursuivit. « La Sept Issa n'était pas ici pour ça. Les bataillons Issa du *Justice d'Enté* n'ont rien fait au cours de cette période qu'Un Esk n'a pas fait également.

— Si, lieutenant. » La prêtre déposa sa propre coupe, l'air troublée, mais je n'avais accès à aucune de ses données internes et ne pouvais donc en être certain. « Le *Justice d'Enté* a fait beaucoup de choses qu'Un Esk n'a pas faites. C'est vrai, Un Esk a tué autant de gens que les soldats de l'Issa du *Justice d'Enté*. Plus, probablement. » Elle me regarda, toujours debout en silence près de l'entrée de l'enclos. « Sans vouloir vous offenser, je crois qu'il y en a eu davantage.

— Je ne suis pas offensé, Sublime », répondis-je. La grande prêtre me parlait fréquemment comme si j'étais une personne. « Et vous avez raison.

— Sublime, fit la lieutenant Awn, son inquiétude évidente dans la voix. Si les soldats de la Sept Issa du *Justice d'Enté* – ou qui que ce soit d'autre – ont maltraité des citoyens...

— Non, non ! protesta la grande prêtre d'une voix amère. Les Radchaaïs prennent tellement garde à la façon dont on traite les citoyens ! »

Le visage de la lieutenant Awn lui cuisit, sa détresse et sa colère m'apparurent clairement. Je ne pouvais lire son esprit, mais je déchiffrais chaque frémissement de chaque muscle, si bien que ses émotions étaient pour moi aussi transparentes que du verre.

« Pardonnez-moi, dit la grande prêtre, bien que l'expression de la lieutenant Awn n'ait pas varié et que sa peau soit trop sombre pour marquer son rougissement de colère. Depuis que les Radchaaïs nous ont accordé la citoyenneté... » Elle s'arrêta, parut reconsidérer ses mots. « Depuis son arrivée, la Sept Issa ne nous a donné aucune raison de nous plaindre. Mais j'ai vu vos troupes humaines en action durant ce que vous appelez l'*annexion*. La citoyenneté que vous avez accordée peut être tout aussi facilement retirée, et...

— Nous ne ferions... », protesta la lieutenant Awn.

La grande prêtre l'interrompit d'une main levée. « Je sais ce que la Sept Issa, ou du moins celles comme elle, font subir aux gens qu'elles trouvent du mauvais côté d'une ligne de démarcation. Il y a cinq ans, c'était non-citoyen. À l'avenir, qui sait ? Pas-assez-citoyen, peut-être ? » Elle leva une main, un geste de capitulation. « Peu importera. De telles lignes sont trop faciles à créer.

— Je ne peux pas vous reprocher de penser en de tels termes, concéda la lieutenant Awn. Ce fut une époque difficile.

— Et je ne peux m'empêcher de trouver inattendue votre inexplicable naïveté, renchérit la grande prêtre. Un Esk m'abattra si vous en donnez l'ordre. Sans hésitation. Mais jamais Un Esk ne me molesterait, ne m'humilierait ou ne me violerait sans autre but que de démontrer son pouvoir sur moi, ou de satisfaire un amusement dépravé. » Elle me regarda. « Le feriez-vous ?

— Non, Sublime.

— Les soldats de l'Issa du *Justice d'Enté* ont commis toutes ces choses. Pas contre moi, certes, ni contre beaucoup à Ors même. Mais elles les ont néanmoins commises. La Sept Issa aurait-elle agi de façon tellement différente si elle avait été ici, à leur place ? »

La lieutenant était assise, consternée, les yeux baissés vers son thé peu alléchant, incapable de répondre.

« C'est étrange. On raconte des histoires, sur les ancillaires, et ça semble être l'acte le plus affreux, le plus viscéralement horrible qu'aient commis les Radchaaïs. Garsedd... oui, certes, Garsedd, mais c'était il y a mille ans de ça. Ceci – envahir et s'emparer de, quoi, la moitié de la population adulte ? Et les changer en cadavres ambulants, esclavagés aux IA de vos vaisseaux. Retournés contre leur propre peuple. Si vous m'aviez posé la question avant que vous nous... *annexiez*, j'aurais déclaré que c'était un sort pire que la mort. » Elle se tourna vers moi. « Est-ce le cas ?

— Aucun de mes corps n'est mort, Sublime, dis-je. Et votre estimation du pourcentage typique de populations annexées qui est changé en ancillaires est excessive.

— Vous m'horrifiiez, naguère, me dit la grande prêtre. La seule idée de votre proximité me terrifiait, vos visages morts, ces voix sans expression. Mais aujourd'hui, l'idée d'une unité d'êtres humaines vivantes qui servent volontairement m'horrifie davantage. Parce que je ne crois pas que je pourrais leur faire confiance.

— Sublime, dit la lieutenant Awn, la bouche crispée. Je sers volontairement. Je ne cherche pas d'excuse pour cela.

— Je crois qu'en dépit de cela, vous êtes une bonne personne, lieutenant Awn. » Elle prit sa tasse de thé et but, comme si elle n'avait pas dit ce qu'elle venait de dire.

La gorge de la lieutenant Awn se serra, et ses lèvres. Elle avait eu envie d'ajouter quelque chose, mais n'était pas certaine qu'elle le doive. « Vous avez appris, pour Imé », dit-elle, décision prise. Encore tendue et méfiante, malgré son choix de parler.

La grande prêtre parut tristement, amèrement amusée. « Les nouvelles d'Imé devraient inspirer confiance en l'administration du Radch ? »

Voici ce qui était arrivé : la station Imé, et les stations secondaires et les lunes du système, étaient situées au plus loin d'un palais de province que l'on puisse se trouver tout en demeurant dans l'espace du Radch. Des années durant, la gouverneur d'Imé avait exploité cette distance à son avantage – détournant des fonds, collectant pots-de-vin et paiements de protection, vendant des affectations. Des milliers de citoyens avaient été injustement exécutées ou (ce qui revenait essentiellement au même) forcées au service en tant que corps d'ancillaires, alors même que la fabrication d'ancillaires n'était plus légale. La gouverneur contrôlait toutes les communications et les permis de voyage. En temps normaux, une station IA aurait dû rapporter de tels agissements aux autorités, mais la station Imé en avait apparemment été empêchée, et la corruption avait crû, pour se propager sans frein.

Jusqu'à ce qu'un vaisseau pénètre dans le système, émergeant de l'espace de porte à quelques centaines de kilomètres à peine du vaisseau patrouilleur *Miséricorde de Sarrsé*. Le vaisseau inconnu ne répondait pas aux demandes d'identification. Lorsque l'équipage du *Miséricorde de Sarrsé* attaqua et l'aborda, il découvrit des dizaines d'humains, ainsi que des extérieurs, les Rrrrrs. La capitaine du *Miséricorde de*

Sarrsé ordonna à ses soldats de capturer toute humain qui semblerait adéquate à une utilisation comme ancillaire, et de tuer le reste, ainsi que les extérieurs. Le vaisseau serait livré à la gouverneur du système.

Le *Miséricorde de Sarrsé* n'était pas le seul vaisseau de guerre avec un équipage humain dans ce système. Jusqu'à ce moment, les soldats humaines stationnées là avaient été tenues par un programme de pots-de-vin, de flatteries et, quand cela échouait, de menaces, voire d'exécutions. Tout cela très efficacement, jusqu'au moment où la soldat Une Amaat Une du *Miséricorde de Sarrsé* avait décidé qu'elle n'était pas disposée à tuer ces gens, ni les Rrrrrs. Et convaincu le reste de son unité de la suivre.

Tout cela s'était déroulé cinq ans plus tôt. Les résultats de l'affaire continuaient à suivre leur cours.

La lieutenant Awn changea de position sur son coussin. « Toute cette histoire a été découverte parce qu'une seule soldat humaine a refusé un ordre. Et lancé une mutinerie. Sans elle… ma foi. Des ancillaires ne feront pas cela. Ils ne peuvent pas.

— Toute cette histoire a été découverte, répondit la grande prêtre, parce que le vaisseau que cette soldat humaine a pris à l'abordage, elle et le reste de son unité, avait des extérieurs à bord. Les Radchaaïs ont peu de scrupules à tuer des humains, en particulier les non-citoyens, mais vous êtes très prudentes quand cela peut déclencher des guerres avec des extérieurs. »

Uniquement parce que des guerres avec des extérieurs pouvaient contrevenir aux termes du traité avec les extérieurs presgers. Violer cet accord aurait des répercussions extrêmement graves. Et même là, nombre de Radchaaïs de haut rang étaient en désaccord sur ce sujet. Je lus l'envie de la lieutenant Awn de contester ce point. Mais elle dit : « La gouverneur d'Imé n'a pas agi prudemment, elle. Et elle aurait déclenché cette guerre, sans cette unique personne.

— L'ont-elles enfin exécutée, cette personne ? » demanda la grande prêtre, de façon entendue. C'était le traitement sommaire de toute soldat qui refusait un ordre, sans même parler de se mutiner.

— Aux dernières nouvelles, dit la lieutenant Awn, souffle tenu et court, les Rrrrrs avaient accepté de la livrer aux autorités du Radch. » Elle déglutit. « Je ne sais ce qui va arriver. » Bien sûr, c'était peut-être déjà arrivé, quelle que soit l'issue. Les nouvelles pouvaient prendre un an ou plus pour atteindre Shis'urna, depuis un lieu aussi lointain qu'Imé.

Pendant un moment la grande prêtre ne répondit pas. Elle se versa encore du thé et déposa dans un petit bol une cuillerée de pâté de poisson. « Ma requête renouvelée pour votre maintien vous cause-t-elle le moindre inconvénient ?

— Non, dit la lieutenant Awn. En fait, les autres lieutenants Esk sont un peu envieuses. Il n'y a aucune occasion de voir de l'action à bord du *Justice de Toren*. » Elle leva sa propre tasse. Calme à l'extérieur, furieuse à l'intérieur. Troublée. Discuter des nouvelles d'Imé avait accru son malaise. « Toute action entraîne des citations, et d'éventuelles promotions. » Et ceci était la dernière annexion. La dernière chance pour une officier d'enrichir sa maison par des liens avec de nouvelles citoyens, ou directement par des appropriations.

« Encore une raison pour laquelle je préférerais que ce soit vous », déclara la grande prêtre.

*
* *

Je suivis la lieutenant Awn chez elle. Et je montais la garde à l'intérieur du temple, et surveillais les gens qui sillonnaient la place comme elles le faisaient toujours, évitant les enfants qui jouaient au *kau* au centre de la place, en se renvoyant la balle à coups de pied, criant et riant. En bordure de la pièce d'eau de l'avant-temple, était assise une adolescent de la haute-ville, morose et pensive, regardant une demi-douzaine de petites enfants sauter de pierre en pierre en chantant :

> *Une, deux, ma tante a dit*
> *Trois, quatre, soldat cadavre*
> *Cinq, six, il te tirera dans l'œil*
> *Sept, huit, tirera et te tuera*
> *Neuf, dix, casse-le, répare-le.*

Sur mon trajet au fil des rues, les gens me saluèrent, et je les saluai en retour. La lieutenant Awn, tendue, furieuse, se borna à hocher distraitement la tête vers elles.

La personne qui se plaignait des droits de pêche s'en fut, insatisfaite. Deux enfants contournèrent la cloison après son départ et s'assirent en tailleur sur le coussin qu'elle avait laissé vacant. Toutes deux portaient des pans d'étoffe enroulés autour de la taille, propres mais fanés, mais aucun gant, toutefois. L'aînée devait avoir neuf ans, et les symboles encrés sur le torse et les épaules de sa cadette – légèrement brouillés – indiquaient qu'elle n'avait pas plus de six ans. Elle me regarda en fronçant les sourcils.

En orsien, s'adresser aux seuls enfants était plus facile que de s'adresser à des adultes. On employait une forme simple, sans genre. « Le bonjour, citoyens », dis-je dans le sabir local. Je les reconnaissais toutes deux – elles vivaient en bordure sud d'Ors et je leur avais assez fréquemment parlé, mais elles n'avaient encore jamais rendu visite à la maison. « En quoi puis-je vous aider ?

— T'es pas Un Esk, déclara la plus jeune enfant, et son aînée eut un geste retenu, comme pour lui intimer silence.

— Si, répondis-je, et j'indiquai l'insigne sur ma veste d'uniforme. Tu vois ? Seulement, ceci est mon segment numéro quatorze.

— Je t'avais bien dit », fit l'enfant la plus âgée.

La plus jeune réfléchit un moment, puis dit : « J'ai une chanson. » J'attendis en silence, et elle prit une profonde inspiration, comme si elle allait commencer, puis elle s'arrêta, avec une mine perplexe. « Tu veux l'entendre ? demanda-t-elle, doutant toujours de mon identité, vraisemblablement.

— Oui, citoyen », l'encourageai-je. J'avais d'abord chanté pour l'amusement d'une de mes lieutenants, quand le *Justice de Toren* était commissionné depuis à peine un siècle. Elle appréciait la musique et avait apporté avec elle un instrument dans le cadre de sa franchise de bagages. Elle n'avait jamais pu intéresser les autres officiers à son passe-temps et m'avait donc appris les paroles des chansons qu'elle jouait. Je les emmagasinai et m'en fus en quête d'autres, pour lui faire plaisir. Le temps qu'elle devienne capitaine de son vaisseau j'avais collecté une abondante bibliothèque de musique chorale – personne ne me donnerait jamais d'instrument, mais je pouvais chanter n'importe quand – et cela devint un sujet de rumeurs et de quelques sourires indulgents : le *Justice de Toren* s'intéressait au chant. Ce qui n'était pas le cas – je tolérais cette habitude parce qu'elle était inoffensive et qu'il se pouvait tout à fait qu'une de mes capitaines l'apprécie. Sinon, je l'aurais réprimée.

Si ces enfants m'avaient arrêté dans la rue, elles n'auraient pas hésité, mais ici, dans la maison, assises comme pour une conférence officielle, la situation était différente. Et je soupçonnais que c'était une visite d'exploration, que la plus jeune enfant avait l'intention ultérieure de demander à servir au temple improvisé dans la maison – pas question, ici, du prestige d'être nommée porteur de fleurs d'Amaat, dans la place-forte d'Ikkt, mais bien du présent coutumier de fruits et de vêtements en fin de terme. Et la meilleure ami de cette enfant était actuellement porteur de fleurs, ce qui rendait indubitablement la perspective plus intéressante.

Aucune Orsien n'aurait formulé une telle requête d'emblée ni de façon directe, aussi l'enfant avait-elle sans doute choisi cette approche détournée, changeant une rencontre fortuite en intimidante situation officielle. Je plongeai la main dans la poche de ma veste, en tirai une poignée de bonbons et les déposai sur le sol entre nous.

La plus petite des filles eut un geste d'approbation, comme si j'avais levé tous ses doutes, puis elle prit son souffle et commença.

Mon cœur est un poisson
Caché dans les herbes d'eau
Dans le vert, dans le vert.

La mélodie était un curieux mélange d'une chanson rad-chaaïe parfois diffusée et d'une orsienne que je connaissais déjà. Les paroles ne m'étaient pas familières. Elle chanta quatre couplets d'une voix claire, légèrement tremblante, et parut prête à se lancer dans un cinquième, mais cessa abruptement quand les pas de la lieutenant Awn résonnèrent de l'autre côté de la cloison.

La plus petite des filles se pencha en avant et collecta son salaire. Les deux enfants s'inclinèrent, toujours à demi assises, puis se levèrent et sortirent en courant par l'entrée vers le reste de la maison, croisant la lieutenant Awn, et moi, qui la suivais.

« Merci, citoyens », lança la lieutenant Awn à leurs dos qui s'éloignaient, et elles sursautèrent, puis réussirent en un seul élan à s'incliner légèrement toutes deux dans sa direction et à continuer à courir, pour sortir dans la rue.

« Du nouveau ? demanda la lieutenant Awn même si elle n'accordait guère d'attention à la musique elle-même, pas au-delà de ce que font la plupart des gens.

— Plus ou moins », répondis-je. Plus loin dans la rue, je vis les deux enfants, courant toujours en tournant au coin d'une autre maison. Elles ralentirent pour s'arrêter, le souffle court. La plus petite des filles ouvrit la main pour montrer à son aînée sa poignée de bonbons. De façon surprenante, elle semblait n'en avoir laissé tomber aucun, toute menue que soit sa main, toute rapide qu'ait été leur fuite. L'aînée des deux enfants prit un bonbon et le mit dans sa bouche.

Cinq ans plus tôt, j'aurais offert quelque chose de plus nourrissant, avant que débutent les réfections de l'infrastructure de la planète, au temps où le ravitaillement était incertain. À présent, chaque citoyen avait la garantie de manger à sa faim, mais les rations n'étaient pas opulentes et, assez souvent, pas appétissantes.

À l'intérieur du temple, tout n'était que silence baigné de lumière verte. La grande prêtre n'émergea pas de derrière les paravents dans la résidence du temple, bien que des prêtres auxiliaires aillent et viennent. La lieutenant Awn se rendit au premier étage de sa maison et resta assise, méditative, sur un coussin à l'orsienne, séparée de la rue par une cloison, chemise rejetée au loin. Elle refusa le thé (authentique) que je lui apportai. Je transmis un flot soutenu d'informations – tout était normal, tout était habituel –, à elle et au *Justice de Toren*. « Elle devrait en aviser la magistrat de secteur », jugea la lieutenant Awn de la citoyen venue se plaindre pour la pêche – légèrement agacée, les yeux clos, les rapports de l'après-midi sur sa vision. « Nous n'avons aucune juridiction là-dessus. » Je ne répondis pas. Aucune réponse n'était requise, ni attendue. Elle approuva, d'un bref tressautement des doigts, le message que j'avais composé pour la magistrat de secteur, puis ouvrit le plus récent message de sa jeune sœur. La lieutenant Awn envoyait un pourcentage de sa solde chez elle à ses parents, qui l'utilisaient pour payer à leur seconde enfant des leçons de poésie. La poésie était une activité prisée, civilisée. Je ne pouvais juger de son éventuel talent, mais après tout, peu le pouvaient, même parmi les plus grandes familles. Mais ses œuvres et ses lettres faisaient plaisir à la lieutenant Awn, et atténuèrent sa détresse actuelle.

Les enfants sur la place rentrèrent chez elles en courant, rieuses. L'adolescent soupira, un lourd soupir comme le font les adolescents, lâcha un caillou dans l'eau et contempla les rides.

Des unités ancillaires qui ne s'éveillaient jamais que pour les annexions ne portaient souvent qu'un bouclier de force créé par un implant dans chaque corps, rangée après rangée de soldats sans visage qui auraient pu être coulés dans le mercure. Mais j'étais toujours hors des cales, et je portais le même uniforme que les soldats humaines, à présent que les combats avaient pris fin. Mes corps transpiraient sous mes vestes d'uniforme et, dans mon ennui, j'ouvris trois de mes bouches, toutes en étroite proximité l'une de l'autre sur la place du temple, et chantai avec ces trois voix. « Mon cœur est un poisson, Caché dans les herbes d'eau... » Une personne qui passait me regarda, surprise, mais toutes les autres m'ignorèrent – elles étaient désormais habituées à moi.

Chapitre trois

Le lendemain matin les correctifs étaient tombés et les tuméfactions sur le visage de Seivarden s'étaient atténuées. Elle semblait à l'aise, mais paraissait encore sous l'influence de la drogue, si bien que cela n'avait rien d'étonnant.

J'ai déroulé le ballot des vêtements que j'avais achetés pour elle – sous-vêtements isolants, chemise et pantalon molletonnés, manteau de dessous et manteau de dessus à capuchon, gants – et les ai étendus. Puis je lui ai pris le menton et ai tourné sa tête vers moi.

« Est-ce que vous m'entendez ?

— Oui. » Ses yeux marron sombre contemplaient un point dans la distance, par-dessus mon épaule gauche.

« Levez-vous. » Je l'ai tirée par le bras, elle a cligné des yeux avec nonchalance et elle est allée jusqu'à s'asseoir avant que l'impulsion la déserte. Mais j'ai réussi à l'habiller, par à-coups, puis j'ai rangé les quelques objets encore sortis, chargé mon paquetage à mon épaule, pris Seivarden par le bras et suis sorti.

Il y avait une loueur de voliers en bordure de ville, et, comme il était à prévoir, la propriétaire n'a rien voulu me louer à moins que je ne dépose le double de la somme publiée. Je lui ai déclaré que j'avais l'intention de voler vers le nord-ouest, pour visiter un camp d'élevage – pur mensonge, ce qu'elle savait probablement. « Vous êtes un hors-monde, a-t-elle déclaré. Vous savez pas comment c'est, loin des villes. Les hors-monde arrêtent pas de voler vers les camps d'élevage et de se perdre. Parfois, on les retrouve, parfois non. » Je n'ai rien dit. « Vous allez me perdre mon volier, qu'est-ce que je vais devenir, moi ? Je resterai dans la neige avec mes enfants qui vont crever de faim, voilà ce que je vais devenir. » À côté de moi, Seivarden avait le regard vague perdu au loin.

J'ai été forcé de déposer l'argent. Je soupçonnais fortement que je ne le reverrais jamais. Puis la propriétaire a exigé un supplément, parce que je ne pouvais pas présenter une licence de pilote locale – document dont je savais qu'il n'était pas nécessaire. S'il l'avait été, j'en aurais fabriqué une fausse avant de venir.

Mais finalement, elle m'a cédé le volier. J'ai examiné le moteur, qui semblait propre et bien entretenu, et vérifié le carburant. Quand j'ai été satisfait, j'y ai déposé mon paquetage, assis Seivarden puis j'ai grimpé dans le siège de la pilote.

Deux jours après la tempête, la mousse des neiges commençait à réapparaître, des étendues vert pâle avec des stries plus sombres çà et là. Deux heures encore, et nous avons survolé une ligne de collines, et le vert s'est assombri de façon spectaculaire, strié et veiné irrégulièrement d'une douzaine de nuances, comme de la malachite. En certains endroits la mousse était écrasée et piétinée par les créatures qui la broutaient, des troupeaux de boves à poil long, en route vers le nord avec l'arrivée du printemps. Et le long de ces sentiers, en bordure çà et là, des diables des glaces étaient tapis dans des antres excavés avec soin, attendant qu'un bove fasse un pas de travers pour le happer. Je n'en ai vu aucune trace, mais même les herdiers qui passaient leur vie à suivre les boves ne pouvaient pas toujours en déceler un à proximité.

C'était un vol facile. Seivarden était assise, à demi avachie et silencieuse à côté de moi. Comment était-elle encore en vie ? Et comment s'était-elle retrouvée ici, maintenant ? Ça dépassait toutes les probabilités. Mais l'improbable arrivait. Presque un millénaire avant la naissance de la lieutenant Awn, Seivarden avait été capitaine de son propre vaisseau, l'*Épée de Nathtas*, et l'avait perdu. Le plus gros de l'équipage humain, Seivarden compris, avait réussi à gagner les nacelles de sauvetage, mais on n'avait jamais retrouvé la sienne, pas à ma connaissance. Et pourtant, elle était ici. On avait dû la localiser assez récemment. Elle avait de la chance d'être en vie.

*
* *

J'étais à six milliards de kilomètres de là, quand Seivarden avait perdu son vaisseau. Je patrouillais une ville de verre et de pierre rouge polie, silencieuse, hormis le bruit de mes propres pas et la conversation de mes lieutenants et, à l'occasion, moi qui essayais mes voix contre les échos des places pentagonales. Des cascatelles de fleurs, rouges, jaunes et bleues, drapaient les murs cernant des demeures aux cours à cinq côtés. Les fleurs se fanaient ; personne n'osait sortir dans les rues, sinon mes officiers et moi, tout le monde savait le sort probable de toute personne placée en état d'arrestation. Elles préféraient se terrer chez elles, pour attendre la suite des événements, grimaçant ou frémissant au son d'une lieutenant qui riait, ou de mon chant.

Les problèmes que nous avions rencontrés, mes lieutenants et moi, avaient été sporadiques. Les Garseddaïs n'avaient opposé qu'une résistance de pure forme. Des transports de troupes s'étaient vidés, les *Épées* et les *Miséricordes* restaient pour l'essentiel en détachement de garde autour du système. Des représentants des cinq Zones de chacune des cinq Régions, vingt-cinq en tout, parlant au nom des diverses lunes, planètes et stations du système garseddaï, avaient offert la capitulation de leurs électeurs et se rendaient séparément sur l'*Épée d'Amaat* pour rencontrer Anaander Mianaaï, Maître du Radch, et implorer qu'on laisse la vie sauve à leurs peuples. D'où cette ville effrayée et silencieuse.

Dans un parc étroit en forme de losange, près d'un monument en granit noir gravé des Cinq Actes Justes et du nom de la mécène garseddaïe qui avait souhaité les rappeler aux résidents du lieu, une de mes lieutenants en avait croisé une autre et s'était plainte que cette annexion avait été ennuyeuse et décevante. Trois secondes plus tard, j'avais reçu un message de l'*Épée de Nathtas* du capitaine Seivarden.

Les trois électeurs garseddaïes qu'il transportait avaient tué deux de ses lieutenants et douze des segments ancillaires de l'*Épée de Nathtas*. Elles avaient endommagé le vaisseau – coupé des conduits, crevé la coque. Accompagnant le rapport, un enregistrement venu de l'*Épée de Nathtas* : l'arme qu'un segment ancillaire avait vue, de façon irréfutable, mais qui, selon les autres senseurs du vaisseau, n'existait absolument pas. Une électeur garseddaïe corsetée, contre toute attente, de l'argent luisant d'une armure de style radchaaï que seuls pouvaient voir les yeux des ancillaires, qui faisait feu avec l'arme, la balle qui perçait l'armure de l'ancillaire, tuait le segment et, avec la disparition de ses yeux, l'arme et l'armure qui regagnaient en papillotant la non-existence.

Toutes les électeurs avaient été fouillées avant de monter à bord, et l'*Épée de Nathtas* aurait dû pouvoir détecter n'importe quelle arme, engin ou implant générateur de bouclier. Et si l'armure de style radchaaï était couramment employée dans les régions entourant le Radch proprement dit, celles-ci avaient été absorbées mille ans plus tôt. Les Garseddaïs n'en utilisaient pas, ne savaient pas en fabriquer et encore moins s'en servir. Et même si elles l'avaient su, cette arme, et sa balle, étaient totalement impossibles.

Trois personnes armées d'une telle arme et d'armures pouvaient causer de gros dégâts sur un vaisseau tel que l'*Épée de Nathtas*. En particulier si ne serait-ce qu'une seule Garseddaï parvenait à atteindre le moteur, et si une telle arme pouvait percer le bouclier thermique du moteur. Les moteurs de vaisseaux de guerre radchaaïs brûlaient avec la chaleur des étoiles, et un bouclier thermique endommagé signifiait une vaporisation instantanée, tout un vaisseau dissous en un bref éclair intense.

Mais il n'y avait rien que je puisse faire, rien que personne puisse faire. Le message remontait à presque quatre heures, un signal du passé, un fantôme. L'issue avait été décidée avant même qu'il m'atteigne.

*
* *

Un son aigre a retenti, et une lumière bleue a clignoté sur le tableau devant moi, à côté du voyant de carburant. L'instant d'avant, le voyant indiquait pratiquement le plein. Il signalait à présent le vide. Le moteur allait se couper dans quelques minutes. À côté de moi, Seivarden était vautrée, détendue et silencieuse.

Je me suis posé.

*
* *

Le réservoir de carburant avait été truqué d'une façon que je n'avais pas décelée. Il semblait aux trois quarts plein, mais ne l'était pas, et l'alarme qui aurait dû retentir quand j'aurais eu consommé la moitié de ma réserve de départ était débranchée.

J'ai songé à la caution double que je ne récupérerais sans doute jamais. À la propriétaire, si inquiète à l'idée de perdre son précieux volier. Bien sûr, il devait y avoir un transmetteur, que j'aie ou non activé le signal d'alarme. La propriétaire ne voulait pas perdre son volier, uniquement m'abandonner seul au milieu de cette plaine de neige zébrée de mousse. Je pouvais appeler à l'aide – j'avais désactivé mes implants de communication, mais j'avais un portatif que je pouvais utiliser. Nous étions néanmoins très, très loin de toute personne qui puisse avoir envie d'envoyer de l'assistance. Et même si une main secourable arrivait avant la propriétaire qui, clairement, ne me voulait rien de bon, je n'atteindrais pas le but que je désirais, une affaire très importante pour moi.

Il faisait moins dix-huit degrés centigrades, la brise soufflait du sud à quelque huit kilomètres/heure, présageant de la neige pour le proche avenir. Rien de sérieux, si on pouvait se fier au bulletin météo du matin.

Mon atterrissage avait laissé dans la mousse des neiges une traînée blanche bordée de vert, aisément repérable depuis les airs. Le terrain paraissait doucement vallonné, même si les collines que nous avions survolées n'étaient plus visibles.

S'il s'était agi d'une urgence ordinaire, le meilleur parti aurait été de rester à l'intérieur du volier jusqu'à l'arrivée des secours. Mais ce n'en était pas une et je ne m'attendais pas à en voir débarquer.

Soit elles arriveraient dès que le transmetteur leur apprendrait que nous étions clouées au sol, prêtes à être tuées, soit elles attendraient. La loueur avait plusieurs autres véhicules, la propriétaire ne serait sans doute pas en peine de patienter, même plusieurs semaines, avant de récupérer son volier. Comme elle l'avait dit elle-même, personne ne s'étonnerait qu'une hors-monde se soit perdue dans la neige.

J'avais deux options. Je pouvais rester ici et espérer tendre une embuscade à qui viendrait m'assassiner et me voler, et m'emparer de leur moyen de transport. Ce serait, évidemment, stérile dans le cas où elles décideraient de laisser le froid et la faim accomplir le travail pour elles. Ou je pouvais extraire Seivarden du volier, endosser mon paquetage et marcher. Ma destination prévue se trouvait à une soixantaine de kilomètres au nord-est. Je pouvais parcourir à pied cette distance en un jour si je le devais, si le terrain et la météo – et les diables des glaces – le permettaient, mais j'aurais de la chance si Seivarden y parvenait dans le double de temps. Et ce choix serait stérile si la propriétaire décidait de ne pas attendre et de récupérer son volier plus ou moins tout de suite. Notre piste à travers la neige striée de mousse serait nette, elles n'avaient besoin que de nous suivre et de se débarrasser de nous. J'aurais perdu tout l'avantage de la surprise que j'aurais pu gagner en me cachant près du volier à terre.

Et j'aurais de la chance si je trouvais quoi que ce soit, une fois parvenu à destination. J'avais passé les dix-neuf dernières années à suivre le plus ténu des fils, des semaines et des mois de recherche et d'attente, ponctués par des moments tels que celui-ci, où la réussite, voire la survie, dépendaient d'un lancer à pile ou face. J'avais eu de la chance de parvenir jusqu'ici. Raisonnablement, je ne pouvais pas espérer aller plus loin.

Une Radchaaï aurait tiré à pile ou face. Ou plus exactement, elle aurait lancé une poignée de monnaie, une douzaine de disques, chacun avec son sens et son importance, le schéma de leur chute cartographiant l'univers tel qu'Amaat le voulait. Les choses arrivent comme elles le font parce que le monde est tel qu'il est. Ou, comme dirait une Radchaaï, l'univers a la forme des divinités. Amaat conçut la lumière, et la conception de la lumière conçut par nécessité la non-lumière, et jaillirent la lumière et les ténèbres. Ce fut la première Émanation, EtrépaBo ; Lumière/Ténèbres. Les trois autres, impliquées et nécessitées par cette première, sont EskVar (Début/Fin), IssaInu (Mouvement/Immobilité) et VahnItr (Existence/Non-Existence). Ces quatre Émanations se scindèrent et se recombinèrent de maintes façons, pour créer l'univers. Tout ce qui est émane d'Amaat. Le plus petit, le plus insignifiant des événements, appartient à un tout complexe, et comprendre pourquoi une poussière particulière tombe selon une trajectoire particulière et se pose en un lieu particulier, c'est comprendre la volonté d'Amaat. « C'est une simple coïncidence » n'existe pas. Rien n'arrive par hasard, mais seulement selon l'esprit de la Divinité.

C'est du moins ce qu'enseigne l'orthodoxie radchaaïe. Je n'ai pour ma part jamais très bien compris la religion. On ne l'a jamais exigé de moi. Et bien que les Radchaaïs m'aient créé, je n'étais pas radchaaï. Je ne savais rien et ne me souciais pas de la volonté des divinités. Je savais seulement que je retomberais où j'avais moi-même été lancé, où que cela puisse se trouver.

J'ai pris mon paquetage dans le volier d'où j'ai retiré un chargeur supplémentaire, que j'ai rangé à l'intérieur de mon manteau, près de mon arme. J'ai passé mon paquetage à mon épaule, fait le tour du volier et ouvert la portière. « Seivarden », ai-je appelé.

Elle n'a pas bougé, exhalant simplement un *hmmm* discret. Je lui ai pris vigoureusement le bras, et, moitié glissant, moitié marchant, elle est descendue sur la neige.

J'étais arrivé jusqu'ici un pas après l'autre. Je me suis orienté vers le nord-est et, entraînant Seivarden, me suis mis en marche.

*
* *

La docteur Arilesperas Strigan, vers le domicile de laquelle j'espérais fortement me diriger, avait été, à une époque, médic dans un cabinet privé sur la station Dras

46

Annia, un conglomérat d'au moins cinq stations différentes, construites les unes sur les autres, à l'intersection de deux douzaines de routes différentes, très extérieur au territoire du Radch. Là-bas pouvait aboutir à peu près n'importe quoi, si on attendait assez longtemps. Dans le cadre de son travail, elle avait rencontré une vaste gamme de gens, avec une vaste gamme d'antécédents. Elle avait été payée en monnaie, en faveurs, en antiquités, en pratiquement tout ce qu'on pouvait imaginer doté d'une valeur.

J'étais allé là-bas, j'avais vu la station et ses strates complexes et imbriquées, vu où Strigan avait travaillé et vécu, vu ce qu'elle avait laissé derrière elle quand un jour, sans raison connue de personne, semblait-il, elle avait retenu un passage sur cinq vaisseaux différents pour ensuite disparaître. Une mallette remplie d'instruments à cordes, dont je n'avais pu identifier que trois. Cinq étagères d'icônes, une vertigineuse batterie de divinités et de saints sculptés dans le bois, le coquillage ou l'or. Une douzaine d'armes, chacune soigneusement étiquetée avec son numéro de permis de la station. Des collections qui avaient débuté par un seul objet reçu en paiement, piquant la curiosité de Strigan. Elle avait intégralement payé son bail pour cent cinquante ans et, en conséquence, les autorités de la station n'avaient rien touché dans son appartement.

Un bakchich m'avait fait entrer, et permis de voir la collection que j'étais venue examiner – quelques carreaux pentagonaux aux coloris encore vifs comme des fleurs au bout de mille ans. Un bol peu profond portant autour de son rebord doré une inscription dans une langue que Strigan ne pouvait pas connaître. Un rectangle plat en plastique que je savais être un enregistreur de voix. En réponse à un contact, il émit un rire, des voix qui parlaient cette même langue morte.

Si modeste soit-elle, la collection n'avait pas été facile à amasser. Les objets garseddaïs étaient rares, parce qu'une fois qu'Anaander Mianaaï avait compris qu'elles possédaient les moyens de détruire des vaisseaux radchaaïs et de pénétrer une armure radchaaïe, elle avait ordonné la destruction totale de Garsedd et de son peuple. Ces places en pentagone, les fleurs, chaque être vivant sur chaque planète, lune et station du système, tout avait disparu. Personne ne vivrait plus jamais là-bas. Personne ne serait jamais autorisée à oublier ce qu'il en coûtait de défier le Radch.

Une patient lui avait-elle donné, disons, le bol, qui l'avait envoyée en quête de renseignements supplémentaires ? Et si un bibelot garseddaï avait échoué là-bas, qu'est-ce qui l'avait pu, encore ? Un objet qu'un patient aurait pu lui donner en paiement, peut-être sans savoir de quoi il s'agissait – ou en le sachant et en cherchant désespérément à s'en débarrasser. Quelque chose qui avait poussé Strigan à fuir, à disparaître, en laissant derrière elle pratiquement tout ce qu'elle possédait, peut-être. Quelque chose de dangereux, qu'elle ne pouvait se résoudre à détruire, pour s'en débarrasser de la façon la plus efficace qui soit.

Quelque chose que je voulais terriblement.

*

* *

Je voulais progresser le plus loin et le plus vite possible, et nous avons donc marché des heures avec seulement d'infimes pauses quand c'était absolument nécessaire. Bien que la journée soit dégagée et aussi lumineuse qu'elle peut jamais l'être sur Nilt, je me sentais aveugle d'une façon que je croyais avoir appris à ignorer, désormais. J'avais jadis possédé vingt corps, vingt paires d'yeux, et des centaines d'autres auxquels je pouvais avoir accès si j'en avais besoin ou envie. À présent, je ne voyais que dans une direction, ne percevais la vaste étendue derrière moi que si je tournais la

tête et m'aveuglais à ce qui se trouvait devant moi. D'ordinaire, j'y remédiais en évitant les espaces trop dégagés, en
m'assurant de ce que j'avais précisément dans mon dos,
mais ici c'était impossible.

Mon visage cuisait, malgré la brise très douce, puis il
s'est engourdi. J'ai eu tout d'abord les mains et les pieds
douloureux – je n'avais pas acheté mes gants ou mes bottes
avec l'intention de parcourir cent kilomètres à pied dans
le froid –, puis mes membres se sont alourdis et transis.
J'avais la chance de ne pas être venu en hiver, lorsque la
température pouvait descendre considérablement plus bas.

Seivarden devait avoir tout aussi froid, mais elle marchait d'une démarche régulière tandis que je l'entraînais,
un pas apathique après l'autre, traînant les pieds dans la
neige moussue, les yeux baissés, sans se plaindre ni même
parler. Quand le soleil a presque touché à l'horizon, elle a
à peine bougé les épaules et levé la tête. « Je connais cette
chanson, dit-elle.

— Quoi ?

— La chanson que tu fredonnes. » Paresseusement,
elle a tourné la tête vers moi, son visage n'affichant pas la
moindre anxiété ou perplexité. Je me suis demandé si elle
avait fait un quelconque effort pour dissimuler son accent.
Sans doute pas – sous kef comme elle l'était, elle devait s'en
moquer. À l'intérieur des territoires du Radch, cet accent la
désignait comme membre d'une maison riche et influente,
quelqu'une qui, après avoir passé les aptitudes à quinze
ans, se retrouverait nantie d'une prestigieuse affectation.
En dehors de ces territoires, c'était un cliché facile pour
représenter une fripouille – riche, corrompue et sans scrupules – dans un millier de divertissements.

Le léger bruit d'un volier nous est parvenu. Je me suis
retourné sans m'arrêter, ai scruté l'horizon et l'ai vu, petit
et lointain. Volant bas et lentement, nous suivant à la trace,
semblait-il. Ce n'était pas des secours, j'en étais sûr. Mon

pile ou face était tombé du mauvais côté et nous nous retrouvions à présent exposées sans défense.

Nous avons continué à avancer tandis que la rumeur du volier se rapprochait. Nous ne pouvions pas le distancer, même si Seivarden n'avait pas commencé à tituber à demi, se rattrapant, mais clairement à bout de forces. Si elle parlait sans qu'on l'y incite, qu'elle remarque quoi que ce soit autour d'elle, c'était qu'elle devait commencer à redescendre. Je me suis arrêté, lui ai lâché le bras et elle a fait halte à côté de moi.

Le volier est passé au-dessus de nous, a viré et s'est posé en travers de notre chemin, environ trente mètres devant nous. Soit elles n'avaient pas les moyens de nous tirer dessus en vol, soit elles ne le souhaitaient pas. Je me suis débarrassé de mon paquetage et ai défait les fermetures de mon manteau de dessus, pour mieux atteindre mon arme.

Quatre personnes sont descendues du volier – la propriétaire à qui j'avais loué, deux personnes que je n'ai pas reconnues et la personne du bar, celle qui m'avait traité de « fillette dure à cuire » et que j'avais été tenté de tuer, en me retenant de le faire. J'ai glissé la main sous mon manteau et saisi l'arme. Mes options étaient limitées.

« Vous n'avez donc aucun sens commun ? » m'a crié la propriétaire quand elles sont arrivées à quinze mètres de moi. Toutes les quatre se sont arrêtées. « On reste avec le volier, quand il tombe, pour que nous puissions vous retrouver. »

J'ai regardé la personne du bar, vu qu'elle me reconnaissait et qu'elle m'avait vu la reconnaître. « Dans le bar, j'ai prévenu que si on essayait de me voler, on mourrait », lui ai-je rappelé. Elle m'a lancé un sourire goguenard.

Une des personnes dont le visage ne m'était pas familier a sorti une arme de quelque part sur elle. « On va pas se contenter d'*essayer* », a-t-elle dit.

J'ai tiré mon pistolet et fait feu, l'atteignant au visage. Elle s'est écroulée dans la neige. Avant que les autres puissent réagir, j'ai abattu la personne du bar, qui est tombée elle aussi, puis sa voisine, toutes les trois en moins d'une seconde. La propriétaire a juré et tourné les talons pour fuir. Je lui ai tiré dans le dos. Elle a encore fait trois pas avant de s'affaler dans la neige.

« J'ai froid », a déclaré Seivarden à côté de moi, placide et indifférente.

*
* *

Elles avaient laissé le volier sans surveillance. Stupide. Toute cette opération avait été une stupidité, apparemment lancée sans la moindre stratégie sérieuse. Je n'ai eu qu'à embarquer Seivarden et mon paquetage dans leur volier et à m'en aller.

*
* *

Des airs, la résidence d'Arilesperas Strigan était à peine visible, un simple cercle d'à peine plus de trente-cinq mètres de diamètre, à l'intérieur duquel la mousse était sensiblement plus claire et moins drue. J'ai posé le volier à l'extérieur du cercle et attendu un moment pour jauger la situation. Sous cet angle, il était évident qu'il y avait des bâtiments ; deux, des monticules couverts de neige. Ç'aurait pu être un camp d'élevage abandonné. Si je pouvais me fier à mes informations, ce n'était pas le cas. Il n'y avait aucun signe de mur ou de barrière, mais il devait y avoir d'autres mesures de sécurité.

Après délibération, j'ai ouvert la portière du volier et suis sorti, tirant Seivarden dehors derrière moi. Nous avons avancé lentement jusqu'à la ligne où la neige changeait, Seivarden s'arrêtant quand je le faisais. Elle est restée debout, sans curiosité, regardant droit devant elle.

Au-delà de ce point, je n'avais pas pu dresser de plan. « Strigan ! » ai-je appelé, et j'ai attendu, mais aucune réponse ne m'est parvenue. J'ai laissé Seivarden où elle se trouvait et j'ai parcouru la circonférence de la zone. Les entrées des deux bâtiments sous les monticules de neige semblaient avoir des ombres curieuses, et je me suis arrêté pour regarder de nouveau.

Toutes deux étaient béantes, et noires au-delà. Des bâtiments de ce genre devaient posséder des portes à double battant – comme un sas, afin de conserver l'air chaud à l'intérieur – mais je ne pensais pas qu'on pouvait laisser l'une ou l'autre porte béante.

Soit Strigan avait des mesures de sécurité en place, soit elle n'en avait pas. J'ai franchi la ligne, entrant dans le cercle. Rien ne s'est passé.

Les portes étaient ouvertes, l'intérieure comme l'extérieure, et il n'y avait pas de lumière. Dans l'un des bâtiments, il faisait aussi froid que dehors. J'ai présumé que, quand je trouverais de la lumière, je découvrirais que c'était un hangar, rempli d'outils, de caisses scellées de nourriture et de combustible. Dans l'autre, il faisait deux degrés centigrades – j'ai supposé qu'il était chauffé jusqu'à une date relativement récente. Des quartiers de vie, à l'évidence. « Strigan ! » ai-je lancé dans les ténèbres, mais la façon dont ma voix a résonné m'a appris que l'édifice était sans doute inoccupé.

De retour à l'extérieur, j'ai trouvé les traces de l'emplacement de son volier. Elle était donc partie, et les portes ouvertes et les ténèbres étaient un message à l'intention de visiteurs éventuels. Pour moi. Je n'avais aucun moyen de découvrir où elle était allée. J'ai levé les yeux vers le ciel vide, et les ai ramenés vers l'empreinte du volier. Suis resté là un moment, à considérer cet espace inoccupé.

Quand je suis revenu à Seivarden, j'ai découvert qu'elle s'était couchée dans la neige tachée de vert et s'était endormie.

*

* *

À l'arrière du volier, j'ai trouvé une lanterne, un poêle, une tente et des couchages. J'ai apporté la lanterne dans le bâtiment dont j'avais supposé qu'il était un lieu d'habitation et l'ai allumée.

De larges tapis de couleur claire couvraient le sol, et des tapisseries tissées, les murs ; ces dernières étaient bleu et orange, et d'un vert qui faisait mal aux yeux. Des bancs bas, munis de coussins, bordaient la pièce. En dehors de ces éléments, il n'y avait pas grand-chose. Un plateau de jeu avec des jetons, mais le plateau comportait un système de trous que je n'ai pas reconnu et je n'ai pas compris la répartition des jetons entre les trous. Je me suis demandé avec qui Strigan jouait. Peut-être le plateau servait-il simplement de décoration. Il était finement sculpté, et les pièces arboraient des couleurs vives.

Une boîte en bois était posée sur une table dans un coin, un ovale allongé avec un couvercle sculpté, percé, et trois cordes tendues en travers. Le bois était d'un or pâle, avec un grain ondulé, spiralé. Les trous découpés dans le couvercle plat étaient aussi irréguliers et complexes que le grain du bois. C'était un objet superbe. J'ai pincé une corde et elle a résonné doucement.

Des portes conduisaient à la cuisine, à la salle de bains, aux quartiers de sommeil et à ce qui était visiblement une modeste infirmerie. J'ai ouvert la porte d'une petite armoire pour y trouver un empilement soigneux de correctifs. Chaque tiroir que j'inspectais recélait instruments et médicaments.

Strigan avait pu se rendre dans un camp d'élevage pour parer à une urgence. Mais le fait que les lumières et le chauffage soient coupés, et que ces portes soient restées ouvertes, en laissait présager différemment.

Sauf miracle, c'était la fin de dix-neuf ans de calculs et d'efforts.

Les contrôles de la maison étaient situés derrière un panneau dans la cuisine. J'ai trouvé la source d'énergie en place, l'ai rebranchée et j'ai remis en route le chauffage et les lumières. Puis je suis sorti récupérer Seivarden, que j'ai traînée à l'intérieur.

*
* *

J'ai confectionné une couchette avec des couvertures trouvées dans la chambre de Strigan, puis j'ai dévêtu Seivarden, l'ai allongée dessus et ai ajouté sur elle d'autres couvertures. Elle ne s'est pas réveillée, et j'ai employé ce temps à fouiller la maison plus complètement.

L'armoire contenait une abondance de nourriture. Une tasse était posée sur un comptoir, une fine couche de liquide vert vernissant le fond. À côté, un simple bol blanc contenait les derniers fragments d'un quignon de pain dur se désintégrant en eau bordée de glace. On aurait dit que Strigan était partie sans nettoyer après un repas, laissant presque tout derrière elle – nourriture, fournitures médicales. J'ai inspecté la chambre, y ai trouvé des vêtements chauds en bon état. Elle avait quitté les lieux précipitamment, sans emporter grand-chose.

Elle savait ce qu'elle détenait. Bien entendu – c'était pour cela qu'elle avait fui, au départ. Si elle n'était pas idiote – et j'étais tout à fait certain de cela – elle avait dû partir au moment où elle avait compris ce que j'étais, et continué sa route jusqu'à se trouver aussi loin de moi que possible.

Mais où était-ce ? Si j'avais représenté le pouvoir du Radch et que je l'aie dénichée, même ici, si loin à la fois de l'espace du Radch et de chez elle, où pouvait-elle aller où on ne finirait pas par la retrouver ? Elle devait sûrement s'en rendre compte. Mais quelle autre possibilité lui restait-il encore ?

Assurément, elle n'aurait pas la sottise de revenir.

Entre-temps, Seivarden ne tarderait pas à être malade, à moins que je ne lui trouve du kef. Je n'en avais aucune intention. Et ici, il y avait à manger, de la chaleur, et peut-être pourrais-je dénicher quelque chose, un signe, un indice des pensées qui avaient traversé Strigan, à l'instant où elle avait cru que le Radch venait la prendre, et avait fui. Quelque chose qui me révélerait où elle était partie.

Chapitre quatre

La nuit, à Ors, je parcourais les rues et regardais par-dessus l'eau tranquille et fétide, noire au-delà des quelques lumières d'Ors proprement dite et du clignotement des bouées cernant les zones interdites. Je dormais, aussi, et montais la garde au niveau inférieur de la maison, au cas où on aurait besoin de moi, bien que ce soit rare ces temps-ci. Je finissais toute la tâche du jour restée inachevée, et veillais sur la lieutenant Awn, qui reposait endormie.

Le matin, j'apportais l'eau pour le bain de la lieutenant et je l'habillais, même si le costume local exigeait nettement moins d'efforts que son uniforme, et qu'elle ait cessé deux ans plus tôt de porter tout cosmétique que ce soit, car ils étaient difficiles à préserver par cette chaleur.

Puis la lieutenant Awn se tournait vers ses icônes – Amaat à quatre bras, une Émanation dans chaque main, siégeait sur un coffre en bas, mais les autres (Toren, qui recevait les dévotions de chaque officier sur le *Justice de Toren*, et quelques divinités spécifiques à la famille de la lieutenant Awn) étaient posées à côté de l'endroit où elle dormait, dans la partie supérieure de la maison, et c'est à elles que la lieutenant Awn présentait ses dévotions du matin. « La fleur de la justice est la paix », débutait la prière quotidienne, que prononçait chaque soldat radchaaïe en se réveillant, chaque jour de sa vie militaire. « La fleur de la convenance est la beauté en pensée et en acte. » Le reste de mes officiers, toujours à bord du *Justice de Toren*, suivait un emploi du temps différent. Leurs matins coïncidaient rarement avec ceux de la lieutenant Awn, aussi la voix de celle-ci retentissait-elle presque toujours seule en prière, et les autres, quand elles parlaient si loin, en chœur sans elle. « La fleur de l'avantage est Amaat totale et entière. Je suis l'épée de justice… » La prière est antiphonée, mais longue de quatre strophes seulement. Parfois, je l'entends encore à mon réveil, comme une voix lointaine quelque part derrière moi.

Chaque matin, dans chaque temple officiel à travers l'espace radchaaï, une prêtre (qui officie également comme greffier des naissances et des décès, et des contrats de toute espèce) lance les augures du jour. Les maisons et les individus lancent parfois les leurs, également, et il n'y a aucune obligation d'assister au lancer officiel – mais c'est une excuse qui en vaut une autre pour se montrer, parler aux amis et aux voisins, et entendre les ragots.

Il n'y avait pour l'heure aucun temple officiel à Ors – ceux-ci sont tous principalement dédiés à Amaat, toute autre divinité locale occupe une position secondaire, et la grande prêtre d'Ikkt n'avait pas encore pris la décision de retirer sa divinité de son propre temple, ou d'identifier Ikkt avec Amaat de façon assez étroite pour ajouter les rites radchaaïs aux siens. Si bien que, pour le moment, la maison de la lieutenant Awn tenait lieu de temple. Chaque matin, les porteurs de fleurs du temple improvisé retiraient les fleurs fanées autour de l'icône d'Amaat pour les remplacer par des fraîches – en général une espèce endémique à petits pétales rose vif trilobés qui poussait dans la terre accumulée dehors aux coins des bâtiments ou dans les fissures des dalles ; pratiquement une mauvaise herbe, mais que les enfants ne se lassaient pas d'admirer. Et dernièrement, de petits lis bleu et blanc en coupe avaient fleuri sur le lac, en particulier près des zones interdites délimitées par les bouées.

La lieutenant Awn déployait alors l'étoffe pour le lancer des augures et les augures eux-mêmes, une poignée de pesants disques de métal. Ceux-ci, ainsi que les icônes, étaient des biens personnels de la lieutenant Awn, des cadeaux de ses parents quand elle avait réussi les aptitudes et reçu son commandement.

Parfois seules la lieutenant Awn et les servants de la journée assistaient au rituel du matin, mais il y avait couramment d'autres fidèles. La médic de la ville, quelques-unes des Radchaaïs qui avaient obtenu des propriétés ici, d'autres enfants orsiennes qu'on ne pouvait convaincre d'aller à l'école ou qui ne se souciaient pas d'y arriver à l'heure, et qui raffolaient du brillant et du clinquant des disques dans leur chute. Parfois, même la grande prêtre d'Ikkt venait – cette divinité, comme Amaat, n'exigeant pas que ses fidèles refusent d'en reconnaître d'autres.

Une fois que les augures étaient tombés pour se répandre sur l'étoffe (ou, à l'inquiétude de toutes les spectateurs, rouler hors du tissu jusqu'à un endroit plus compliqué à interpréter), la prêtre qui officiait était censée identifier le motif, le faire correspondre au fragment des écritures associé, qu'elle récitait pour l'assistance. Ce n'était pas une tâche dont la lieutenant Awn était toujours capable. Aussi, en réalité, lançait-elle les augures, et observais-je leur chute pour lui transmettre les textes appropriés. Le *Justice de Toren*, après tout, avait presque deux mille ans, et assisté à pratiquement toutes les configurations possibles.

Le rituel accompli, elle prenait son petit déjeuner – d'ordinaire une tranche de pain de n'importe quelle céréale locale disponible, et du thé (du vrai) – puis elle prenait place sur sa carpette et la plateforme et attendait les requêtes et les réclamations de la journée.

« Jen Shinnan vous invite à souper », lui dis-je, ce matin-là. Je prenais également mon petit déjeuner, nettoyais les armes, parcourais les rues et saluais ceux qui m'adressaient la parole.

Jen Shinnan vivait dans la haute-ville. Avant l'annexion, elle avait été la personne la plus riche d'Ors, uniquement surpassée en influence par la grande prêtre d'Ikkt. La lieutenant Awn ne l'aimait pas. « Je suppose que je n'ai aucune bonne excuse pour refuser.

— Pas que je voie. » Je me tenais également sur le périmètre de la maison, presque dans la rue, où je montais la garde. Une Orsien s'approcha, me vit, ralentit. S'arrêta à huit mètres à peu près, feignant de regarder ailleurs, au-dessus de moi.

« Autre chose ? demanda la lieutenant Awn.

— La magistrat de secteur réitère la politique officielle en ce qui concerne les réserves de pêche dans les marais d'Ors… »

La lieutenant Awn poussa un soupir. « Oui, bien entendu. »

« Puis-je vous aider, citoyen ? » demandai-je à la personne qui hésitait encore dans la rue. L'arrivée imminente de sa première petit-enfant n'avait pas encore été annoncée aux voisins, aussi feignis-je de ne pas être au courant, et n'employai-je que la simple formule de respect réservée à une personne masculine.

« J'aimerais, poursuivit la lieutenant Awn, que la magistrat vienne ici en personne et essaie de vivre de pain rassis et de ces écœurants légumes en saumure qu'on nous envoie, pour voir comment elle apprécie de se voir interdire de pêcher. »

L'Orsien dans la rue sursauta, donna un instant l'impression qu'elle allait tourner les talons pour s'en aller, et changea d'avis. « Le bonjour, Radchaaï, dit-elle doucement en s'approchant. Et au lieutenant également. » Les Orsiens étaient directes quand cela les arrangeait et, parfois encore, d'une curieuse et exaspérante réticence.

« Je sais qu'il y a une raison à cela, reprit la lieutenant Awn. Et elle n'a pas tort, mais quand même. » Elle soupira de nouveau. « Autre chose ?

— Denz Ay est dehors et souhaite s'entretenir avec vous. » Tout en parlant, j'invitai Denz Ay à entrer dans la maison.

« De quoi ?

— D'un sujet qu'elle semble rechigner à évoquer. » La lieutenant Awn acquiesça d'un geste, et je conduisis Denz Ay de l'autre côté des paravents. Elle s'inclina et s'assit sur le tapis devant la lieutenant Awn.

« Le bonjour, citoyen », dit la lieutenant Awn. Je traduisis.

« Le bonjour, lieutenant. » Et par étapes lentes et circonspectes, en commençant par une observation sur la chaleur et le ciel sans nuages, progressant par des questions sur la santé de la lieutenant Awn jusqu'à de vagues ragots locaux, elle en vint enfin à suggérer le motif de sa venue. « J'ai… j'ai une ami, lieutenant. » Elle s'arrêta.

« Oui ?

— Hier, mon ami pêchait. » Denz Ay s'arrêta de nouveau.

La lieutenant Awn attendit trois secondes et, quand plus rien ne parut suivre, elle demanda : « Et votre ami a-t-elle fait bonne pêche ? » Quand elles étaient de cette humeur, aucune quantité de questions directes, ni de demande à l'Orsien d'en venir au fait, n'aboutiraient.

« P… pas tellement », répondit Denz Ay. Puis, l'irritation fulgurant sur son visage, juste un instant : « La meilleure pêche, vous le savez, se fait près des zones de frai, et celles-là sont toutes interdites.

— Oui, acquiesça la lieutenant Awn. Je suis certaine que jamais votre ami ne pêcherait de façon illégale.

— Non, non, bien sûr que non, protesta Denz Ay. Mais… je ne veux pas lui causer d'ennuis… Mais peut-être que, parfois, elle déterre des tubercules. *À proximité* des zones interdites. »

On ne trouvait pas réellement de plantes à tubercules comestibles à proximité des zones interdites – toutes avaient été déterrées depuis des mois, voire plus. Les braconniers agissaient plus prudemment avec celles qui poussaient à l'intérieur – si elles diminuaient de façon visible, ou disparaissaient totalement, nous serions forcées de découvrir qui les prenait et de surveiller les plantes de beaucoup plus près. La lieutenant Awn savait cela. Tout le monde le savait, dans la basse-ville.

La lieutenant Awn attendit le reste de l'histoire, agacée, pas pour la première fois, par cette tendance orsienne à approcher le sujet de façon furtive, mais parvenant en grande partie à ne pas le montrer. « J'ai entendu dire qu'ils étaient très bons, encouragea-t-elle.

— Oh oui ! approuva Denz Ay. Ils sont meilleurs sitôt tirés de la vase ! » La lieutenant Awn réprima une grimace. « Mais on peut les couper en tranches et les griller, aussi… » Denz Ay s'interrompit, avec une expression madrée. « Mon ami pourrait sans doute vous en procurer. »

Je vis l'insatisfaction de la lieutenant Awn vis-à-vis de ses rations, l'envie momentanée de dire : *oui, s'il vous plaît* ; mais elle répondit : « Merci, ce n'est pas nécessaire. Vous disiez ?

— Disiez ?

— Votre… ami. » Tout en parlant, la lieutenant Awn me posait des questions par d'infimes frémissements des doigts. « Déterrait des tubercules *à proximité* d'une zone interdite. Et ? »

Je montrai à la lieutenant Awn l'emplacement où cette personne avait le plus probablement creusé – je surveillais tout Ors, voyais les navires entrer et sortir, les repérais la nuit quand ils tamisaient leurs feux et croyaient peut-être même voguer invisibles de moi.

« Et, dit Denz Ay, elles ont trouvé quelque chose. »

Des disparues ? s'enquit la lieutenant Awn en silence, inquiète. Je répondis par la négative. « Qu'ont-elles trouvé ? demanda à voix haute la lieutenant Awn à Denz Ay.

— Des armes », répondit celle-ci, si bas que la lieutenant Awn faillit ne pas l'entendre. « Une douzaine, d'avant. » Avant l'annexion, voulait-elle dire. Toutes les soldats shis'urniennes avaient été délestées de leurs armes, personne sur la planète n'aurait dû en posséder sans que nous le sachions. La réponse était tellement surprenante que, durant les deux secondes d'un battement de paupières, la lieutenant Awn ne réagit pas du tout.

Puis vinrent la perplexité, l'inquiétude et le trouble. *Pourquoi me raconte-t-elle cela ?* me demanda la lieutenant Awn en silence.

« Les gens discutent, lieutenant, dit Denz Ay. Vous les avez peut-être entendues ?

— Les gens discutent toujours », confirma la lieutenant Awn, réponse si machinale que je n'eus pas besoin de traduire pour elle, elle savait la dire en dialecte local. « Comment passeraient-elles le temps, sinon ? » Denz Ay admit d'un geste cet argument conventionnel. La patience de la lieutenant Awn commença à s'effilocher, et elle attaqua de front. « On aurait pu les placer là avant l'annexion. »

Denz Ay effectua un geste négatif de sa main gauche. « Elles n'étaient pas là il y a un mois. »

Quelqu'une aurait trouvé une cache pré-annexion et les aurait dissimulées là-bas ? me demanda la lieutenant Awn, en silence. À voix haute, elle demanda : « Quand les gens discutent, est-ce qu'elles disent des choses qui pourraient expliquer l'apparition d'une douzaine d'armes sous l'eau dans une zone interdite ?

— De telles armes ne servent à rien contre *vous*. » À cause de notre armure, voulait dire Denz Ay. L'armure radchaaïe était un champ de force pour l'essentiel impénétrable. Je pouvais d'une pensée déployer la mienne, à l'instant où je désirais le faire. Le mécanisme qui la créait était implanté dans chacun de mes segments, et la lieutenant Awn en possédait une, elle aussi – bien que la sienne soit une unité portée à l'extérieur. L'armure ne nous rendait pas totalement invulnérables, et au combat nous portions parfois au-dessous de véritables pièces d'armure, légères et articulées, couvrant la tête, les membres et le torse, mais même sans cela un petit lot d'armes n'endommagerait guère l'une ou l'autre.

« Alors à qui ces armes seraient-elles destinées ? » demanda la lieutenant Awn.

Denz Ay réfléchit, sourcils froncés, se mordant la lèvre, puis elle dit : « Les Tanmindes ressemblent davantage aux Radchaaïs que nous.

— Citoyen, déclara la lieutenant Awn en insistant de façon sensible et délibérée sur ce mot, qui n'était que la signification première de *Radchaaï*, si nous devions abattre quelqu'une ici, nous l'aurions déjà fait. » Nous l'avions d'ailleurs déjà fait. « Nous n'aurions pas besoin de caches d'armes secrètes.

— C'est pourquoi je suis venue à vous, dit Denz Ay avec emphase, comme si elle s'expliquait en termes très simples, pour un enfant. Quand vous tirez sur une personne, vous dites pourquoi et vous le faites, sans excuse. C'est ainsi que sont les Radchaaïs. Mais dans la haute-ville, avant que vous veniez, quand elles abattaient des Orsiens, elles prenaient soin d'avoir toujours une excuse. Si elles voulaient la mort de quelqu'une, expliqua-t-elle face à l'expression désorientée, horrifiée de la lieutenant Awn, elles ne disaient pas : *Vous nous causez des problèmes, nous voulons que vous disparaissiez*, avant de tirer. Elles disaient : *Nous ne faisons que nous défendre* et, une fois la personne morte, elles fouillaient le corps ou une maison et découvraient des armes, ou des messages incriminants. » Pas des preuves authentiques, l'implication était claire.

« Alors, en quoi sommes-nous semblables ?

— Vos divinités sont les mêmes. » Elles ne l'étaient pas, pas de façon explicite, mais cette fiction était encouragée, dans la haute-ville et ailleurs. « Vous vivez dans l'espace, vous vous déplacez toutes enveloppées de vêtements. Vous êtes riches, les Tanmindes sont riches. Si quelqu'une dans la haute-ville (et par ces mots elle évoquait une quelqu'une précise, je le soupçonnais) s'écrie qu'une Orsien les menace, la plupart des Radchaaïs la croiront, plutôt qu'une Orsien qui doit certainement mentir pour protéger les siennes. »

Et voilà pourquoi elle était venue trouver la lieutenant Awn : afin que, quoi qu'il arrive, il soit évident et clair pour les autorités radchaaïes qu'elle – et par extension tout le monde dans la basse-ville – n'avait rien à voir en fait avec cette cache d'armes, si une accusation devait se matérialiser.

« Ces termes, dit la lieutenant Awn, Orsiens, Tanmindes, Mohas, cela ne signifie rien, à présent. C'est fini. Tout le monde est radchaaïe ici.

— Comme vous dites, lieutenant », répondit Denz Ay d'une voix tranquille et pratiquement dénuée d'émotion.

La lieutenant Awn était à Ors depuis assez longtemps pour reconnaître l'implicite refus d'acquiescer. Elle tenta un nouvel angle d'approche. « Personne ne tirera sur personne.

— Bien sûr que non, lieutenant », déclara Denz Ay, mais de cette même voix tranquille. Elle était assez âgée pour savoir de première main que nous avions bel et bien abattu des gens dans le passé. On pouvait difficilement la blâmer de craindre que nous ne recommencions à l'avenir.

*
* *

Après le départ de Denz Ay, la lieutenant Awn resta assise, pensive. Personne ne l'interrompit ; la journée était calme. À l'intérieur du temple éclairé de vert, la grande prêtre se tourna vers moi et dit : « Il fut un temps où il y aurait eu deux chœurs, de cent voix chacun. Cela vous aurait plu. » J'avais vu des enregistrements. Parfois, les enfants m'apportaient des chansons qui étaient de lointains échos de cette musique, disparue depuis cinq cents ans ou plus. « Nous ne sommes plus que l'ombre de nous-mêmes, déclara la grande prêtre. Tout passe, un jour. » J'acquiesçai qu'il en allait ainsi.

« Prends un bateau, ce soir, dit la lieutenant Awn, bougeant enfin. Cherche des indices sur la provenance de ces armes. Je déciderai de ce qu'il faut faire une fois que j'aurai une meilleure idée de ce qu'il se passe.

— Oui, lieutenant », répondis-je.

*
* *

Jen Shinnan vivait dans la haute-ville, de l'autre côté du lac de l'avant-temple. Peu d'Orsiens y vivaient, si elles n'étaient pas des serviteurs. Là-bas, les maisons étaient construites selon un plan légèrement différent de celles de la basse-ville, comme en témoignaient les toits à double versant, ou la partie centrale de chaque étage dotée de murs, bien qu'on laisse les fenêtres et les portes ouvertes, par les nuits douces. Toute la haute-ville avait été construite beaucoup plus récemment que la basse, au cours des cinquante dernières années, à peu près, et employait beaucoup plus largement le contrôle climatique. Nombre de résidents portaient pantalons et chemises, voire des vestes. Les immigrants radchaaïes qui vivaient ici avaient tendance à revêtir des tenues beaucoup plus conventionnelles, et la lieutenant Awn, lors de ses visites, arborait son uniforme sans trop d'inconfort.

Mais la lieutenant Awn n'était jamais à son aise, en rendant visite à Jen Shinnan. Elle ne l'aimait pas et bien qu'évidemment rien n'ait même été suggéré, sans doute Jen Shinnan n'aimait-elle guère la lieutenant Awn non plus. Ce genre d'invitation n'était motivé que par des obligations sociales, la lieutenant Awn représentant l'autorité radchaaïe locale. La table ce soir-là était inhabituellement réduite, simplement Jen Shinnan, une de ses cousins et les lieutenants Awn et Skaaïat. La lieutenant Skaaïat, bien entendu, commandait la Sept Issa du *Justice d'Enté* et administrait le territoire entre Ors et Kould Ves – principalement des terres cultivées où Jen Shinnan et sa cousin avaient leurs domaines. La lieutenant Skaaïat et ses troupes nous assistaient durant la saison du pèlerinage, si bien qu'elle était presque aussi connue à Ors que la lieutenant Awn.

« On a confisqué toute ma récolte. » C'était la cousin de Jen Shinnan, propriétaire de plusieurs vergers de tamarins non loin de la haute-ville. De son ustensile de table, elle frappa son assiette avec emphase. « *Toute* ma récolte. »

Le centre de la table était chargé de plateaux et de jattes remplis d'œufs, de poissons (venus, non du lac marécageux, mais de la mer au-delà), de poulet aux épices, de pain, de légumes braisés et d'une demi-douzaine de mets divers.

« On ne vous a pas payée, citoyen ? » s'enquit la lieutenant Awn, s'exprimant avec lenteur et soin, comme toujours quand elle craignait que son accent ne soit pris en défaut. Jen Shinnan et sa cousin parlaient toutes deux radchaaï, aussi n'y avait-il nul besoin de traduire, ni aucune inquiétude sur le genre, le statut, ni toute autre considération qui aurait été essentielle en parlant tanminde ou orsien.

« Assez bien, mais j'en aurais certainement tiré davantage si j'avais pu l'apporter à Kould Ves et la vendre moi-même ! »

Il y avait eu une époque où on aurait d'emblée fusillé des propriétaires comme elle, afin que le client de quelqu'une puisse s'emparer du contrôle de sa plantation. En réalité, plus d'une Shis'urnien avait péri durant les premières phases de l'annexion, simplement parce qu'elle gênait, et *gêner* pouvait avoir bien des significations.

« Comme vous le comprenez bien, j'en suis sûre, citoyen, dit la lieutenant Awn, la distribution des vivres est un problème dont la résolution n'est pas terminée, et nous devons toutes endurer quelques difficultés, le temps que ce soit accompli. » Ses phrases, lorsqu'elle était mal à l'aise, prenaient une tournure officielle très peu caractéristique, et parfois dangereusement chantournée.

Jen Shinnan indiqua d'un geste un plat en verre fragile, rose pâle. « Un autre œuf farci, lieutenant Awn ? »

La lieutenant Awn leva une main gantée. « Ils sont délicieux, mais non, merci, citoyen. »

Mais la cousin s'était lancée sur une voie dont elle avait du mal à dévier, malgré la diplomatique tentative de Jen Shinnan pour lui faire quitter ses rails. « Ce n'est pas comme si les fruits étaient une denrée de première nécessité. Et les tamarins, en particulier ! Ni comme si des gens mouraient de faim.

— En effet », acquiesça la lieutenant Skaaïat, avec jovialité. Elle adressa un radieux sourire à la lieutenant Awn. La lieutenant Skaaïat – peau sombre, yeux ambrés ; aristocratique comme la lieutenant Awn ne l'était pas. Une de ses Sept Issa se tenait auprès de moi, à côté de la porte de la salle à manger, aussi droite et immobile que moi.

La lieutenant Awn aimait beaucoup la lieutenant Skaaïat, et elle apprécia son sarcasme en cette occasion, mais ne put pas se résoudre à y répondre par un sourire. « Pas cette année.

— Tes affaires marchent mieux que les miennes, cousin », déclara Jen Shinnan, d'une voix de modération. Elle aussi possédait des terres cultivées non loin de la haute-ville. Mais elle était également propriétaire de ces dragues qui demeuraient, silencieuses et immobiles, dans l'eau des marais. « Je suppose cependant que je n'ai guère de regret à avoir, c'était beaucoup de tracas pour très peu de rendement. »

La lieutenant Awn ouvrit la bouche pour parler, puis la referma. La lieutenant Skaaïat s'en aperçut, et dit, allongeant sans effort ses voyelles raffinées : « Combien cela fait-il, trois ans d'interdiction de pêche, encore, lieutenant ?

— Oui, répondit la lieutenant Awn.

— Sottises, déclara Jen Shinnan. Parties d'une bonne intention, mais sottises quand même. Vous avez vu à quoi elles ressemblaient, à votre arrivée. Dès que vous les ouvrirez, elles seront de nouveau vidées de leurs poissons. Les Orsiens ont pu être un grand peuple, jadis, mais elles n'arrivent pas à la cheville de leurs ancêtres. Elles n'ont pas d'ambition, ne voient pas plus loin que le bout de leur nez. Si vous leur montrez qui commande, alors elles peuvent se révéler parfaitement dociles, comme vous l'avez découvert, je pense, lieutenant Awn. Mais à l'état naturel, elles sont, à quelques exceptions près, paresseuses et superstitieuses. Je suppose que c'est ce qui arrive quand on vit dans le Monde d'en bas. » Elle sourit de sa propre plaisanterie. Sa cousin en rit ouvertement.

Les nations de Shis'urna qui vivaient dans l'espace divisaient l'univers en trois parties. Au centre s'étendait l'environnement naturel des humains – les stations spatiales, les vaisseaux, les habitats construits. À l'extérieur de celui-ci se trouvait le Noir – le ciel, demeure de la Divinité et de toutes choses sacrées. Et à l'intérieur du puits de gravité de la planète Shis'urna proprement dite – ou de chaque planète, d'ailleurs – se situait le Monde d'en bas, le pays des morts duquel avait dû s'échapper l'humanité afin de se libérer totalement de l'influence démoniaque.

Peut-être comprenez-vous comment le concept radchaaï qui voit l'univers comme la Divinité elle-même pouvait sembler conforme à l'idée tanminde du Noir.

Vous pourriez également saisir pourquoi il semblait un peu incongru, pour des oreilles radchaaïes, d'entendre quelqu'une qui considérait les puits de gravité comme le pays des morts traiter de superstitieux des gens qui adoraient un lézard.

La lieutenant Awn arbora un sourire poli, et la lieutenant Skaaïat commenta : « Et pourtant, vous vivez ici, vous aussi.

— Je ne confonds pas des concepts philosophiques abstraits avec la réalité », répondit Jen Shinnan. Quoique cela sonne étrangement aussi, pour une Radchaaï qui savait ce que cela représentait pour une stationnier tanminde de descendre dans le Monde d'en bas et de revenir. « Sérieusement. J'ai une théorie. »

La lieutenant Awn, qui avait été exposée à plusieurs théories tanmindes sur les Orsiens, adopta une expression neutre, presque curieuse même, et dit, d'une voix froide : « Oh ?

— Partagez-la donc ! » l'encouragea la lieutenant Skaaïat. La cousin, ayant enfourné quantité de poulet aux épices dans sa bouche quelques instants auparavant, lui adressa un geste de soutien avec son ustensile de table.

« C'est leur mode de vie, tout en plein air comme ça, sans rien d'autre qu'un toit, déclara Jen Shinnan. Les Orsiens ne peuvent avoir aucune intimité, aucun sentiment d'être des individus véritables, vous comprenez, aucune conscience de la moindre identité séparée.

— Encore moins de la propriété privée, ajouta Jen Taa, qui avait avalé son poulet. Elles croient qu'on peut simplement entrer chez les gens pour prendre tout ce qu'on veut. »

En fait, il existait des règles – certes tacites – pour entrer chez quelqu'une sans y être invitée, et le vol était rarement un problème dans la basse-ville. À l'occasion, durant la saison du pèlerinage ; presque jamais, sinon.

Jen Shinnan eut un geste d'approbation : « Et personne *ici* ne meurt vraiment de faim, lieutenant. Nulle n'est obligée de travailler, il leur suffit de pêcher dans le marais. Ou de dépouiller les visiteurs durant la saison du pèlerinage. Elles n'ont aucune occasion de susciter en elles de l'ambition ou un désir d'améliorer leur condition. Et elles ne développent – ne peuvent pas développer, en fait – de sophistication d'aucune sorte, de, de... » Sa voix mourut, à la recherche du mot juste.

« D'intériorité ? suggéra la lieutenant Skaaïat qui prenait à ce petit jeu beaucoup plus de plaisir que la lieutenant Awn.

— Exactement, c'est ça ! approuva Jen Shinnan. D'intériorité, oui.

— Donc, votre théorie, commenta la lieutenant Awn sur un ton dangereusement égal, est que les Orsiens ne sont pas réellement des *gens*.

— En fait, pas des *individus*. » Jen Shinnan sembla percevoir, vaguement, que ses paroles avaient mis la lieutenant Awn en colère, mais n'en semblait pas absolument certaine. « Pas en tant que telles.

— Et bien entendu, intervint Jen Taa en toute inconscience, elles voient ce que nous possédons et ne comprennent pas qu'on doit *travailler* pour avoir une telle vie, et elles nous jalousent, nous en veulent et nous blâment, *nous*, de ne pas la leur laisser avoir, alors que, si seulement elles travaillaient...

— Elles envoient le peu d'argent qu'elles possèdent pour soutenir leur temple à demi en ruine, et se plaignent ensuite d'être pauvres, renchérit Jen Shinnan. Et elles épuisent les marais de leurs poissons et nous en blâment. Elles agiront de même avec vous, lieutenant, lorsque vous rouvrirez les zones interdites.

— Le fait que vous draguiez des tonnes de vase pour la vendre comme engrais n'a rien eu à voir avec la disparition du poisson ? » s'enquit la lieutenant Awn, d'une voix tendue. En fait, l'engrais avait été un sous-produit du commerce principal, la vente de la boue aux Tanmindes vivant dans l'espace, pour des motifs religieux. « C'était la faute de la pêche irresponsable des Orsiens ?

— Oh, bien sûr, ça a eu un *certain* effet, admit Jen Taa, mais si seulement elles avaient géré leurs ressources convenablement...

— Tout à fait exact, renchérit Jen Shinnan. Vous me blâmez d'avoir gâché la pêche. Mais j'ai donné des emplois à ces gens. Des occasions d'améliorer leur vie. »

La lieutenant Skaaïat avait dû sentir que la lieutenant Awn atteignait un point dangereux. « La sécurité sur une planète diffère beaucoup de ce qu'elle est sur une station, dit-elle d'une voix enjouée. Sur une planète, il y aura toujours... des failles. Des choses qu'on ne voit pas.

— Ah, fit Jen Shinnan, mais vous avez placé un traqueur sur tout le monde, si bien que vous savez toujours où nous sommes.

— Oui, opina la lieutenant Skaaïat, mais nous ne sommes pas tout le temps en train de *surveiller*. Je suppose qu'on pourrait développer une IA assez vaste pour contrôler toute une planète, mais je ne crois pas qu'on ait jamais essayé. Sur une station, en revanche... »

J'observai la lieutenant Awn qui avait vu la lieutenant Skaaïat déclencher le piège dans lequel Jen Shinnan s'était engagée quelques instants auparavant. « Sur une station, confirma la lieutenant Awn, l'IA voit tout.

— C'est tellement plus facile à gérer, approuva jovialement la lieutenant Skaaïat. Presque plus besoin de Sécurité. » Ce n'était pas tout à fait vrai, mais ce n'était pas le moment de le signaler.

Jen Taa déposa son ustensile de table. « L'IA ne voit quand même pas *tout*. » Aucune des lieutenants ne dit rien. « Même quand on... ?

« — Tout, répondit la lieutenant Awn. Je vous le garantis, citoyen. »

Le silence, pendant presque deux secondes. À côté de moi, la bouche de la garde Sept Issa tressauta, un mouvement qui aurait pu venir d'une démangeaison ou d'un spasme musculaire incontrôlable, mais était, je le subodorais, la seule manifestation extérieure de son amusement. Les vaisseaux militaires possédaient des IA, tout comme les stations, et les soldats radchaaïes vivaient sans la moindre intimité.

La lieutenant Skaaïat brisa le silence. « Votre nièce, citoyen, passe les aptitudes cette année ? »

La cousin fit signe que oui. Tant que ses propres cultures fourniraient un revenu, elle n'aurait pas besoin d'affectation, et son héritier non plus – quel que soit le nombre d'héritiers que ses terres pourraient supporter. La nièce, cependant, avait perdu ses parents au cours de l'annexion.

« Ces aptitudes, dit Jen Shinnan, vous les avez passées, lieutenants ? » Toutes deux indiquèrent que oui. Les aptitudes représentaient la seule voie d'accès à la vie militaire, ou à un poste gouvernemental – bien que cela ne couvre pas la totalité des affectations disponibles.

« Nul doute, dit Jen Shinnan, que les tests fonctionnent bien pour vous, mais je me demande s'ils sont appropriés pour nous autres Shis'urniens.

— Pourquoi donc ? demanda la lieutenant Skaaïat avec un amusement légèrement intrigué.

— Y aurait-il eu un problème ? s'enquit la lieutenant Awn, encore crispée, encore irritée contre Jen Shinnan.

— Ma foi. » Jen Shinnan prit une serviette, douce, décolorée jusqu'au blanc neigeux, et s'essuya la bouche. « On dit que, le mois dernier à Kould Ves, tous les candidats au fonctionnariat appartenaient à l'ethnie orsienne. »

La lieutenant Awn battit des paupières, désorientée. La lieutenant Skaaïat sourit. « Vous voulez dire, dit-elle en regardant Jen Shinnan mais en adressant également ses mots à la lieutenant Awn, que vous soupçonnez les tests d'être orientés. »

Jen Shinnan plia sa serviette et la déposa sur la table, près de son bol. « Allons, lieutenant. Soyons honnêtes. Il y a une raison si tellement peu d'Orsiens occupaient de tels postes avant votre arrivée. De temps en temps, on rencontre une exception – la Sublime est une personne très respectable, je vous l'accorde. Mais c'est une exception. Et donc, quand je vois vingt Orsiens destinées à des postes administratifs, et pas une seule Tanminde, je ne peux me retenir de penser que, soit le test a un défaut, soit… Eh bien, je ne peux m'empêcher de me souvenir qu'à votre arrivée ce furent d'abord les Orsiens qui ont capitulé. Je ne saurais vous reprocher d'apprécier cela, de vouloir… en tenir compte. Mais c'est une erreur. »

La lieutenant Awn ne dit rien. « En supposant que vous ayez raison, en quoi serait-ce une erreur ? demanda la lieutenant Skaaïat.

— C'est comme je l'ai déjà dit. Tout bonnement, elles ne sont pas faites pour les postes d'autorité. Quelques exceptions, certes, mais… » Elle agita une main gantée. « Et avec un parti pris tellement visible dans les affectations, les gens ne leur feront pas confiance. »

Le sourire de la lieutenant Skaaïat crût en proportion de la colère muette, indignée, de la lieutenant Awn. « Votre nièce s'inquiète ?

— Un peu ! admit la cousin.

— Cela se comprend, répondit la lieutenant Skaaïat d'une voix traînante. C'est un événement considérable dans la vie de toute citoyen. Mais elle n'a pas besoin d'avoir peur. »

Jen Shinnan eut un rire sardonique. « Pas besoin d'avoir peur ? La basse-ville nous en veut, nous en a toujours voulu, et nous ne pouvons plus établir désormais de contrats légaux sans, soit prendre les transports jusqu'à Kould Ves, soit traverser la basse-ville jusque chez vous, lieutenant. » Pour avoir force de loi, tout contrat devait être conclu dans le temple d'Amaat. Ou, concession récente (et extrêmement controversée), sur son parvis, si l'une des parties était strictement monothéiste. « Durant leur espèce de pèlerinage, c'est pratiquement impossible. Soit nous perdons une journée entière pour voyager jusqu'à Kould Ves, soit nous nous mettons en danger. »

Jen Shinnan visitait très fréquemment Kould Ves, souvent pour de simples visites à des amis, ou pour faire des courses. Toutes les Tanmindes de la haute-ville agissaient de même, et l'avaient fait avant l'annexion. « Y a-t-il eu des problèmes qui n'ont pas été rapportés ? » demanda la lieutenant Awn, raide, mécontente. D'une politesse totale.

« Eh bien, dit Jen Taa. En fait, lieutenant, je voulais en parler. Nous sommes ici depuis quelques jours, et ma nièce semble avoir rencontré quelques problèmes dans la basse-ville. Je lui ai dit qu'il valait mieux ne pas y aller, mais vous connaissez les adolescentes, quand on leur interdit de faire quelque chose.

— Quel genre de problèmes ? s'enquit la lieutenant Awn.

— Oh, fit Jed Shinnan. Vous voyez bien le genre. Des grossièretés, des menaces – stériles, sans doute, et bien sûr, ce n'est rien par rapport à ce que sera la situation dans une semaine ou deux, mais cette enfant a été très choquée. »

L'enfant en question avait passé les deux derniers après-midi à contempler l'eau de l'avant-temple en soupirant. Je lui avais adressé la parole une fois, et elle avait détourné la tête sans répondre. Après cela, je l'avais laissée tranquille. Personne ne l'avait harcelée. *Aucun problème que j'aie vu*, transmis-je à la lieutenant Awn.

« Je garderai l'œil sur elle », déclara la lieutenant Awn, accusant en silence réception de mes informations d'un frémissement des doigts.

« Merci, lieutenant, dit Jen Shinnan. Je sais que nous pouvons compter sur vous. »

*

* *

« Tu trouves ça drôle. » La lieutenant Awn essaya de relâcher sa mâchoire trop crispée. Je pouvais déduire de la tension croissante de ses muscles faciaux que, sans intervention, elle ne tarderait pas à avoir une migraine.

La lieutenant Skaaïat, marchant à ses côtés, rit franchement. « C'est de la pure comédie. Pardonne-moi, ma cher, mais plus tu te fâches, plus ton discours devient minutieusement correct, et plus Jen Shinnan se méprend sur ton compte.

— Certainement pas. Elle s'est sûrement renseignée sur moi.

— Tu es encore en colère. Pire, jugea la lieutenant Skaaïat en passant le bras sous celui de la lieutenant Awn, tu es en colère contre *moi*. Je suis désolée. Et elle a posé des questions, oui. De façon très oblique. Un simple *intérêt* pour toi, rien que de très naturel, bien sûr.

— Et, suggéra la lieutenant Awn, tu as répondu de façon tout aussi oblique. »

Je marchais derrière elles, à hauteur de la Sept Issa qui s'était tenue avec moi dans la salle à manger de Jen Shinnan. Directement devant nous, le long de la rue et de l'autre côté des eaux de l'avant-temple, je me voyais debout sur la place.

La lieutenant Skaaïat déclara : « Je n'ai rien dit qui ne soit vrai. Je lui ai dit que les lieutenants des vaisseaux d'ancillaires tendaient à provenir de vieilles familles de haut rang, avec beaucoup d'argent et de clients. Ses contacts à Kould Ves ont pu lui en apprendre un peu plus long, mais pas grand-chose. D'un côté, puisque tu n'es pas telle, elles ont des raisons de t'en vouloir. De l'autre, c'est la vérité, que tu commandes des ancillaires et non de vulgaires troupes humaines, ce que les personnes vieux jeu déplorent tout autant qu'elles déplorent de voir nommées officiers les rejetons d'obscures maisons de rien du tout. Elles approuvent tes ancillaires et réprouvent tes antécédents. Jen Shinnan obtient de toi un portrait très ambivalent. » Elle parlait à voix basse, modulée de façon à ce que seule une personne placée très près puisse l'entendre, bien que les maisons que nous longions soient verrouillées, et leurs rez-de-chaussée éteints. C'était très différent de la basse-ville, où, même tard dans la nuit, les gens s'asseyaient dehors, les petites enfants aussi.

« D'ailleurs, ajouta la lieutenant Skaaïat, elle a raison. Oh, pas pour ses idioties sur les Orsiens, non, mais elle a raison de se défier des aptitudes. Tu sais toi-même que les tests sont susceptibles d'être manipulés. » La lieutenant Awn éprouva une indignation écœurée, comme face à une trahison, à ces mots de la lieutenant Skaaïat. Mais elle resta muette, et la lieutenant Skaaïat poursuivit : « Depuis des siècles seuls les riches et les influents réussissaient les tests pour certaines affectations. Officiers dans l'armée, par exemple. Depuis ces, quoi ? cinquante, soixante-quinze dernières années, ce n'est plus vrai. Les maisons secondaires ont-elles soudain commencé à produire des candidats officiers alors qu'elles n'y arrivaient pas auparavant ?

— Je n'aime pas la direction que tu prends, avec tout ça, trancha la lieutenant Awn en tirant légèrement sur leurs bras unis pour essayer de se dégager. Je n'attendais pas ça de toi.

— Non, non, protesta la lieutenant Skaaïat, qui ne lâcha pas prise, l'attirant même plus près. La question est bonne, et la réponse également. Cette réponse est non, bien entendu. Mais cela veut-il dire que les tests étaient truqués avant, ou qu'ils le sont maintenant ?

— Et ton opinion ?

— Les deux. Avant et maintenant. Et notre ami Jen Shinnan ne comprend pas pleinement qu'on puisse même poser la question – elle sait simplement que, pour réussir, il faut avoir les bonnes relations, et elle sait que les aptitudes jouent un rôle pour cela. Et elle est totalement dépourvue de scrupules – tu l'as entendue insinuer qu'on récompensait les Orsiens de leur collaboration, et pratiquement dans le même souffle suggérer que son peuple serait de meilleurs collaborateurs ! Et tu remarqueras que ni elle ni sa cousin n'envoient leurs *propres* enfants passer les tests, rien que cette nièce orpheline. Toutefois, elles ont investi dans ses bons résultats. Si nous avions demandé un pot-de-vin pour les garantir, elle nous l'aurait versé, sans poser de questions. Je suis étonnée qu'elle ne l'ait pas proposé, en fait.

— Tu ne ferais pas ça, protesta la lieutenant Awn. Tu ne le feras pas. Tu ne pourrais pas fournir, de toute façon.

— Je n'en aurai pas besoin. L'enfant aura de bons résultats, se verra probablement envoyée en formation dans la capitale territoriale afin de recevoir un bel emploi administratif. Si tu veux mon avis, oui, on récompense les Orsiens de leur collaboration – mais elles constituent une minorité dans ce système. Et à présent que les inévitables désagréments de l'annexion ont pris fin, nous voulons que les gens commencent à comprendre qu'être radchaaïe sera pour elle un avantage. Punir les maisons locales de ne pas avoir capitulé assez vite ne servira à rien. »

Elles marchèrent un moment en silence, et s'arrêtèrent au bord de l'eau, toujours bras dessus bras dessous.

« Je te raccompagne chez toi ? » demanda la lieutenant Skaaïat. La lieutenant Awn ne répondit pas, mais détourna les yeux vers l'eau, toujours irritée. Les verrières vertes brillaient sur le toit en pente du temple, et la lumière se déversait sur la place par les portes ouvertes pour se refléter dans l'eau – c'était une saison de veillées nocturnes. La lieutenant Skaaïat reprit, avec un demi-sourire d'excuse : « Je t'ai contrariée, permets-moi de me rattraper.

— Bien sûr », répondit la lieutenant Awn, avec un petit soupir. Elle n'avait jamais pu résister à la lieutenant Skaaïat, et d'ailleurs il n'y avait aucune raison valable de le faire. Elles tournèrent les talons et suivirent le bord de l'eau.

« Quelle est la différence, demanda la lieutenant Awn, si bas que cela ne sembla pas rompre le silence, entre citoyen et non-citoyen ?

— L'une est civilisée, répondit la lieutenant Skaaïat en riant, et pas l'autre. » La boutade n'avait de sens qu'en radchaaï – *citoyen* et *civilisée* étaient le même mot. Être radchaaïe, c'était être civilisée.

« Donc, à l'instant où son Altesse Mianaaï a accordé la citoyenneté aux Shis'urniens, en cet instant même, elles sont devenues civilisées. » La phrase tournait en rond – la question que posait la lieutenant Awn était difficile, dans cette langue. « Je veux dire, un jour tes Issa abattent des gens parce que leurs paroles ont manqué de respect – ne me dis pas que ce n'est pas arrivé, parce que je sais que si, et pire encore – et ça ne compte pas, parce qu'elles ne sont pas radchaaïes, pas civilisées. » La lieutenant Awn finit par employer le peu de sabir orsien local qu'elle connaissait, parce que les mots radchaaïs refusaient de lui laisser exprimer ce qu'elle voulait dire. « Et toutes les mesures se justifient, au nom de la civilisation.

— Eh bien, dit la lieutenant Skaaïat, ça a été efficace, tu dois le reconnaître. Tout le monde nous parle avec un grand respect, ces temps-ci. » La lieutenant Awn garda le silence. Pas amusée. « Qu'est-ce qui a amené ce sujet ? » La lieutenant Awn lui parla de sa conversation avec la grande prêtre, la veille. « Ah. Ma foi. Tu n'as pas protesté, à l'époque.

— À quoi cela aurait-il servi ?

— Absolument à rien. Mais ce n'est pas la raison. Parce que, même si les ancillaires ne frappent pas les gens, ne se laissent pas acheter, ne les violent pas ou ne les abattent pas dans un mouvement d'humeur – ces personnes qu'ont abattues les troupes humaines... il y a cent ans, on les aurait entreposées en suspension pour une future utilisation comme segments ancillaires. Sais-tu combien nous en avons encore en stock ? Les cales du *Justice de Toren* seront remplies d'ancillaires pour le millénaire à venir. Voire plus. Ces personnes sont effectivement mortes. Alors, quelle différence ? Et tu n'aimes pas que je le dise mais, la vérité, la voilà : le luxe s'obtient toujours aux dépens de quelqu'une d'autre. Un des nombreux avantages de la civilisation, c'est qu'en général on n'est pas obligée de voir ça, si on ne le souhaite pas. Tu es libre de profiter de ses avantages sans troubler ta conscience.

— Ça ne trouble pas la tienne ? »

La lieutenant Skaaïat rit gaiement, comme si elles discutaient de tout à fait autre chose, une partie de jetons ou une bonne maison de thé. « Quand tu grandis en sachant que tu mérites d'être au sommet, que les maisons secondaires existent pour servir le glorieux destin de ta Maison, tu considères de telles choses comme acquises. On naît en supposant que quelqu'une d'autre assumera le coût de ton existence. C'est simplement l'ordre naturel des choses. Ce qui arrive au cours de l'annexion... C'est une différence de degré, pas de nature.

— Je ne vois pas les choses ainsi, répondit la lieutenant Awn, sèche et amère.

— Non, bien entendu », admit la lieutenant Skaaïat d'une voix plus aimable. Je suis tout à fait sûr qu'elle éprouvait une véritable affection pour la lieutenant Awn. Je sais que la lieutenant Awn en avait pour elle, même si elle disait parfois des choses qui la contrariaient, comme ce soir-là.

« Ta famille a payé une partie de ce coût, si mince soit-il. Peut-être cela te rend-il la vie plus facile de sympathiser avec celles qui pourraient payer pour *toi*. Et je suis convaincue qu'il est difficile de ne pas penser à ce que tes propres ancêtres ont dû endurer quand elles ont été annexées.

— Les *tiennes* ne l'ont jamais été. » La voix de la lieutenant Awn était mordante.

« Oh, certaines d'entre elles, si, sans doute, reconnut la lieutenant Skaaïat. Mais elles ne figurent pas dans la généalogie officielle. » Elle s'arrêta, forçant la lieutenant Awn à faire halte à côté d'elle. « Awn, ma brave ami. Ne te tracasse pas sur des considérations auxquelles tu ne peux rien. Les choses sont ce qu'elles sont. Tu n'as rien à te reprocher.

— Tu viens de dire que nous avons toutes quelque chose à nous reprocher.

— Ce n'est pas ce que j'ai dit. » La lieutenant Skaaïat parlait d'une voix douce. « Mais c'est quand même comme ça que tu vas le prendre, n'est-ce pas ? Écoute – la vie sera meilleure ici, parce que nous y sommes. Elle l'est déjà, pas seulement pour les gens d'ici, mais pour celles qui ont été déportées. Et même pour Jen Shinnan, bien qu'elle soit pour le moment préoccupée par son ressentiment de ne plus être la plus haute autorité à Ors. Elle changera d'avis avec le temps. Elles changeront toutes.

— Et les mortes ?

— Sont mortes. Il ne sert à rien de s'inquiéter pour elles. »

Chapitre cinq

Quand Seivarden s'est réveillée, elle était agitée et irritable. Elle m'a demandé deux fois qui j'étais, et s'est plainte trois fois que ma réponse – qui était un mensonge, de toute façon – ne lui apportait aucune information significative. « Je ne connais personne du nom de Breq. Je ne vous ai jamais vue de ma vie. Où suis-je ? » Nulle part qui porte un nom. « Vous êtes sur Nilt. »

Elle a tiré une couverture sur ses épaules nues, puis, avec mauvaise humeur, l'a repoussée de nouveau et croisé les bras sur sa poitrine. « Je n'ai même jamais entendu parler de Nilt. Comment est-ce que j'ai abouti ici ?

— Je n'en ai aucune idée. » J'ai déposé la nourriture que je tenais sur le sol devant elle.

Elle a encore tendu la main vers la couverture. « Je n'en veux pas. »

J'ai signifié d'un geste mon indifférence. Je m'étais restauré et reposé pendant qu'elle dormait. « Est-ce que ça vous arrive souvent ?

— Quoi ?

— De vous réveiller et de découvrir que vous ne savez pas où vous vous trouvez, avec qui vous êtes ni comment vous êtes arrivée là ? »

Elle s'est une fois de plus chargée et dégagée de la couverture, et s'est frictionné bras et poignets. « Quelques fois.

— Je suis Breq, du Gérantat. » Je le lui avais déjà dit, mais je savais qu'elle me le redemanderait. « Je vous ai trouvée il y a deux jours, devant une taverne. Je ne sais pas comment vous êtes arrivée là. Vous seriez morte si je vous avais abandonnée. Désolée si c'était ce que vous recherchiez. »

Pour je ne sais quelle raison, cela l'a mise en colère. « Quelle obligeance de votre part, Breq du Gérantat. » Elle était un peu dédaigneuse en disant cela. Il était légèrement, irrationnellement surprenant de l'entendre user de ce ton, nue et ébouriffée comme elle l'était, sans son uniforme.

Un ton qui m'a irrité. Je savais très précisément pourquoi, et je savais également que, si j'osais expliquer ma colère à Seivarden, elle ne répondrait que par le mépris, ce qui m'exaspérait encore plus. J'ai maintenu sur mon visage l'expression neutre, légèrement intéressée, que j'avais employée avec elle depuis le moment où elle s'était éveillée, et effectué le même geste d'indifférence que quelques instants plus tôt.

*

* *

J'avais été le premier vaisseau sur lequel Seivarden avait servi. Elle était arrivée fraîche émoulue de ses classes, à dix-sept ans, plongeant directement dans la toute fin d'une annexion. À l'intérieur d'un tunnel excavé dans une roche brun-rouge sous la surface d'une petite lune, elle avait reçu l'ordre de garder une file de prisonniers, dix-neuf en tout, accroupies nues et grelottantes le long du passage glacé, en attendant d'être évaluées.

À vrai dire, c'était moi qui m'occupais de la garde, sept moi rangés le long du corridor, armes au clair. Seivarden — si jeune à l'époque, encore menue, cheveux sombres, peau brune et yeux marron sans rien de remarquable, par contraste avec les traits aristocratiques de son visage, y compris un nez dont elle n'avait pas tout à fait rattrapé la croissance. Nerveuse, oui, chargée d'exercer des responsabilités quelques jours à peine après son arrivée, mais également fière d'elle et de sa subite petite autorité. Fière de cette veste, de ce pantalon et de ces gants d'uniforme marron sombre, de cet insigne de lieutenant. Et, me disais-je, un tout petit peu trop enthousiaste de tenir une véritable arme durant ce qui n'était certainement pas un exercice d'entraînement.

Une des personnes le long du mur – large d'épaules, musclée, serrant contre son torse un bras cassé – pleurait bruyamment, poussant une plainte à chaque expiration, hoquetant à chaque inspiration. Elle savait, tout le monde dans cette file le savait, qu'elles seraient soit entreposées en vue d'une future utilisation comme ancillaires – comme les miens, qui se tenaient devant elles en ce moment même, identité disparue, leur corps devenu l'appendice d'un vaisseau de guerre radchaaï –, soit éliminées.

Seivarden, faisant les cent pas d'un air important devant la file, s'irritait de plus en plus de chaque souffle convulsif de cette captif pitoyable, jusqu'à ce qu'elle se carre enfin devant elle. « Nichons d'Aatr ! Arrête ce raffut ! » De légers mouvements dans les muscles du bras de Seivarden m'avaient appris qu'elle allait lever son arme. Nulle ne se serait souciée qu'elle prenne la crosse de son arme pour rouer de coups la prisonnier. Nulle ne se serait souciée qu'elle l'abatte d'un tir en pleine tête, du moment qu'aucun équipement vital n'était endommagé ce faisant. Les corps humains à transformer en ancillaires n'étaient pas exactement une ressource rare.

Je m'étais interposé devant elle. « Lieutenant, avais-je dit d'une voix blanche et neutre. Le thé que vous avez demandé est prêt. » En réalité, il l'était depuis cinq minutes, mais je n'avais rien dit, le gardant en réserve.

Dans les données qui provenaient de cette lieutenant Seivarden terriblement jeune, j'ai lu la surprise, la frustration, la colère. L'irritation. « C'était il y a quinze minutes », a-t-elle aboyé. Je ne répondis pas. Derrière moi, la prisonnier continuait à sangloter et à geindre. « Vous ne pouvez pas la faire taire ?

— Je vais faire de mon mieux, lieutenant », répondis-je, alors que je savais qu'il n'y avait qu'une seule façon d'y parvenir vraiment, une seule chose qui réduirait au silence le chagrin de cette prisonnier. La lieutenant Seivarden fraîche émoulue semblait n'en avoir aucune conscience.

*

* *

Vingt et un ans après être arrivée sur le *Justice de Toren* – à peine plus de mille ans avant que je la découvre dans la neige – Seivarden était première lieutenant d'Esk. Trente-huit ans, encore très jeune selon les critères radchaaïs. Une citoyen pouvait vivre quelque deux cents ans.

Le dernier jour, elle était assise sur sa couchette en train de boire du thé dans ses quartiers, trois mètres sur deux par deux, murs blancs, sobriété sévère. Elle avait désormais rattrapé ce nez aristocratique, s'était tout entière rattrapée. Ni gauche ni indécise, à présent.

Auprès d'elle sur la couchette faite au carré, était assise la plus novice lieutenant de la décade Esk, arrivée à peine quelques semaines plus tôt, une vague cousin de Seivarden, quoique d'une autre Maison. Plus grande que ne l'avait été Seivarden à cet âge, plus large, un peu plus gracieuse. En général. Nerveuse qu'on l'ait convoquée ici pour une discussion privée avec la première lieutenant, cousin ou pas, mais le masquant. Seivarden lui avait déclaré : « Il s'agira d'être prudente, lieutenant, sur les personnes à qui vous accordez vos… attentions. »

La très jeune lieutenant avait froncé les sourcils, embarrassée, comprenant soudain de quoi il s'agissait.

« Vous savez de qui je parle », avait poursuivi Seivarden, et je le savais aussi. Une des autres lieutenants d'Esk avait très clairement remarqué l'arrivée à bord de la très jeune lieutenant, avait lentement, discrètement, jaugé la possibilité que la très jeune lieutenant ait pu la remarquer en retour. Mais pas si discrètement que Seivarden ne l'ait pas remarquée. En fait, toute la salle de décade avait remarqué, et noté également, la réaction intriguée de la très jeune lieutenant.

« Je sais de qui vous parlez », avait répondu la très jeune lieutenant. Indignée. « Mais je ne vois pas pourquoi...

— Ah ! avait fait Seivarden, brusque et péremptoire. Vous pensez que c'est un amusement sans conséquences. Ma foi, ce serait sans doute amusant. » Seivarden avait elle-même un temps couché avec la lieutenant en question et parlait en connaissance de cause. « Mais ce ne serait pas sans conséquences. Elle est assez bonne officier, quoique d'une maison très provinciale. Si elle n'était pas plus ancienne en grade, il n'y aurait aucun problème. »

La maison de la très jeune lieutenant n'était *pas* « très provinciale », certes. Si naïve soit-elle, elle avait immédiatement compris de quoi Seivarden parlait. Et s'en était assez irrité pour s'adresser à elle d'une façon moins respectueuse que les convenances le requéraient. « Nichons d'Aatr, cousin, personne n'a parlé de clientélage. Personne ne le pourrait, aucune de nous n'est en mesure de conclure des contrats avant de prendre notre retraite. » Parmi les riches, le clientélage était une relation très hiérarchique – une protecteur promettait certains types d'assistance à sa client, tant financière que sociale, et une client fournissait à sa protecteur soutien et services. De telles promesses pouvaient durer des générations. Dans les maisons les plus anciennes et les plus prestigieuses, presque toutes les serviteurs descendaient de clients, par exemple, et nombre d'entreprises détenues par de riches maisons avaient pour employés des branches clientes de maisons secondaires.

« Ces maisons de province sont ambitieuses, avait expliqué Seivarden d'une voix très légèrement condescendante. Et habiles, aussi, sinon elles ne seraient pas arrivées où elles en sont. Elle a de la séniorité sur vous, et vous avez encore toutes deux des années à servir. Accordez-lui de l'intimité à ces conditions, prolongez-la, devenez-en dépendante et, un de ces jours, c'est elle qui vous offrira un clientélage, alors que ce devrait être l'inverse. Je ne crois pas que votre mère vous remercierait d'exposer votre maison à ce genre d'insulte. »

Le visage de la très jeune lieutenant s'était échauffé de colère et de chagrin, le lustre de sa première romance désormais terni, toute l'affaire devenue sordide et calculée.

Seivarden s'était penchée en avant, avait tendu la main vers la théière et suspendu son geste avec un mouvement d'humeur. M'avait dit en silence, en agitant les doigts de sa main libre : « Voilà trois jours que cette manchette est déchirée. »

Je lui avais répondu, directement dans l'oreille : « Mes excuses, lieutenant. » J'aurais dû proposer de procéder immédiatement à la réparation, dépêcher un segment d'Un Esk pour emporter séance tenante la chemise fautive. J'aurais dû, en fait, la ravauder trois jours plus tôt. Je n'aurais pas dû l'en habiller aujourd'hui.

Silence dans le compartiment encombré, la très jeune lieutenant encore préoccupée par sa débâcle. Puis j'ai ajouté, directement dans l'oreille de Seivarden : « Lieutenant, la commandant de décade souhaite vous voir dès que cela vous sera possible. »

J'avais su que la promotion arrivait. J'avais tiré une mesquine satisfaction du fait que, même si elle m'ordonnait de réparer sa manche sur-le-champ, je n'aurais pas le temps d'obéir. Dès qu'elle avait quitté ses quartiers, j'avais commencé à emballer ses affaires, et trois heures plus tard elle était en route vers son nouveau commandement, fraîchement nommée capitaine de l'*Épée de Nathtas*. Je n'avais pas particulièrement regretté de la voir partir.

*
* *

De si petites choses. Ce n'était pas la faute de Seivarden si elle avait mal réagi dans une situation que peu de personnes de dix-sept ans (voire aucune) auraient pu traiter avec aplomb. Il n'était guère surprenant qu'elle ait été précisément aussi snob qu'on l'avait élevée pour l'être. Pas sa faute si durant mes mille années d'existence (à l'époque), j'en étais venu à avoir une plus haute opinion des capacités que de la lignée, si j'avais vu plus d'une maison « très provinciale » s'élever assez haut pour perdre cette étiquette, et produire ses propres versions de Seivarden.

Toutes les années séparant la jeune lieutenant Seivarden de la capitaine Seivarden se composaient de moments minuscules. De détails mineurs. Je n'avais jamais détesté Seivarden. Simplement, je ne l'avais jamais particulièrement aimée. Mais je ne pouvais pas la voir, à présent, sans songer à une autre.

*
* *

S'est ensuivie une semaine pénible, dans la maison de Strigan. Seivarden avait constamment besoin d'être surveillée, et souvent nettoyée. Elle mangeait très peu (ce qui, à certains égards, était une chance) et je devais constamment m'assurer qu'elle ne se déshydratait pas. Mais à la fin de la semaine, elle gardait sa nourriture, et dormait, du moins par intermittence. Toutefois, elle dormait d'un sommeil léger, se tournant et se retournant, grelottant souvent, respirant pesamment et s'éveillant en sursaut. Quand elle était consciente et qu'elle ne pleurait pas, elle se plaignait que tout était trop violent, trop brut, trop bruyant, trop éclairé.

Quelques jours plus tard encore, alors qu'elle me croyait endormi, elle s'est rendue à la porte extérieure et a contemplé la neige au-dehors, puis elle a enfilé ses vêtements et un manteau, traversé jusqu'à la dépendance, puis au volier. Elle a tenté de le faire démarrer, mais j'avais retiré une pièce essentielle que je conservais près de moi. Lorsqu'elle est rentrée à la maison, elle a au moins eu la présence d'esprit de refermer les deux portes avant de laisser des traces de neige dans la pièce principale, où j'étais assis sur un banc en tenant l'instrument à cordes de Strigan. Elle a écarquillé les yeux, incapable de dissimuler sa surprise, roulant toujours légèrement des épaules, mal à l'aise dans l'épais manteau, saisie de démangeaisons.

« Je veux partir, a-t-elle annoncé d'une voix curieuse, mi-craintive, mi-Radchaaï impérieuse et arrogante.

— Nous partirons quand je serai prête », ai-je dit, et j'ai pincé quelques notes sur l'instrument. Elle avait en ce moment des sentiments trop à vif pour pouvoir les dissimuler, et sa colère et son désespoir ont paru clairement sur son visage. « Vous vous trouvez où vous êtes, ai-je commenté d'une voix égale, en conséquence de décisions que vous seule avez prises. »

Elle a raidi le dos, rejeté ses épaules en arrière. « Vous ne connaissez rien de moi, ni des décisions que j'ai prises ou pas. »

Cela a suffi à m'agacer de nouveau. J'avais quelque expérience en matière de décisions, pour les prendre ou pas. « Ah, j'oubliais. Tout se passe selon la volonté d'Amaat, rien n'est de *votre* faute. »

Elle a ouvert les yeux encore plus grand. Elle allait dire quelque chose, mais elle s'est ravisée et a expiré sèchement, tremblante. Elle m'a ostensiblement tourné le dos pour retirer son manteau de dessus et le laisser choir sur un banc voisin. « Vous ne comprenez pas », a-t-elle repris avec mépris. Mais sa voix tremblait de larmes retenues. « Vous n'êtes pas radchaaïe. »

Pas civilisée. « Vous avez commencé à prendre du kef avant ou après votre départ du Radch ? » On n'aurait pas dû en trouver en territoire radchaaï, mais il y avait toujours de la petite contrebande, sur laquelle les autorités de station pouvaient fermer les yeux.

Elle s'est affalée sur le banc à côté de l'endroit où elle avait laissé tomber son manteau. « Je veux du thé.

— Il n'y a pas de thé, ici. » J'ai déposé l'instrument. « Il y a du lait. » Plus précisément, du lait de bove fermenté, que les gens par ici coupaient d'eau et buvaient tiède. L'odeur – et le goût – rappelaient des chaussures imprégnées de sueur. Et en abuser rendrait sans doute Seivarden un peu malade.

« Mais dans quel genre d'endroit peut-on ne pas avoir de thé ? » a-t-elle protesté. Elle s'est inclinée vers l'avant, les coudes sur les genoux, et a posé le front sur ses poignets, mains nues, paume levée et doigts tendus.

« Dans ce genre-ci d'endroit. Pourquoi preniez-vous du kef ?

— Vous ne comprendriez pas. » Des larmes ont coulé dans son giron.

« Essayez toujours. » J'ai repris l'instrument, entamé un air.

Après six secondes de pleurs silencieux, Seivarden a lâché : « Elle a dit que ça éclaircirait tout.

— Le kef ? » Pas de réponse. « Que ça éclaircirait quoi ?

— Je connais cette chanson », a-t-elle commenté, le visage toujours posé contre ses poignets. J'ai pris conscience que ce serait très probablement la seule façon dont elle pourrait me reconnaître, et j'ai changé de mélodie. Dans une des régions de Valskaay, le chant était un passe-temps raffiné, les associations chorales locales étant au cœur des activités sociales. Cette annexion-là m'avait apporté une grande quantité de musique du genre que je préférais, au temps où j'avais plus d'une voix. J'en ai choisi une. Seivarden ne la connaîtrait pas. Valskaay avait été à la fois avant et après son époque.

« Elle a dit, a enfin repris Seivarden, levant la tête de ses mains, que les émotions brouillaient la perception. Que la vision la plus claire était la raison pure, que ne déformait aucun sentiment.

— Ce n'est pas vrai. » J'avais passé une semaine avec cet instrument et très peu d'autre choix d'activité. Je pouvais suivre deux lignes mélodiques simultanément.

« Ça le semblait, au début. C'était *merveilleux*, au début. Tout disparaissait. Mais ensuite, l'effet se dissipait et la situation restait identique. Mais en pire. Et puis, au bout d'un moment, on aurait dit qu'à ne rien ressentir, on se sentait mal. Je ne sais pas. Je n'arrive pas à décrire ça. Mais en en prenant davantage, ça passait.

— Et il devenait de moins en moins supportable de redescendre. » J'avais entendu cette histoire plusieurs fois, au cours des vingt dernières années.

« Oh, grâce d'Amaat, a-t-elle gémi. Je veux mourir.

— Et pourquoi pas ? » Je suis passé à une autre chanson. *Mon cœur est un poisson, caché dans les herbes d'eau. Dans le vert, dans le vert...*

Elle m'a regardé comme si j'étais un rocher qui venait de parler.

« Vous avez perdu votre vaisseau. Vous êtes restée mille ans congelée. Vous vous éveillez pour découvrir que le Radch a changé – plus d'invasions, un traité humiliant avec les Presgers, votre maison a perdu ses statuts, financier et social. Personne ne vous connaît ou ne se souvient de vous, ni ne se soucie que vous viviez ou mourriez. Ce n'est pas ce dont vous aviez l'habitude, ni ce que vous attendiez de votre existence, n'est-ce pas ? »

Il a fallu trois secondes de perplexité pour que le fait éclose. « Vous savez qui je suis.

— Bien entendu, je sais qui vous êtes. Vous me l'avez dit », ai-je menti.

Elle a battu des paupières, en larmes, essayant, ai-je supposé, de se rappeler si elle l'avait fait ou pas. Mais, évidemment, ses souvenirs étaient incomplets.

« Allez vous coucher », lui ai-je intimé, et j'ai posé mes doigts en travers des cordes pour les réduire au silence.

« Je veux m'en aller, a-t-elle protesté, immobile, toujours affalée sur le banc, coudes sur les genoux. Pourquoi est-ce que je ne peux pas m'en aller ?

— J'ai à faire ici. »

Elle a eu une grimace et ricané. Elle avait raison, bien entendu, attendre ici ne rimait à rien. Après tant d'années, tant de stratégie et d'efforts, j'avais échoué.

Néanmoins. « Retournez au lit. » Le lit était l'amas de coussins et de couvertures à côté du banc où elle était assise. Elle m'a regardé, la mine toujours à demi dédaigneuse, s'est laissée glisser jusqu'au sol et s'est couchée, tirant une couverture sur elle. Elle ne s'endormirait pas tout de suite, j'en étais sûr. Elle essaierait d'imaginer une façon de s'en aller, de me maîtriser ou de me convaincre. De tels plans seraient inutiles tant qu'elle ne saurait pas *ce qu'elle voulait*, bien entendu, mais je n'en ai rien dit.

En moins d'une heure ses muscles s'étaient détendus et sa respiration ralentie. Si elle avait encore été ma lieutenant, j'aurais su avec certitude qu'elle dormait, su à quelle phase du sommeil elle se trouvait, su si elle rêvait ou pas. À présent, je n'en percevais que les signes externes.

Toujours méfiant, je me suis assis sur le sol, m'appuyant contre un autre banc, et ai tiré une couverture sur mes jambes. Comme je l'avais fait chaque fois que je dormais ici, ce n'est qu'après avoir ouvert mon manteau de dessous et mis la main sur mon arme que je me suis laissé aller en arrière, les yeux clos.

*
* *

Deux heures plus tard, un léger bruit m'a réveillé. Je suis resté couché sans bouger, la main toujours sur mon arme. Le bruit s'est répété, un peu plus fort – la deuxième porte qui se refermait. J'ai à peine entrouvert les yeux. Seivarden gisait trop silencieuse sur sa couche – elle avait sûrement entendu le bruit, également.

À travers mes cils, j'ai vu une personne en tenue d'extérieur. À peine moins de deux mètres de haut, mince sous la masse du double manteau, la peau gris fer. Quand elle a repoussé son capuchon, j'ai remarqué qu'elle avait des cheveux identiques. Ce n'était certainement pas une Niltais.

Elle est restée là sept secondes à nous observer, Seivarden et moi, puis elle a avancé en silence vers moi et s'est penchée pour attirer d'une main mon paquetage vers elle. Dans l'autre, elle tenait une arme fermement pointée sur moi, bien qu'elle ne paraisse pas consciente que j'étais éveillée.

La serrure l'a mise quelques instants en échec, puis avec un outil tiré de sa poche elle en est venue à bout un peu plus rapidement que je ne l'avais anticipé. Son arme toujours pointée sur moi et jetant à l'occasion un coup d'œil à Seivarden toujours immobile, elle a vidé le paquetage.

Des vêtements de rechange. Des munitions, mais pas d'arme, aussi savait-elle ou soupçonnait-elle que j'étais armé. Trois paquets de rations concentrées, emballés dans une feuille de métal. Des couverts et une gourde, pour l'eau. Un disque d'or d'un centimètre et demi de diamètre, épais de cinq, qu'elle a examiné, sourcils froncés, puis mis à l'écart. Une boîte qu'elle a ouverte pour y trouver de l'argent – elle a poussé un soupir stupéfait en prenant connaissance du montant, et a regardé vers moi. Je n'ai pas bougé. Je ne savais pas ce qu'elle cherchait mais, quoi que ce soit, elle ne semblait pas l'avoir trouvé.

Elle a ramassé le disque qui l'avait intriguée et s'est assise sur un banc d'où elle avait une vision dégagée sur Seivarden et moi. Retournant le disque, elle a découvert l'interrupteur. Les côtés se sont effacés, s'ouvrant comme une fleur, et le mécanisme a dégorgé l'icône, une personne presque nue, à l'exception d'un pantalon court et de minuscules fleurs en pierres précieuses et émail. L'image souriait, sereine. Elle avait quatre bras. Une main tenait une boule, l'autre bras était pris dans un canon cylindrique. Ses autres mains tenaient un couteau et une tête coupée, qui laissait goutter du sang en pierres précieuses à ses pieds nus. La tête affichait le même sourire de calme sacré et absolu qu'elle-même.

Strigan – ce devait être Strigan – a froncé les sourcils. Elle ne s'attendait pas à l'icône. L'objet avait encore excité sa curiosité.

J'ai ouvert les yeux. Elle a resserré sa prise sur son arme – arme que j'ai inspectée au plus près possible, maintenant que j'avais les yeux complètement ouverts et que je pouvais tourner la tête vers elle.

Strigan a brandi l'icône, levant un sourcil gris fer. « De la famille ? » a-t-elle demandé, en radchaaï.

J'ai maintenu mon visage dans une aimable neutralité. « Pas exactement, ai-je répondu dans sa langue.

— Je croyais savoir ce que vous étiez à votre arrivée, a-t-elle dit après un long silence, suivant heureusement mon changement de langue. Je croyais savoir ce que vous faisiez ici. Maintenant, je ne sais plus trop. » Elle a jeté un coup d'œil à Seivarden, selon toutes apparences complètement indifférente à notre conversation. « Je *crois* que je sais qui il est, *lui*. Mais *vous* ? *Qu'êtes-vous* ? Ne me répondez pas *Breq du Gérantat*. Vous êtes tous les deux radchaaïs. » Elle eut un léger mouvement du coude en direction de Seivarden.

« Je viens ici acheter quelque chose, ai-je déclaré, résolu à cesser de fixer l'arme qu'elle tenait. Lui, c'est un accident de parcours. » Puisque nous ne parlions pas radchaaï, je devais tenir compte du genre – la langue de Strigan l'exigeait. En même temps, la société où elle vivait professait de n'accorder aucune importance au genre. Masculin et féminin s'habillaient, parlaient et se comportaient de façon indifférenciée. Et pourtant, je n'avais rencontré personne qui ait hésité, ou commis une erreur dans ses suppositions. Et elles s'étaient invariablement offusquées lorsque *moi*, j'hésitais ou me trompais. Je n'avais pas acquis le secret de la chose. J'avais vécu dans les appartements de Strigan, vu ses affaires et ne savais toujours pas quelles formes employer avec elle, à présent.

« Un accident de parcours ? » demanda Strigan, incrédule. Je ne pouvais pas le lui reprocher. Je n'y aurais pas cru moi-même, si je n'avais pas su que c'était la vérité. Strigan n'a rien ajouté, se rendant sans doute compte qu'en dire plus serait d'une imprudence extrême, si j'étais ce qu'elle craignait.

« Une coïncidence », ai-je précisé. Heureux, au moins sur un point, que nous ne parlions pas radchaaï, où ce mot impliquait du sens. « Je l'ai trouvé inconscient. Si je l'avais laissé là-bas, il serait mort. » Strigan n'y a pas cru non plus, d'après le coup d'œil qu'elle m'a lancé. « Pourquoi êtes-vous ici ? »

Elle est partie d'un rire bref et amer, soit parce que j'avais employé le mauvais genre pour le pronom, soit pour une autre raison, je n'étais pas sûr. « Je crois que c'est à moi de poser la question. »

Elle n'avait pas rectifié ma grammaire, au moins. « Je suis venu vous parler. Acheter quelque chose. Seivarden était malade. Vous n'étiez pas là. Je vous paierai pour ce que nous avons mangé, bien entendu. »

Elle a paru trouver cela amusant, pour je ne savais quelle raison. « Pourquoi êtes-vous ici ? a-t-elle répété.

— Il n'y a que moi, ai-je précisé en réponse à sa question implicite. À part lui. » J'ai hoché la tête vers Seivarden. J'avais toujours la main posée sur mon arme, et Strigan savait sans doute pourquoi je ne bougeais pas cette main, sous mon manteau. Seivarden continuait à feindre de dormir.

Strigan a secoué la tête, incrédule. « J'aurais juré que vous étiez un soldat cadavre. » Un ancillaire, voulait-elle dire. « À votre arrivée, j'en étais convaincu. » Elle s'était donc cachée dans les parages, attendant notre départ, et tout l'endroit était sous sa surveillance. Elle devait avoir une foi assez extravagante en sa cachette – si j'avais été ce qu'elle craignait, rester n'importe où à proximité aurait été d'une imprudence totale. Je l'aurais certainement retrouvée. « Mais quand vous avez vu qu'il n'y avait personne ici, vous avez pleuré. Et lui… » Elle a eu un haussement d'épaules vers Seivarden, affalée immobile sur la couche.

« Redressez-vous, citoyen, dis-je à Seivarden en radchaaï. Vous ne trompez personne.

— Foutez-moi la paix », a-t-elle répondu, et elle a tiré une couverture sur sa tête. Puis l'a repoussée de nouveau, s'est levée, titubant légèrement, s'est rendue dans l'espace sanitaire dont elle a fermé la porte.

Je me suis retourné vers Strigan. « Cette histoire avec la location du volier. C'était vous ? »

Elle a haussé les épaules avec regret. « Il m'a prévenu que deux Radchaaïs venaient par ici. Soit il a commis une grave sous-estimation, soit vous représentez un danger encore plus grand que je ne pensais. »

Ce qui devait être un danger considérable. « J'ai l'habitude qu'on me sous-estime. Et vous n'avez pas dit à la loueuse… au loueur pour quelle raison vous pensiez que je venais. »

Son arme n'avait pas dévié. « Pourquoi êtes-vous ici ?

— Vous saviez bien pourquoi. » Un rapide changement d'expression, instantanément réprimé. J'ai continué : « Pas pour vous tuer. Le faire nuirait à mon objectif. »

Elle a levé un sourcil, incliné légèrement la tête. « Vraiment. »

Ce combat au fleuret, ces feintes, me frustraient. « Je veux l'arme.

— Quelle arme ? » Strigan ne serait jamais assez sotte pour admettre l'existence de l'objet, dire qu'elle savait de quelle arme je parlais. Mais son ignorance feinte ne convainquait pas. Elle savait. Si elle détenait bien ce que je pensais, ce que j'avais parié ma vie qu'elle possédait, toutes précisions supplémentaires étaient inutiles. Elle *savait*.

Savoir si elle me la donnerait était une autre question. « Je vous paierai.

— Je ne sais pas de quoi vous parlez.

— Les Garseddaïs faisaient tout par cinq. Cinq actes justes, cinq péchés cardinaux, cinq secteurs que multiplient cinq régions. Vingt-cinq représentants pour capituler devant Anaander Mianaaï. »

Trois secondes durant, Strigan est demeurée parfaitement immobile. Même son souffle semblait s'être suspendu. Puis elle a parlé. « Garsedd, c'est ça ? Quel rapport y a-t-il avec moi ?

— Je ne l'aurais jamais deviné si vous étiez resté où vous étiez.

— Garsedd, c'était il y a mille ans, et très, très loin d'ici.

« — Vingt-cinq représentants pour capituler devant Anaander Mianaaï, ai-je répété. Et vingt-quatre armes récupérées ou prises en compte d'une façon ou d'une autre. »

Elle a cligné des yeux, pris une inspiration. « Qui êtes-vous ?

— Quelqu'un s'est enfui. Quelqu'un a fui le système avant que les Radchaaïs n'arrivent. Peut-être craignait-elle que les armes ne fonctionnent pas comme on les lui avait présentées. Peut-être savait-elle que, même si elles fonctionnaient, cela ne servirait à rien.

— Au contraire, non ? N'était-ce pas la leçon ? Nul ne défie Anaander Mianaaï. » Elle parlait avec amertume. « Pas si on tient à la vie. »

Je suis resté muet.

La poigne de Strigan sur l'arme n'avait pas faibli. Malgré tout, je représentais un danger pour elle, si je décidais de m'en prendre à elle, et il m'a semblé qu'elle le soupçonnait. « Je ne sais pas pourquoi vous imaginez que j'ai cette arme dont vous parlez. Pourquoi est-ce que je l'aurais ?

— Vous collectionniez les antiquités, les curiosités. Vous possédiez déjà une petite collection d'objets garseddaïs. Ils étaient arrivés jusqu'à la station Dras Annia, qui sait comment. D'autres pouvaient faire de même. Et puis, un jour, vous avez disparu. Vous avez veillé à ce qu'on ne vous suive pas.

— C'est une base très mince pour une aussi vaste supposition.

— Alors, pourquoi ça ? » J'ai eu un geste mesuré de ma main libre, l'autre toujours sous mon manteau, tenant mon arme. « Sur Dras Annia, vous aviez un poste confortable, des patients, beaucoup d'argent, des attachements et une réputation. Vous voici à présent au beau milieu glacé de nulle part, à administrer les premiers soins à des gardiens de boves.

— Une crise personnelle. » Elle a articulé les mots avec prudence, délibérément.

« Certainement. Vous ne pouviez pas vous résoudre à la détruire ni à la transmettre à quelqu'un qui n'aurait peut-être pas la sagesse de comprendre le danger qu'elle représentait. Vous avez su, dès que vous avez compris ce que vous déteniez, que si des autorités du Radch imaginaient même à demi qu'elle existait, elles vous traqueraient et vous tueraient, avec tous ceux qui avaient pu la voir. »

Si le Radch tenait à ce que tout le monde conserve le souvenir de ce qu'il était arrivé aux Garseddaïs, il voulait que personne ne sache précisément comment elles étaient parvenues à accomplir ce qu'elles avaient fait, ce que personne n'avait réussi à faire au cours des mille ans précédents ni des mille ans suivants – détruire un vaisseau radchaaï. Personne de vivant ne s'en souvenait, ou presque. Je le savais, de même que tout vaisseau encore en existence qui avait été présent là-bas. Anaander Mianaaï le savait, assurément. Et Seivarden, qui avait vu par elle-même ce que la Maître du Radch voulait que nul ne croie possible – cette armure et cette arme invisibles, ces balles qui battaient en brèche l'armure radchaaïe – et le bouclier thermique de son vaisseau – sans aucun effort.

« Je la veux, dis-je à Strigan. Je vous la paierai.

— Si j'avais une telle chose – *si !* – il est tout à fait possible qu'aucune quantité d'argent au monde ne suffise.

— Tout est possible.

— Vous appartenez aux Radchaaïs. Et vous êtes militaire.

— Je l'étais », ai-je rectifié. Et lorsqu'elle s'est esclaffée, j'ai ajouté : « Si je l'étais encore, je ne serais pas ici. Ou alors, vous m'auriez déjà donné toutes les informations que je désire, et vous seriez mort.

— Sortez d'ici. » Strigan parlait d'une voix basse mais véhémente. « Emportez votre vagabond avec vous.

— Je ne partirai pas sans ce pour quoi je suis venu. »
Il y aurait peu de raisons de le faire. « Vous devrez me la
donner, ou m'abattre avec. » Pratiquement un aveu que
j'avais encore une armure. Laissant entendre que j'étais
précisément ce qu'elle craignait, une agent radchaaïe venue
la tuer et s'emparer de l'arme.

Malgré toute la frayeur que je devais lui inspirer, sa
curiosité a été la plus forte : « Pourquoi la voulez-vous
tellement ?

— Je veux tuer Anaander Mianaaï.

— Quoi ? » L'arme dans sa main a tremblé, dévié légèrement sur un côté, puis s'est raffermie. Elle s'est penchée
en avant de trois millimètres, et a incliné la tête, comme si
elle n'était pas certaine de m'avoir entendu correctement.

« Je veux tuer Anaander Mianaaï, ai-je répété.

— Anaander Mianaaï, a-t-elle rappelé avec amertume,
possède des milliers de corps dans des centaines de lieux.
Vous ne pouvez pas le tuer. Certainement pas avec une
seule arme.

— Je veux quand même essayer.

— C'est de la démence. Mais est-ce même possible ?
Est-ce que tous les Radchaaïs n'ont pas subi un lavage de
cerveau ? »

C'était une erreur courante. « Seuls sont rééduqués les
criminels, ou les gens qui ne fonctionnent pas bien. Nul
ne se soucie vraiment de ce qu'on peut penser, du moment
qu'on agit comme on est censé le faire. »

Elle m'a fixé, sceptique. « Comment définissez-vous
"qui ne fonctionnent pas bien" ? »

J'ai fait avec ma main libre un geste vague, *pas mon problème*. Mais peut-être *était-ce* mon problème. Peut-être que
cette question me concernait, désormais, dans la mesure où
elle pouvait très bien concerner Seivarden. « Je vais retirer
ma main de mon manteau, ai-je annoncé. Et ensuite, je
vais dormir. »

Strigan s'est bornée à frémir d'un sourcil gris.

« Si je vous ai retrouvé, Anaander Mianaaï le peut, c'est certain », ai-je ajouté. Nous parlions la langue de Strigan. Quel genre avait-elle assigné à la Maître du Radch ? « Il ne l'a pas encore fait, peut-être parce qu'il est à l'heure actuelle préoccupé par d'autres sujets et que, pour des raisons qui devraient vous apparaître clairement, il hésite sans doute à déléguer, dans cette affaire.

— Je suis donc en sécurité. » Elle paraissait plus convaincue de cela qu'elle ne pouvait vraiment l'être.

Seivarden a bruyamment émergé de la salle d'eau et s'est affalée de nouveau sur sa couche, mains tremblantes, respiration courte et rapide.

« Je sors à présent la main de mon manteau », ai-je répété, avant de m'exécuter. Lentement. Vide.

Strigan poussa un soupir et baissa son arme. « Je ne pourrais sans doute pas vous abattre, de toute façon. » Elle ne doutait pas que j'étais une militaire radchaaïe, et donc armurée. Bien entendu, si elle parvenait à me prendre à l'improviste, ou à tirer avant que je puisse déployer mon armure, elle pourrait tout à fait m'abattre.

Et bien entendu, elle détenait cette arme. Quoiqu'elle puisse ne pas l'avoir à portée de main. « Puis-je récupérer mon icône ? »

Elle a froncé les sourcils, puis s'est rappelée qu'elle la tenait encore. « *Votre* icône.

— Elle m'appartient.

— Étonnante ressemblance, a-t-elle commenté en la regardant de nouveau. D'où vient-elle ?

— De très loin. » J'ai tendu la main. Elle me l'a rendue et, d'un doigt, j'ai frôlé l'interrupteur, l'image s'est repliée sur elle-même, et la base s'est enfermée dans son disque d'or.

Strigan a regardé du côté de Seivarden, avec intensité, les sourcils froncés. « Votre vagabond est pris d'anxiété.

— Oui. »

Strigan a secoué la tête, frustrée ou exaspérée, et est allée dans son infirmerie. Lorsqu'elle en est revenue, elle s'est approchée de Seivarden assise, s'est penchée et lui a tendu la main.

Seivarden a sursauté, reculant en se redressant, saisissant le poignet de Strigan dans un mouvement dont je savais qu'il était conçu pour le briser. Mais Seivarden n'était plus ce qu'elle avait été. La dissipation et, je le soupçonnais, la malnutrition avaient prélevé leur tribut. Strigan a laissé son bras dans la prise de Seivarden, et de l'autre main elle a cueilli entre ses doigts une petite plaque blanche qu'elle a collée sur le front de Seivarden. « Je n'éprouve aucune pitié pour vous, a-t-elle dit en radchaaï. C'est simplement que je suis docteur. »

Seivarden l'a regardée avec une expression d'horreur incompréhensible. « Lâchez-moi.

— Vous, lâchez-la, Seivarden, et couchez-vous », ai-je ordonné, sèchement. Elle a fixé Strigan deux secondes encore, puis obéi.

« Je ne le prends pas comme patient », m'a averti Strigan, tandis que la respiration de Seivarden ralentissait et que ses muscles se détendaient. « Il ne s'agit guère que de premiers soins. Et je ne veux pas qu'il panique et qu'il casse mes affaires.

— Je vais dormir, maintenant. Nous pourrons parler plus longuement au matin.

— C'est *déjà* le matin. » Mais elle n'a pas discuté plus avant.

Elle n'aurait pas la stupidité de fouiller ma personne pendant que je dormais. Elle devait savoir combien ce serait dangereux.

Elle ne m'abattrait pas non plus pendant mon sommeil, même si ce serait une façon simple et efficace de se débarrasser de moi. Endormi, je présenterais une cible facile pour une balle, à moins que je ne déploie tout de suite mon armure et que je ne la laisse active.

Mais il n'y en avait aucun besoin. Strigan ne me tirerait pas dessus, au moins pas tant qu'elle n'aurait pas les réponses à ses nombreuses questions. Et même alors, elle n'en ferait sans doute rien. J'étais une trop belle énigme.

*
* *

Strigan ne se trouvait pas dans la pièce principale à mon réveil, mais la porte donnant dans la chambre était close, aussi ai-je supposé qu'elle dormait ou voulait de l'intimité. Seivarden était éveillée, me regardant fixement, agitée, se frictionnant les bras et les épaules. Une semaine plus tôt, j'avais dû l'empêcher de s'écorcher. Elle avait accompli des progrès considérables.

La boîte contenant mon argent reposait là où Strigan l'avait laissée. Je l'ai vérifiée – elle était intacte –, l'ai rangée et j'ai sanglé mon paquetage, songeant à ce qu'allait être l'étape suivante.

« Citoyen, ai-je lancé à Seivarden, énergique et autoritaire. Petit déjeuner.

— Quoi ? » Elle en a été assez surprise pour cesser un instant de s'agiter.

J'ai soulevé la commissure de mes lèvres, très légèrement. « Dois-je demander au docteur d'examiner votre ouïe ? » L'instrument à cordes reposait près de moi, à l'endroit où je l'avais placé la veille au soir. Je l'ai pris, ai pincé un accord de cinquième. « Petit déjeuner.

— Je ne suis pas votre domestique », a-t-elle protesté, indignée.

J'ai accentué mon sourire narquois, d'un infime degré. « Alors, qu'est-ce que vous êtes ? »

Elle s'est figée, la colère visible dans son expression, puis a débattu très clairement avec elle-même sur la meilleure façon de me répondre. Mais à présent, la question était trop délicate pour qu'elle le fasse aisément. Sa confiance en sa supériorité avait apparemment encaissé un choc trop sévère pour l'affronter, en ce moment. Elle ne semblait pas capable de trouver de réponse.

Je me suis penché sur l'instrument et j'ai commencé à égrener un air de musique. Je m'attendais à ce qu'elle reste assise, à bouder, au moins jusqu'à ce que la faim la pousse à préparer son repas. Ou peut-être, avec beaucoup de retard, qu'elle trouve une riposte à me lancer. Je me suis aperçu que j'espérais à moitié qu'elle tenterait de me frapper, afin que je puisse répliquer, mais peut-être se trouvait-elle encore sous l'influence, même légère, de ce que Strigan avait bien pu lui administrer la veille au soir.

La porte de la chambre de Strigan s'est ouverte, et la docteur s'est avancée dans la salle de vie principale, s'est arrêtée, a croisé les bras et levé un sourcil. Seivarden l'a ignorée. Aucune de nous trois n'a rien dit, et au bout de cinq secondes Strigan s'est rendue dans la cuisine et a ouvert un placard.

Il était vide. Ce que je savais depuis la veille au soir. « Vous m'avez dépouillé, Breq du Gérantat », a déclaré Strigan, sans rancune. Presque comme si elle trouvait cela drôle. Nous courions très peu de danger de mourir de faim – ici, même en été, l'extérieur faisait office de glacière infinie, et le bâtiment de stockage non chauffé contenait quantité de provisions. Il s'agissait simplement d'aller en chercher et de les décongeler.

« Seivarden. » J'employai le ton négligemment dédaigneux que j'avais entendu Seivarden elle-même employer dans le lointain passé. « Apportez à manger du hangar. »

Elle s'est figée, puis a cligné des yeux, surprise. « Mais pour qui vous vous prenez ?

— Un peu de respect, citoyen, l'ai-je gourmandée. Et je pourrais vous poser la même question.

— Espèce de... d'ignorant *sans importance*. » La soudaine intensité de sa colère l'avait de nouveau mise au bord des larmes. « Vous vous croyez meilleure que moi ? C'est à peine si vous êtes *humaine*. » Elle ne disait pas cela parce que j'étais un ancillaire. J'étais à peu près convaincu qu'elle ne s'en était pas encore rendu compte. Elle entendait par là que je n'étais pas radchaaïe ; pire, que je pouvais peut-être porter des implants, communs dans certains lieux en dehors de l'espace du Radch mais, à des yeux radchaaïs, tout à fait incompatibles avec la notion d'humanité. « Je n'ai pas été élevée pour être votre domestique. »

Je peux me déplacer très, très vite. J'étais debout, et mon bras à mi-chemin de sa courbe avant d'avoir enregistré mon intention de bouger. La plus infime fraction de seconde s'est écoulée, durant laquelle j'aurais pu me retenir, puis elle s'en est allée et mon poing a atteint le visage de Seivarden, trop vite pour qu'elle puisse même paraître surprise.

Elle s'est écroulée, tombant à la renverse sur sa couche, le sang lui coulant du nez, et est demeurée immobile.

« Il est mort ? » a demandé Strigan, toujours debout dans la cuisine, d'une voix vaguement curieuse.

Je lui ai adressé un geste ambigu. « C'est vous, la docteur. »

Elle s'est approchée de Seivarden étendue, inconsciente, en train de saigner. A baissé les yeux vers elle. « Pas mort, a-t-elle décrété. Mais j'aimerais m'assurer que la commotion n'évolue pas en quelque chose de pire. »

J'ai fait un geste de résignation. « Il en ira comme Amaat le veut », ai-je dit, et j'ai enfilé mon manteau avant de sortir en quête de nourriture.

Chapitre six

Sur Shis'urna, à Ors, la Sept Issa du *Justice d'Enté* qui avait accompagné la lieutenant Skaaïat chez Jen Shinnan était assise avec moi au rez-de-chaussée de la maison. Elle avait un nom en sus de sa désignation – un nom que je n'utilisais jamais, bien que je le connaisse. Même la lieutenant Skaaïat s'adressait parfois à des soldats humaines individuelles sous ses ordres par un simple : « Sept Issa ». Ou par leur numéro de segment.

Je sortis un plateau et des jetons, et nous jouâmes deux parties en silence. « Tu ne peux pas me laisser gagner une fois ou deux ? » demanda-t-elle au terme de la seconde. Avant que je puisse répondre, un choc résonna à l'étage, et elle sourit. « On dirait que la lieutenant Manche-à-balai sait se détendre, après tout ! » et elle me jeta un coup d'œil égrillard. Mais un instant après qu'elle eut parlé, le sourire de Sept Issa s'effaça. « Désolée. Je ne voulais rien insinuer, c'est juste que nous…

— Je sais, dis-je. Je n'ai pas été offensé. »

Sept Issa fronça les sourcils et effectua de sa main gauche, maladroitement, un geste exprimant le doute, ses doigts gantés toujours refermés sur une demi-douzaine de jetons. « Les vaisseaux aussi ont des sentiments.

— Oui, bien entendu. » Sans les sentiments, des décisions anodines deviennent d'insupportables tentatives de comparer des déploiements infinis de choses sans conséquence. Il est simplement plus facile de s'en charger quand on éprouve des émotions. « Mais, comme je le disais, je n'ai pas été offensé. »

Sept Issa baissa les yeux vers le plateau et lâcha dans une de ses dépressions les jetons qu'elle tenait. Elle les scruta un long moment, avant de relever le regard. « Y a des rumeurs qui circulent. Sur les vaisseaux, et les gens qu'ils aiment. Et je jurerais que ton visage ne change jamais, mais… »

Je mis en œuvre mes muscles faciaux, souris, une expression que j'avais observée bien des fois.

Sept Issa tressaillit. « Ne *fais* pas ça ! » lança-t-elle, indignée, mais à voix basse quand même, pour que les lieutenants ne nous entendent pas.

Non que j'eusse mal exécuté mon sourire – je maîtrisais l'exercice. C'était l'altération subite, le passage de mon habituelle absence d'expression à quelque chose d'humain, que certaines des Sept Issa trouvaient dérangeants. Je laissai tomber le sourire.

« Nichons d'Aart, jura Sept Issa. Quand tu fais ça, on dirait que tu es possédé ou je sais pas quoi. » Elle secoua la tête, ramassa les jetons et commença à les disposer sur le plateau. « Bon, très bien, tu veux pas en parler. Une autre partie. »

*
* *

La soirée avança. Les conversations des voisins s'essoufflèrent progressivement tandis que les gens ramassaient les enfants endormis et allaient au lit.

Denz Ay arriva quatre heures avant l'aube, et je la rejoignis, montant dans son esquif sans mot dire. Elle ne marqua pas ma présence, pas plus que sa fille, assise à la poupe. Avec lenteur, presque en silence, nous nous éloignâmes de la maison en glissant.

Au temple, la veillée continuait, les prières des prêtres audibles sur la place comme un chuchotement intermittent. Les rues, hautes et basses, étaient silencieuses, à l'exception de mes pas et du bruit de l'eau, obscures hormis les étoiles qui brillaient au-dessus, le clignotement des bouées entourant les zones interdites, et la lueur venue du temple d'Ikkt. La Sept Issa, qui nous avait raccompagnées jusque chez la lieutenant Awn, dormait sur une couchette au rez-de-chaussée.

La lieutenant Awn et la lieutenant Skaaïat reposaient ensemble à l'étage, immobiles au bord du sommeil.

*
* *

Il n'y avait personne d'autre sur l'eau avec nous. Au fond de l'esquif, je remarquai des cordages, des filets, des respirateurs et un panier rond couvert, attaché à une ancre. La fille vit mon regard et repoussa le panier sous son siège d'un coup de pied, avec une nonchalance étudiée. Je détournai les yeux vers l'eau, les bouées qui clignotaient, sans un mot. La fiction selon laquelle elles pouvaient cacher ou modifier les informations émises par leurs traqueurs avait son utilité, même si personne n'y croyait réellement.

Une fois les bouées franchies, la fille de Denz Ay emboucha un respirateur et se coula par-dessus bord, un cordage à la main. Le lac n'était pas très profond, surtout à cette période de l'année. Quelques instants plus tard elle réémergea et remonta à bord, et nous hissâmes le coffre – une tâche relativement aisée jusqu'à ce qu'il atteigne la surface, mais à nous trois nous réussîmes à le basculer dans l'esquif sans embarquer trop d'eau.

J'essuyai la boue du couvercle. Il était de facture rad-chaaïe, mais cela n'avait en soi rien de trop alarmant. Je trouvai la serrure et l'ouvris.

Les armes à l'intérieur – longues, sveltes et mortelles – étaient du genre de celles dont disposaient les troupes tanmindes avant l'annexion. Je savais que sur chacune figurait une marque d'identification. Et comme toutes les armes que nous avions confisquées avaient été répertoriées et signalées, je pouvais consulter l'inventaire et déterminer plus ou moins sur-le-champ s'il s'agissait d'armes confisquées, ou si elles nous avaient échappé.

Dans le premier cas, cette affaire deviendrait subitement beaucoup plus compliquée qu'elle ne le paraissait pour le moment – et la situation était déjà complexe.

La lieutenant Awn semblait en phase un de sommeil NREM. La lieutenant Skaaïat aussi, apparemment. Je pouvais consulter l'inventaire de ma propre initiative. En fait, je le *devais*. Mais je n'en fis rien – en partie parce qu'on venait la veille de me rappeler que les autorités corrompues d'Imé s'étaient rendues coupables du détournement des accès, le plus abominable des abus de pouvoir, un acte que n'importe quelle citoyen aurait cru impossible. Ce rappel en lui-même suffisait à me rendre méfiant. Mais aussi, après les propos que Denz avait tenus sur des résidents de la haute-ville qui auraient contrefait des preuves par le passé, et la conversation au dîner ce soir-là, insistant sur les rancœurs dans la haute-ville, quelque chose ne semblait pas tout à fait en ordre. Personne dans la haute-ville ne saurait que j'avais demandé des informations sur des armes dérobées, mais si quelqu'une d'autre était impliquée ? Quelqu'une capable d'installer des alarmes pour être avertie qu'on posait certaines questions en certains lieux ? Denz Ay et sa fille étaient paisiblement assises dans l'esquif, indifférentes et peu pressées, selon toute apparence, de se retrouver ailleurs ou de faire quoi que ce soit d'autre.

En quelques instants, j'entrai en contact avec le *Justice de Toren*. J'avais vu nombre de ces armes confisquées – pas moi, Un Esk, mais moi, le *Justice de Toren*, dont les milliers de soldats ancillaires se trouvaient sur la planète, durant l'annexion. Si je ne pouvais pas consulter d'inventaire officiel sans risquer d'attirer l'attention, je pouvais consulter ma propre mémoire pour vérifier si l'une d'entre elles m'était passée sous les yeux.

Et c'était le cas.

*
* *

Je me rendis à l'endroit où dormait la lieutenant Awn et posai une main sur son épaule nue. « Lieutenant », dis-je doucement. Dans l'esquif, je refermai le coffre avec un claquement amorti et annonçai : « Retour en ville. »

La lieutenant Awn s'éveilla en sursaut. « Je ne dors pas », dit-elle d'une voix pâteuse. Dans la barque, Denz Ay et sa fille levèrent leurs avirons en silence et reprirent le chemin du retour.

« Les armes étaient confisquées », affirmai-je à la lieutenant Awn, toujours en silence. Ne voulant pas réveiller la lieutenant Skaaïat, ne voulant pas que quelqu'une d'autre entende ce que je disais. « J'ai reconnu les numéros de série. »

La lieutenant Awn me fixa d'un regard hébété quelques instants, désorientée. Puis je la vis comprendre. « Mais… » Et là, elle s'éveilla pleinement et se tourna vers la lieutenant Skaaïat. « Skaaïat, réveille-toi. J'ai un problème. »

*
* *

J'apportai les armes à l'étage supérieur de la maison de la lieutenant Awn. Sept Issa ne bougea même pas à mon passage.

« Tu es sûr ? demanda la lieutenant Skaaïat, agenouillée devant le coffre ouvert, nue à part ses gants, une tasse de thé à la main.

— J'ai confisqué celles-ci moi-même, répondis-je. Je me souviens d'elles. » Nous parlions tous très bas, afin que nulle, dehors, ne puisse nous entendre.

« Alors, elles auraient dû être détruites, objecta la lieutenant Skaaïat.

— À l'évidence, elles ne l'ont pas été », répliqua la lieutenant Awn. Puis, après un bref silence : « Oh, *merde*. C'est pas bon du tout, ça. »

En silence, je lui adressai un message. *Surveillez votre langage, lieutenant.*

La lieutenant Skaaïat émit une sorte de brève exhalaison, un rire sans amusement. « C'est le moins qu'on puisse dire. » Elle fronça les sourcils. « Mais pourquoi ? Pourquoi quelqu'une se donnerait-elle tant de mal ?

— Et comment ? » demanda la lieutenant Awn. Elle semblait avoir oublié son propre thé, dans une tasse posée à terre près d'elle. « Elles les ont placées ici sans qu'on les voie faire. » J'avais consulté les rapports des trente derniers jours sans rien noter que je ne puisse déjà expliquer. En vérité, personne ne s'était rendu en ce lieu, à l'exception de Denz Ay et de sa fille, trente jours plus tôt, et la nuit précédente.

« *Comment*, c'est le plus facile lorsqu'on possède les accès appropriés, déclara la lieutenant Skaaïat. Ce qui pourrait nous révéler quelque chose. Ce n'est pas quelqu'une qui dispose d'un haut niveau d'accès au *Justice de Toren*, sinon on aurait veillé à ce qu'il ne se souvienne pas de ces armes. Ou du moins qu'il ne puisse rien dire.

— Ou on n'a pas pensé à ce détail particulier », suggéra la lieutenant Awn. Elle était perplexe. Et commençait tout juste à avoir peur. « Ou peut-être que cela fait dès le départ partie du plan. Mais nous en revenons au *pourquoi*, n'est-ce pas ? Le comment importe assez peu, pour le moment. »

La lieutenant Skaaïat leva les yeux vers moi. « Parle-moi des problèmes qu'a rencontrés la nièce de Jen Taa dans la basse-ville. »

La lieutenant Awn la regarda, sourcils froncés. « Mais... »

La lieutenant Skaaïat lui intima le silence d'un geste.

« Il n'y a pas eu de problèmes, dis-je. Elle était assise toute seule et jetait des cailloux dans l'eau de l'avant-temple. Elle a acheté du thé dans une échoppe derrière le temple. En dehors de cela, personne ne lui a adressé la parole.

— Tu en es certain ? demanda la lieutenant Awn.

— Je l'avais sous les yeux tout le temps. » Et je veillerais à ce qu'elle y reste durant toutes ses visites à venir, mais il n'y avait guère besoin de le dire.

Les deux lieutenants restèrent un instant silencieuses. La lieutenant Awn ferma les paupières et prit une profonde inspiration. Elle avait vraiment peur, à présent. « Elles mentent sur ce point, dit-elle, les yeux toujours clos. Elles cherchent une excuse pour accuser quelqu'une dans la basse-ville de... quelque chose.

— Une sédition », dit la lieutenant Skaaïat. Elle se souvint de son thé, en but une gorgée. « Et elles outrepassent leurs prérogatives. C'est assez facile à voir.

— Oui, je le vois bien », dit la lieutenant Awn. Son accent s'était complètement effacé, mais elle n'avait rien remarqué. « Mais pourquoi diable quelqu'une qui dispose d'accès de ce genre... » Elle indiqua d'un geste le coffre d'armes. « Voudrait-elle les aider ?

— Ça semble bien être la question », répondit la lieutenant Skaaïat. Elles gardèrent le silence quelques secondes. « Qu'est-ce que tu vas faire ? »

La question perturba la lieutenant Awn, qui, pouvait-on présumer, se la posait elle-même. Elle leva les yeux vers moi. « Je me demande si c'est tout ce qu'il y a.

— Je peux demander à Denz Ay de m'emmener à nouveau », proposai-je.

La lieutenant Awn acquiesça d'un geste. « Je vais rédiger le rapport, mais je ne vais pas l'enregistrer tout de suite. Dans l'attente d'une enquête plus poussée. » Tout ce que faisait et disait la lieutenant Awn était observé et enregistré – mais comme avec les traqueurs que tout le monde portait sur Ors, il n'y avait pas en permanence quelqu'une pour y prêter attention.

La lieutenant Skaaïat poussa un léger sifflement. « Est-ce que quelqu'une te tend un piège, ma cher ? » La lieutenant Awn lui jeta un regard d'incompréhension. « Peut-être Jen Shinnan, par exemple ? enchaîna la lieutenant Skaaïat. J'ai pu la sous-estimer. Ou peux-tu te fier à Denz Ay ?

— Si quelqu'une veut mon départ, elle se trouve dans la haute-ville », décida la lieutenant Awn et, à part moi, j'étais d'accord mais je n'en dis rien. « Mais ça ne doit pas être ça. Si une personne peut faire ça (elle indiqua d'un geste le coffre) et me voulait loin d'ici, ce serait somme toute facile – il suffit de donner l'ordre. Et Jen Shinnan n'en aurait pas été capable. » Informulé, suspendu derrière chaque mot, était le souvenir des nouvelles d'Imé. Du fait que celle qui avait révélé la corruption là-bas était condamnée à mort, sans doute déjà morte. « Personne à Ors ne l'aurait pu, pas sans… » Pas sans aide à un très haut niveau, aurait-elle sûrement dit, mais elle laissa la phrase en suspens.

« C'est vrai », rumina la lieutenant Skaaïat. La comprenant. « C'est donc quelqu'une de haut placée. Qui y aurait avantage ?

— La nièce, dit la lieutenant Awn, atterrée.

— La nièce de Jen Taa en profiterait ? demanda la lieutenant Skaaïat, perplexe.

— Non, non. On insulte ou on attaque la nièce – soidisant. Je refuse d'agir. Je *prétends* qu'il ne s'est rien passé.

— Parce qu'il ne *s'est* rien passé, riposta la lieutenant Skaaïat comme si quelque chose commençait à se préciser pour elle mais qu'elle fût encore désorientée.

— Elles ne peuvent obtenir aucune justice de ma part, alors elles descendent sur la basse-ville pour la faire elles-mêmes. Ce genre de choses se produisait avant notre arrivée.

— Et ensuite, enchaîna la lieutenant Skaaïat, elles trouvent toutes ces armes. Ou même pendant. Ou...» Elle secoua la tête. «Tout ne s'assemble pas bien. Admettons que tu aies raison. Et alors ? *Qui en tire bénéfice ?* Pas les Tanmindes, pas si elles causent des troubles. Qu'elles accusent tant qu'elles voudront, mais, quoi qu'on puisse trouver dans le lac, elles seront quand même bonnes pour la rééducation, si elles se soulèvent.»

La lieutenant Awn exprima ses doutes d'un geste. «Quelqu'une capable de placer ces armes ici sans que nous la voyions devrait pouvoir éviter les ennuis aux Tanmindes. Ou prétendre de façon crédible qu'elle le peut.

— Ah.» La lieutenant Skaaïat comprit immédiatement. «Une légère amende, des circonstances atténuantes. Sans aucun doute. Ce doit être quelqu'une de haut placée. Très dangereuse. Mais pourquoi ?»

La lieutenant Awn me regarda. «Va trouver la grande prêtre et demande-lui une faveur. Dis-lui, de ma part, bien que ce ne soit pas la saison des pluies, de mettre quelqu'une en faction à tout moment près de l'alarme de tempête.» L'alarme, une sirène qui déchirait les tympans, se trouvait au sommet de la résidence du temple. La déclencher actionnerait les volets de tempête de la plupart des bâtiments de la basse-ville, et réveillerait certainement les habitants de tout immeuble qui n'était pas automatisé de la sorte. «Demande-lui d'être prête à la déclencher si je le requiers.

— Excellent, commenta la lieutenant Skaaïat. Tout mouvement de foule devra au moins dépenser plus d'énergie pour franchir les volets. Et ensuite ?

« — Il pourrait ne rien se passer, dit la lieutenant Awn. Quoi qu'il arrive, nous devrons prendre les choses comme elles viennent. »

*

* *

Ce qui arriva, le lendemain matin, ce fut la nouvelle qu'Anaander Mianaaï, Maître du Radch, viendrait en visite dans les prochains jours.

Trois mille ans durant, Anaander Mianaaï avait exercé sur l'espace du Radch un pouvoir absolu. Elle résidait dans chacun des treize palais provinciaux, et était présente lors de chaque annexion. Elle en était capable car elle possédait des milliers de corps, tous génétiquement identiques, tous reliés. Elle se trouvait encore dans le système de Shis'urna, en partie sur le vaisseau amiral de cette annexion, l'*Épée d'Amaat*, et en partie sur la station Shis'urna. C'était elle qui édictait la loi radchaaïe, et elle qui décidait de toute exception à cette loi. Elle était la commandant suprême des militaires, la plus haute grande prêtre d'Amaat, la personne de laquelle, en fin de compte, toutes les maisons radchaaïes étaient clientes.

Et elle venait à Ors, à une date non spécifiée au cours des quelques jours à venir. Il était, en fait, quelque peu étonnant qu'elle ne l'ait pas fait plus tôt – si petite qu'elle soit, si loin que soient tombées les Orsiens de leur gloire première, le pèlerinage annuel faisait d'Ors un lieu d'importance modérée. Assez toutefois pour que des officiers issues de familles plus grandes et plus influentes que celle de la lieutenant Awn aient désiré ce poste – et essaient continuellement de l'en déloger, malgré la résistance déterminée de la Sublime d'Ikkt.

Aussi la visite n'avait-elle en elle-même rien d'inattendu. Mais le calendrier paraissait curieux. Cela se passerait deux semaines avant le début du pèlerinage, où des centaines de milliers d'Orsiens et de touristes se rendraient en ville. Durant le pèlerinage, la présence d'Anaander Mianaaï serait pleinement visible, une occasion d'impressionner un nombre élevé d'adorateurs d'Ikkt. Mais elle venait juste avant. Et, bien entendu, il était impossible de ne pas remarquer la coïncidence flagrante entre son arrivée et la découverte des armes.

Celles qui avaient déposé ces armes agissaient pour ou contre les intérêts de la Maître du Radch. Elle était la seule personne logique à informer, et à qui demander de nouvelles instructions. Et le fait qu'elle vienne elle-même à Ors était incroyablement commode – cela offrait l'occasion de lui exposer la situation sans que personne d'autre n'intercepte le message, sans entraver le projet éventuel ni alerter des malfaiteurs du fait que leur plan avait été découvert, ce qui aurait compliqué leur arrestation.

Dans cette seule perspective, la lieutenant Awn fut soulagée d'apprendre la visite d'Anaander Mianaaï. Même si, durant les quelques jours à venir, et tant qu'elle serait présente, elle devrait porter l'intégralité de son uniforme.

Dans l'intervalle, j'écoutai de plus près les conversations dans la haute-ville – chose plus difficile que dans la basse-ville, parce que toutes les maisons étaient closes et que, bien entendu, toutes les Tanmindes impliquées resteraient muettes si elles me savaient à portée d'oreille. Et nulle n'était assez sotte pour tenir le genre de conversation que je guettais ailleurs qu'en personne et en privé. Je surveillai aussi la nièce de Jen Taa – du moins autant que possible. Après la soirée du dîner, elle ne quitta plus du tout la maison de Jen Shinnan, mais je voyais les données de son traqueur.

Deux nuits de suite, je sortis sur le marais avec Denz Ay et sa fille, et nous trouvâmes deux autres coffres d'armes. Une fois de plus, je n'avais aucun moyen de déterminer qui les avait laissés, ni quand, bien que les déclarations indirectes de Denz Ay, veillant à ne pas impliquer les pêcheurs dont je savais qu'elles braconnaient couramment dans ces parages, laissent entendre qu'elles avaient dû arriver au cours des un ou deux mois précédents.

« Je serai contente quand la Maître de Mianaaï sera ici, me confia la lieutenant Awn à voix basse, tard un soir. Je ne crois pas que je devrais m'occuper de ce genre de chose. »

Et dans l'intervalle, je notai que personne d'autre que Denz Ay ne se rendait sur l'eau la nuit et que, dans la basse-ville, personne ne s'asseyait ou ne se couchait à l'endroit où les volets pouvaient descendre – précaution courante en saison des pluies, même s'il existait des sécurités pour les retenir si quelqu'une se trouvait sur leur chemin, mais une habitude négligée d'ordinaire durant la saison sèche.

*

* *

La Maître du Radch arriva en milieu de journée, à pied, descendant de la haute-ville en un seul exemplaire – nulle trace d'elle dans les rapports des traqueurs –, et se dirigea droit vers le temple d'Ikkt. Elle était vieille, les cheveux gris, ses larges épaules légèrement voûtées, la peau presque noire de son visage ridée – ce qui expliquait l'absence de gardes. Un corps qui se trouvait plus ou moins proche de la mort ne serait pas une très grande perte. L'emploi de tels corps âgés permettait à la Maître du Radch, sans risque majeur, de se déplacer sans protection ni aucune sorte d'escorte lorsqu'elle le souhaitait.

Elle ne portait pas la vareuse et le pantalon ornés de joyaux des Radchaaïes, ni la combinaison ou le pantalon et la chemise que revêtirait une Tanminde shis'urnienne, mais bien le sarong orsien, sans chemise.

Dès que je la vis, j'adressai un message à la lieutenant Awn, qui vint au temple aussi vite qu'elle le put, et arriva alors que la grande prêtre se prosternait sur la place devant la Maître du Radch.

La lieutenant Awn hésita. La plupart des Radchaaïes ne se trouvaient jamais dans de telles circonstances en présence d'Anaander Mianaaï. Bien sûr, la Maître du Radch était toujours présente durant les annexions, mais le très grand nombre de soldats, comparé à celui des corps qu'elle envoyait, rendait improbable une rencontre fortuite. Et toute citoyen peut voyager jusqu'à l'un des palais provinciaux et demander audience – pour déposer une requête, faire appel dans une affaire judiciaire, pour n'importe quelle raison –, mais en pareil cas la citoyen ordinaire est préalablement informée sur la façon de se comporter. Peut-être quelqu'une comme la lieutenant Skaaïat aurait-elle su attirer à elle l'attention d'Anaander Mianaaï sans porter atteinte au protocole, mais la lieutenant Awn l'ignorait.

« Altesse », dit la lieutenant Awn, son cœur s'emballant de crainte, et elle s'agenouilla.

Anaander Mianaaï se tourna vers elle, sourcil levé.

« Je prie votre Altesse de me pardonner », commença la lieutenant Awn. Elle était prise d'un léger vertige, soit à cause du poids de son uniforme par cette chaleur, soit par nervosité. « Je dois vous parler. »

Le sourcil se leva plus haut. « Lieutenant Awn, dit-elle, c'est cela ?

— Oui, Altesse.

— Ce soir, je participe à la veillée dans le temple d'Ikkt. Je vous parlerai au matin. »

Il fallut à la lieutenant Awn quelques instants pour assimiler cela. « Altesse, rien qu'un instant. Je ne crois pas que ce soit une bonne idée. »

La Maître du Radch inclina la tête d'un air interrogateur. « Je croyais que vous teniez cette zone sous contrôle.

— Oui, Altesse, c'est juste... » La lieutenant Awn s'arrêta, paniquée, ne trouvant pas ses mots pendant une seconde. « Les relations entre la haute et la basse-ville en ce moment… » Elle s'interrompit de nouveau.

« Souciez-vous de votre travail, déclara Anaander Mianaaï. Et je me soucierai du mien. » Elle se détourna de la lieutenant Awn.

Un affront public. Inexplicable – il n'y avait aucune raison pour que la Maître du Radch ne puisse pas s'écarter pour échanger quelques mots urgents avec l'officier chargée de la sécurité locale. Et la lieutenant Awn n'avait rien fait pour mériter une telle humiliation. Je crus tout d'abord que c'était l'unique raison de la détresse que je lus chez la lieutenant Awn. On pourrait communiquer cette affaire des armes au matin aussi bien que maintenant, et il ne paraissait y avoir aucune autre difficulté. Mais quand la Maître du Radch avait traversé à pied la haute-ville, la rumeur de sa présence s'était répandue, comme il était bien naturel, et les résidents de la haute-ville étaient sorties de chez elles pour commencer à se réunir sur la berge nord de l'eau de l'avant-temple afin de la voir, vêtue à l'orsienne, debout devant le temple d'Ikkt avec la Sublime. Et en écoutant les murmures des Tanmindes qui observaient, je compris qu'en cet instant précis les armes n'étaient qu'un souci secondaire.

Les résidents tanmindes de la haute-ville étaient riches, bien nourries, propriétaires de commerces, de fermes et de vergers de tamarins. Même durant les mois de précarité qui avaient suivi l'annexion, quand les denrées s'étaient faites rares et les vivres chers, elles avaient réussi à bien alimenter leurs familles. Lorsque Jen Shinnan avait dit, quelques soirées plus tôt, que nulle ici n'était morte de faim, sans doute pensait-elle dire vrai. Elle n'avait pas péri, ni personne de sa connaissance, presque toutes de riches Tanmindes. Malgré toutes leurs plaintes, elles avaient émergé de l'annexion dans un relatif confort. Et quand leurs enfants passaient les aptitudes, elles se comportaient bien et continueraient à le faire, comme l'avait dit la lieutenant Skaaïat.

Et pourtant, ces mêmes gens, quand elles virent la Maître du Radch traverser tout droit la haute-ville pour aller au temple d'Ikkt, conclurent que ce geste de respect envers les Orsiens était une insulte calculée à leur encontre. C'était clair, à leurs expressions, à leurs exclamations indignées. Je n'avais pas anticipé cela. Peut-être la Maître du Radch ne l'avait-elle pas anticipé non plus. Mais la lieutenant Awn avait compris que cela arriverait, en voyant la Sublime au sol devant la Maître du Radch.

Je quittai la place et une partie des rues de la haute-ville, et me rendis à l'endroit où se tenaient les Tanmindes – une demi-douzaine de moi. Je ne dégainai aucune arme, ne formulai aucune menace. Je me contentai de dire à toutes celles qui se trouvaient près de moi : « Rentrez chez vous, citoyens. »

La plupart tournèrent les talons et s'en furent, et si leurs expressions n'étaient pas aimables, elles ne proférèrent aucune protestation véritable. D'autres mirent plus de temps à partir, mettant mon autorité à l'épreuve peut-être, mais sans excès – toutes celles qui auraient eu assez de cran pour tenir une telle attitude avaient été abattues au cours des cinq années écoulées, ou du moins avaient appris à refréner de telles impulsions quasi suicidaires.

La Sublime, se levant pour escorter Anaander Mianaaï jusqu'au temple, jeta un regard indéchiffrable à la lieutenant Awn, toujours agenouillée sur les pierres de la place. La Maître du Radch ne lui accorda même pas un coup d'œil.

Chapitre sept

« **E**t enfin », a dit **Strigan** pendant que nous mangions,
dernier point d'une longue liste de griefs contre les
Radchaaïs, « il y a le traité avec les Presgers. »

Seivarden gisait immobile, yeux clos, du sang séché sur
la lèvre et sur le menton, et mouchetant le devant de son
manteau. En travers de son nez et de son front s'étalait
un correctif.

« Vous n'aimez pas le traité ? ai-je demandé. Vous pré-
féreriez que les Presgers s'estiment libres d'agir comme ils
l'ont toujours fait ? » Les Presgers se moquaient qu'une
espèce soit sensible ou pas, consciente ou pas, intelligente
ou pas. Le terme qu'elles employaient, du moins à ce
que je comprenais – elles ne s'exprimaient pas par des
mots –, mais le concept en tout cas, se traduisait d'ordinaire par *conséquence*. Et seules les Presgers étaient *consé-*
quentes. Toutes les autres êtres étaient légitimement leurs
proies, leur propriété ou leurs jouets. En général, elles
n'avaient que faire des humains, mais certaines d'entre
elles aimaient intercepter des vaisseaux et les disloquer,
eux et leur contenu.

« Je préférerais que le Radch ne conclue pas de promesses
qui l'engagent au nom de toute l'humanité, a répondu Strigan. Ni qu'il dicte la politique de tous les gouvernements
humains pour nous dire ensuite que nous devrions lui en
être reconnaissants.

— Les Presgers ne s'attachent pas à de telles divisions. C'était tout ou rien.

— C'était le Radch qui étendait encore son contrôle, d'une façon plus économique et plus facile qu'une conquête directe.

— Vous seriez peut-être surpris d'apprendre que certains Radchaaïs de haut rang détestent le traité autant que vous. »

Strigan a levé un sourcil, déposé sa tasse de lait fermenté puant. « Je ne sais pas pourquoi, je doute que je trouverais ces Radchaaïs de haut rang sympathiques. » Elle parlait d'un ton amer, légèrement sarcastique.

« Non, ai-je confirmé. Je ne crois pas qu'ils vous plairaient beaucoup. Ils n'auraient sans doute pas grand-chose à faire de vous. »

Elle a cligné des yeux et scruté intensément mon visage, comme pour lire quelque chose dans mon expression. Quoi qu'elle ait pu y trouver, elle l'a balayé d'un revers de main en secouant la tête. « Racontez-moi ça.

— Quand on est l'agent de l'ordre et de la civilisation dans l'univers, on ne s'abaisse pas à négocier. Surtout pas avec des non-humains. » Ce qui comprenait un assez grand nombre de gens qui se considéraient comme humaines, mais mieux valait ne pas entrer dans ces considérations pour l'instant. « Pourquoi conclure un traité avec un ennemi aussi implacable ? Détruisons-les et finissons-en.

— Vous pourriez ? a interrogé Strigan, incrédule. Vous auriez pu détruire les Presgers ?

— Non. »

Elle a croisé les bras, s'est renversée dans sa chaise. « Alors, pourquoi un débat ?

— Il me semble que c'est évident. Certains n'admettent pas que le Radch puisse être faillible, ou que son pouvoir puisse avoir des limites. »

Strigan a jeté un coup d'œil vers l'autre côté de la pièce, en direction de Seivarden. « Mais c'est absurde. *Un débat.* Il n'y a pas de vrai débat possible.

— Certainement, ai-je acquiescé. C'est vous, l'expert.

— Oh oh ! s'est-elle exclamée en se redressant sur son siège. Vous voilà en colère. »

J'étais certain de ne pas avoir changé d'expression. « Je ne crois pas que vous ayez jamais visité le Radch. Je ne crois pas que vous connaissiez beaucoup de Radchaaïs, pas personnellement. Pas bien. Vous voyez cela de l'extérieur, et vous voyez du conformisme et du lavage de cerveau. » Des rangées et des rangées de soldats identiques en armure d'argent, sans volonté propre, sans mentalité propre. « Et il est vrai que le plus humble Radchaaï se juge infiniment supérieur à n'importe quel non-citoyen. Ce que des gens comme Seivarden pensent d'eux-mêmes est insupportable. » Strigan éclata d'un rire bref, étouffé. « Mais ce sont des gens, et ils ont différentes opinions sur les choses.

— Des opinions qui ne comptent pas. Anaander Mianaaï déclare ce qui sera, et c'est ainsi qu'il en va. »

Le sujet était plus compliqué qu'elle ne l'imaginait, j'en étais certain. « Ce qui ne fait qu'ajouter à leur frustration. Imaginez. Imaginez toute votre vie orientée vers la conquête, vers l'expansion de l'espace radchaaï. Vous voyez, vous, des meurtres et de la destruction à une échelle inimaginable, mais ils voient une progression de la Justice et de la Convenance, de l'Avantage pour l'univers. La mort et la destruction ne sont que d'inévitables sous-produits de ce Bien unique et suprême.

— Je ne crois pas que je puisse trouver en moi beaucoup de sympathie pour leur point de vue.

— Je n'en demande aucune. Placez-vous là un moment, simplement, et regardez. Votre vie, mais pas seulement : celles de toute votre maison, et de vos ancêtres depuis mille ans ou plus avant vous, sont investies dans cette idée, dans ces actes. Amaat le veut. La Divinité le veut, l'univers lui-même veut tout cela. Et puis, un jour, quelqu'un vous annonce que vous avez pu vous tromper. Et que votre vie ne sera pas telle que vous l'imaginiez.

— Ça arrive aux gens tout le temps, a dit Strigan en se levant de son siège. Sauf que la plupart d'entre nous ne s'illusionnent pas d'avoir eu un jour de grands destins.

— L'exception n'est pas insignifiante, lui ai-je fait observer.

— Et vous ? » Elle se tenait à présent derrière le siège, sa tasse et son bol à la main. « Votre appartenance aux Radchaaïs ne fait aucun doute. Votre accent, quand vous parlez radchaaï… (Nous parlions sa langue maternelle.)… donne l'impression que vous venez du Gérantat. Mais vous n'en avez pratiquement aucun en ce moment même. Il se pourrait que vous soyez simplement très habile avec les langues – un don inhumain, pourrais-je même dire… » Elle s'est interrompue. « La question des genres est révélatrice, cependant. Seuls les Radchaaïs se trompent dans le genre des gens comme vous le faites. »

J'avais mal deviné. « Je ne vois pas sous vos vêtements. Et même si je le pouvais, ce n'est pas toujours un indicateur fiable. »

Elle a battu des paupières, hésité un moment comme si ce que je venais de dire n'avait pour elle aucun sens. « Je me suis demandé comment les Radchaaïs se reproduisaient, s'ils étaient tous du même sexe.

— Ce n'est pas le cas. Et ils se reproduisent comme tout le monde. » Strigan a levé un sourcil sceptique. « Ils vont chez la médic, ai-je continué, et font désactiver leurs implants contraceptifs. Ou ont recours à un réservoir. Ou subissent une opération afin de pouvoir porter une grossesse. Ou engagent quelqu'un pour la porter. »

Rien de tout cela ne différait beaucoup de ce que faisaient toutes les autres sortes de gens, mais Strigan a paru légèrement scandalisée. « C'est *certain*, vous venez du Radch. Et vous êtes d'une *grande* familiarité avec le capitaine Seivarden, mais vous n'êtes pas *comme* lui. Depuis le début, je me demande si vous ne seriez pas un ancillaire, mais je ne vois pas grand-chose, en matière d'implants. Qui êtes-vous ? »

Elle devrait scruter de beaucoup plus près qu'elle ne l'avait fait jusqu'ici pour trouver des preuves de ce que j'étais... À une observateur ordinaire, je donnais l'impression d'être doté d'un ou deux implants de communication et d'optique, le genre de choses que des millions de personnes portaient couramment, qu'elles soient ou non radchaaïes. Et au fil des vingt dernières années, j'avais trouvé le moyen de dissimuler les caractères spécifiques de ce que je possédais.

J'ai ramassé mes assiettes, me suis levé. « Je suis Breq, du Gérantat. » Strigan a soupiré, incrédule. Le Gérantat était assez éloigné des lieux où j'avais passé les dix-neuf dernières années pour dissimuler les petites fautes que je pouvais commettre.

« Simple touriste, commenta Strigan sur un ton qui exprimait clairement qu'elle ne me croyait pas du tout.

— Oui, ai-je acquiescé.

— Alors, pourquoi cet intérêt pour... » Elle a de nouveau fait un geste vers Seivarden, encore endormie, respirant de façon égale et régulière. « Un simple animal errant qui avait besoin de secours ? »

Je n'ai pas répondu. Je ne savais pas la réponse, franchement.

« J'ai rencontré des personnes qui collectionnaient les animaux errants. Je ne crois pas que vous en soyez une. Il y a quelque chose... quelque chose de froid, chez vous. De tranchant. Vous vous maîtrisez beaucoup plus que tous les touristes que j'ai pu voir. » Et bien entendu, je savais qu'elle avait l'arme, dont personne d'autre qu'elle et Anaander Mianaaï n'aurait pu connaître l'existence. Mais elle ne pouvait pas le dire sans admettre qu'elle la détenait. « Il n'y a aucune chance sur dix-sept enfers pour que vous soyez un touriste du Gérantat. Qu'est-ce que vous êtes ?

— Si je vous le disais, ça vous gâcherait tout le plaisir », lui ai-je rétorqué.

Strigan a ouvert la bouche pour répliquer – sans doute me répondre avec colère, à en juger par son expression – quand une sonnerie d'alarme a retenti. « Des visiteurs », a-t-elle annoncé.

Le temps que nous enfilions nos manteaux et que nous passions les deux portes, un chenilleur avait tracé un chemin irrégulier jusqu'à la maison, creusant une tranchée blanche à travers la neige teintée par la mousse, s'arrêtant sur une demi-embardée qui a manqué mon volier de quelques centimètres.

La porte s'est débouclée, et une Niltais en a glissé, plus courte que beaucoup que j'avais vues, emmitouflée dans un manteau écarlate brodé de bleu vif et d'une teinte jaune criarde, mais marqué de taches sombres – de la mousse des neiges, et du sang. La personne a fait halte un instant, puis nous a aperçus debout à l'entrée de la maison.

« Docteur ! a-t-elle appelé. Au secours ! »

Avant qu'elle ait fini de parler, Strigan traversait la neige à grands pas. Je l'ai suivie.

De plus près, j'ai constaté que la conducteur n'était qu'une enfant, quatorze ans à peine. Sur le siège de la passager était avachie une adulte inconsciente, ses vêtements presque réduits en lambeaux, jusqu'à la dernière couche, par endroits. Du sang trempait le tissu et le siège. Elle n'avait plus de jambe droite au-dessous du genou, ni de pied gauche.

À nous trois, nous avons transporté la personne blessée jusqu'à la maison, dans l'infirmerie. « Que s'est-il passé ? a demandé Strigan en retirant des pans sanglants de manteau.

— Un diable des glaces, a répondu la jeune fille. Nous ne l'avons pas vu ! » Des larmes lui sont montées aux yeux, mais sans couler. Elle a dégluti avec difficulté.

Strigan a jaugé les tourniquets improvisés appliqués de toute évidence par la jeune fille. « Vous avez fait tout ce que vous pouviez », a-t-elle dit. Elle a hoché la tête en direction de la porte de la pièce principale. « Je prends la relève. »

Nous avons quitté l'infirmerie, la jeune fille n'ayant apparemment même pas conscience de ma présence, ni de celle de Seivarden, toujours étendue sur sa couche. Elle s'est tenue quelques instants au centre de la pièce, indécise, apparemment paralysée, puis s'est laissée tomber sur un banc.

Je lui ai apporté une tasse de lait fermenté, et elle a sursauté, comme si j'étais subitement sorti de nulle part. « Vous êtes blessée ? » lui ai-je demandé. Pas d'erreur sur le genre, cette fois-ci – j'avais déjà entendu Strigan employer le pronom féminin.

« Je… » Elle s'est arrêtée, considérant le bol de lait comme s'il risquait de la mordre. « Non, pas… Un peu. » Elle semblait près de s'écrouler. C'était bien possible. Selon les critères radchaaïs, c'était encore une enfant, mais elle avait vu cette adulte blessée – était-elle parent, cousin ou voisin ? – et avait eu la présence d'esprit d'appliquer des rudiments de premiers soins, de la charger dans un chenilleur et de venir ici. Rien de très étonnant si elle se sentait à présent au bord de l'effondrement.

« Qu'est devenu le diable des glaces ? ai-je demandé.

— Je ne sais pas. » Elle a levé le regard vers moi, au-dessus du lait, toujours sans le prendre. « Je lui ai flanqué des coups de pied. Je l'ai frappé avec mon couteau. Il est parti. Je ne sais pas. »

Il m'a fallu quelques minutes pour tirer d'elle l'information qu'elle avait laissé des messages pour les autres, au camp de sa famille, mais que personne n'était assez proche pour aider, ni pour arriver très vite ici. Pendant que nous discutions, elle a semblé se reprendre quelque peu, assez, du moins, pour accepter le lait que j'offrais et le boire.

Au bout de quelques minutes, elle était en nage, aussi a-t-elle retiré ses deux manteaux pour les étendre sur le banc à côté d'elle, puis elle est restée assise, silencieuse et empruntée. Je ne savais pas comment soulager sa détresse. « Vous connaissez des chansons ? » lui ai-je demandé.

Elle a cligné des yeux, surprise. « Je ne suis pas chanteuse. »

Ce pouvait être un problème de traduction. Je n'avais pas prêté grande attention aux coutumes dans cette partie du monde, mais j'étais pratiquement sûre qu'il n'y avait aucune distinction entre des chansons que tout le monde pouvait chanter et celles qui, en général pour des motifs religieux, n'étaient interprétées que par des spécialistes. Pas dans les villes proches de l'équateur. Peut-être en allait-il autrement, si loin au sud. « Excusez-moi, ai-je repris. J'ai dû me tromper de mot. Comment appelle-t-on ça, quand on travaille ou qu'on joue, ou qu'on essaie de faire dormir un bébé ? Ou simplement...

— Oh ! » La compréhension s'est faite, juste un instant. « Vous voulez dire ce genre de chansons-là ! »

Je lui ai souri pour l'encourager, mais elle est retombée dans le silence. « Essayez de ne pas trop vous inquiéter. Le docteur est très doué dans son domaine. Et parfois il faut simplement laisser ces affaires aux divinités. »

Elle s'est mordu la lèvre supérieure avant de me répondre, avec un brin de véhémence : « Je ne crois en aucune divinité.

— Quand même. Les choses arrivent comme elles arrivent. » Elle a manifesté son acquiescement d'un geste, minimal. « Vous jouez aux jetons ? » Peut-être pourrait-elle m'apprendre le jeu auquel servait le plateau de Strigan, bien que je doute qu'il soit originaire de Nilt.

J'avais épuisé les maigres moyens à ma disposition pour l'amuser ou la distraire.

Au bout de dix minutes de silence, elle a annoncé : « J'ai un jeu de Tiktik.

— C'est quoi, le Tiktik ? »

Ses yeux se sont écarquillés, tout ronds dans son visage rond et pâle. « Comment pouvez-vous ne pas connaître le Tiktik ? Vous devez venir de très loin ! » J'ai admis que c'était le cas, et elle a répondu : « C'est un jeu. C'est surtout un jeu pour les enfants. » Le ton de sa voix laissait entendre qu'elle n'était pas une enfant, mais que j'avais tout intérêt à ne pas demander pourquoi elle portait sur elle un jeu d'enfant. « C'est vrai, vous n'avez jamais joué au Tiktik ?

— Jamais. D'où je viens, on joue surtout aux jetons, aux cartes et aux dés. Mais même ces jeux-là sont différents, selon les endroits. »

Elle y réfléchit un instant. « Je peux vous apprendre, a-t-elle enfin dit. C'est facile. »

*

* *

Deux heures plus tard, alors que je jetais ma poignée de petits dés en os de bove, l'alarme annonçant des visiteurs a retenti. La fillette a levé la tête, surprise. « Il y a quelqu'un », lui ai-je expliqué. La porte de l'infirmerie est demeurée close, Strigan n'y accordant aucune attention.

« Maman, a suggéré la fillette, l'espoir et le soulagement dotant sa voix d'un infime chevrotement.

— J'espère. J'espère que ce n'est pas encore un patient. » Immédiatement, j'ai pris conscience que je n'aurais pas dû suggérer ça. « Je vais aller voir. »

C'était Maman, indiscutablement. Elle a sauté du volier dans lequel elle était arrivée, et s'est dirigée vers la maison à une vitesse que je n'aurais pas crue possible sur la neige. Elle m'a croisé sans noter mon existence en aucune façon, grande pour une Niltais, et large, comme elles l'étaient toutes, emballées dans des manteaux, les signes de ses liens avec la gamine à l'intérieur clairs dans les traits de son visage. Je l'ai suivie à l'intérieur.

En voyant la jeune fille, à présent debout près du plateau de Tiktik abandonné, elle a demandé : « Eh bien, alors, quoi ? »

Une parent radchaaïe aurait passé les bras autour de sa fille, l'aurait embrassée, lui aurait dit son soulagement de voir qu'elle allait bien, aurait même pu pleurer. Certaines Radchaaïs auraient jugé cette parent-ci froide et dénuée d'affection. Mais, j'en étais sûre, elles se seraient trompées. Elles se sont assises ensemble sur un banc, serrées l'une contre l'autre tandis que la jeune fille rendait compte de ce qu'elle savait de la condition de la patient et de ce qu'il s'était passé dans la neige avec le troupeau et le diable des glaces. Lorsqu'elle a eu terminé, sa mère lui a tapoté le genou deux fois, rapidement, et on aurait dit soudain une autre enfant, plus grande, plus forte, semblait-il, maintenant qu'elle avait non seulement le réconfort de la solide présence de sa mère, mais son approbation.

Je leur ai apporté deux tasses de lait fermenté, et l'attention de Maman s'est braquée sur moi, mais pas, m'a-t-il semblé, parce que j'avais le moindre intérêt particulier. « Vous n'êtes pas le docteur », a-t-elle dit. Simple constatation. Je voyais que son attention allait toujours vers sa fille, qu'elle ne s'étendait à moi que dans la mesure où je pouvais présenter une menace ou une assistance.

« Je suis de passage ici, lui ai-je dit. Mais le docteur est occupé, et je me suis dit que vous pourriez avoir envie de boire quelque chose. »

Ses yeux se sont portés vers Seivarden, toujours endormie comme elle l'était depuis ces dernières heures, le correctif noir, tremblant, étalé sur son front, des vestiges d'hématomes autour de sa bouche et de son nez.

« Elle vient de très loin, expliqua la jeune fille. Elle ne savait pas jouer au Tiktik ! » Le regard de sa mère est tombé sur le jeu par terre, les dés, le plateau et les jetons peints en pierre plate arrêtés en pleine course. Elle ne dit rien, mais son expression changea subtilement. Avec un petit hochement de tête, presque imperceptible, elle a pris le lait que je lui offrais.

Vingt minutes plus tard, Seivarden s'est réveillée, a chassé de la main le correctif noir de sa tête, et s'est frotté la lèvre supérieure avec irritation, s'arrêtant au contact des écailles de sang séché qui se détachaient. Elle regarda les deux Niltais, assises en silence côte à côte, sur un banc proche, qui s'appliquaient à nous ignorer, elle et moi. Aucune d'elles n'a semblé trouver curieux que je ne me rende pas auprès de Seivarden, ou que je ne lui dise rien. Je ne savais pas si elle se rappelait pourquoi je l'avais frappée, ou même que je l'avais fait. Parfois, un coup à la tête affecte le souvenir des moments qui le précèdent. Mais soit elle s'en souvenait, soit elle soupçonnait quelque chose, parce qu'elle ne m'a pas accordé un seul regard. Après s'être agitée quelques minutes, elle s'est levée pour se rendre à la cuisine, où elle a ouvert un placard. Elle l'a fixé pendant trente secondes, puis s'est emparée d'un bol, de pain dur à y placer et d'eau à verser dessus, et elle est restée debout, les yeux dans le vague, en attendant qu'il ramollisse, sans rien dire, sans regarder personne.

Chapitre huit

Tout d'abord, les gens que j'avais chassées de l'eau de l'avant-temple se mirent à chuchoter par petits groupes dans la rue, se dispersant quand j'approchais, lors de mes rondes régulières. Mais peu après, tout le monde disparut chez soi, regroupé ensemble à l'intérieur. Durant les quelques heures qui suivirent, la haute-ville fut calme. D'un calme singulier ; et que la lieutenant Awn me demande constamment ce qu'il s'y passait n'arrangeait rien.

La lieutenant Awn était convaincue qu'accroître ma présence dans la haute-ville ne servirait qu'à aggraver la situation, aussi m'ordonna-t-elle de rester plutôt à proximité de la place. S'il arrivait quelque chose, je serais là, entre la haute et la basse-ville. Ce fut en grande partie à cause de cela que, lorsque la situation dégénéra, je fus quand même capable de fonctionner avec plus ou moins d'efficacité.

Pendant des heures, rien ne se passa. La Maître du Radch articulait des prières en compagnie des prêtres d'Ikkt. Dans la basse-ville, je fis circuler la consigne : ce serait une bonne idée de rester chez soi ce soir-là. En conséquence, il n'y avait aucune conversation dans les rues, pas de groupes de voisins au rez-de-chaussée de chez quelqu'une pour regarder un divertissement. À la tombée du jour, presque tout le monde s'était retiré à l'étage, discutait à voix basse ou regardait par-dessus les rambardes, sans rien dire.

Quatre heures avant l'aube, la situation se disloqua. Ou plus exactement, c'est moi qui me disloquai. Les données des traqueurs que je surveillais s'interrompirent et, soudain, les vingt moi furent tous aveugles, sourds, immobiles. Chaque segment ne voyait plus que par une seule paire d'yeux, n'entendait plus que par une seule paire d'oreilles, ne bougeait plus que cet unique corps. Il fallut quelques instants de désorientation et de panique pour que mes segments comprennent que chacun était détaché des autres, chaque itération de moi seule dans son corps. Pire que tout, à ce même instant, toutes les données provenant de la lieutenant Awn cessèrent.

À partir de ce moment, je fus vingt personnes différentes, avec vingt jeux différents d'observations et de souvenirs, et je ne puis me rappeler ce qui est arrivé qu'en réunissant toutes ces expériences séparées.

Au moment où le coup tomba, tous les vingt segments, immédiatement, sans réfléchir, déployèrent mon armure, les segments qui étaient vêtus n'esquissant pas la moindre tentative pour la modifier de façon à couvrir une partie de mes uniformes. Dans la maison, huit segments endormis se réveillèrent instantanément et, une fois que j'eus recouvré ma présence d'esprit, se ruèrent à l'endroit où la lieutenant Awn couchée essayait de dormir. Deux des segments, Dix-Sept et Quatre, voyant la lieutenant Awn apparemment sauve et plusieurs autres segments autour d'elle, se rendirent à la console de la maison pour vérifier l'état des communications – la console était hors-service.

« Les communications sont coupées, annonça mon segment Dix-Sept, sa voix déformée par la lisse armure d'argent.

— Impossible », dit Quatre, et Dix-Sept ne répondit pas, parce que toute réponse était inutile, face à la réalité.

Certains de mes segments dans la haute-ville commencèrent par se tourner vers l'eau de l'avant-temple avant de comprendre qu'il valait mieux que je reste où j'étais. Chacun des segments sur la place et dans le temple s'orienta vers la maison. Un des moi se mit à courir pour s'assurer de la lieutenant Awn, et deux dirent, aussitôt : « La haute-ville ! » et deux autres : « La sirène de tempête ! » et pendant deux secondes de confusion les fractions de moi essayèrent de décider de la suite de leurs actes. Le segment Neuf entra en courant dans la résidence du temple et éveilla la prêtre dormant à côté de la sirène de tempête, qui la déclencha.

Juste avant que la sirène ne se mette à hurler, dans la haute-ville, Jen Shinnan sortit en courant de chez elle, en hurlant : « Au meurtre ! Au meurtre ! » Les lumières s'allumèrent dans les maisons qui l'entouraient, et le brouhaha qui s'ensuivit fut couvert par les hurlements de la sirène. Mon segment le plus proche se trouvait à quatre rues de là.

Dans toute la basse-ville, les volets de tempête tombèrent bruyamment. Les prêtres dans le temple interrompirent leurs prières, et la grande prêtre me regarda, mais je n'avais aucune information à lui communiquer et exprimai d'un geste mon impuissance. « Mes communications sont coupées, Sublime », déclara ce segment. La grande prêtre cligna des yeux, sans comprendre. Parler était inutile tant que la sirène hurlait.

La Maître du Radch n'avait pas réagi au moment où je m'étais fragmenté, bien qu'elle ait été reliée au reste d'elle-même d'une façon très semblable à la mienne. Son apparente absence de surprise fut assez étrange pour que mon segment le plus proche d'elle la note. Mais cela aurait pu n'être que de la maîtrise de soi ; la sirène ne suscita qu'un regard vers le haut et un sourcil levé. Puis elle se mit debout et s'avança sur la place.

*
* *

Ce fut la troisième pire chose qui me soit jamais arrivée. J'avais perdu toute conscience du *Justice de Toren* au-dessus, toute conscience de moi-même. Je m'étais fracturé en vingt fragments à peine capables de communiquer entre eux.

Le segment que la lieutenant Awn avait dépêché pour faire sonner l'alarme arriva en courant sur la place, où il se tint, hésitant, regardant le reste de lui-même, visible, mais *absent* en ce qui concernait ma conscience de moi-même.

La sirène se tut. La basse-ville était silencieuse, le seul bruit était celui de mes pas, et mes voix filtrées par l'armure, essayant de me parler, de s'organiser afin que je puisse fonctionner, au moins d'une manière réduite.

La Maître du Radch leva un sourcil grisonnant. « Où est la lieutenant Awn ? »

C'était bien sûr la question de premier plan dans l'esprit de tous mes segments qui ne le savaient pas déjà, mais à présent, le moi arrivé avec l'ordre donné par la lieutenant Awn eut une tâche qu'il savait pouvoir exécuter. « Elle est en route, Altesse », dit-il, et dix secondes plus tard la lieutenant Awn, et la plupart du reste de moi qui se trouvait dans la maison arrivèrent, accourant sur la place.

« Je croyais que vous aviez le contrôle de cette zone. » Anaander Mianaaï ne regarda pas la lieutenant Awn en parlant, mais la cible de ses paroles était claire.

« Moi aussi. » Puis la lieutenant Awn se souvint du lieu où elle se trouvait et de la personne à qui elle s'adressait. « Altesse. Je vous demande pardon. » Chacun de moi devait se refréner pour ne pas se retourner totalement et surveiller la lieutenant Awn, pour être sûr qu'elle était vraiment *là*, parce que je ne pouvais pas la percevoir autrement. Quelques chuchotements décidèrent quels segments se tiendraient près d'elle, et le reste devrait s'en remettre à cela.

Mon segment Dix arriva à pleine allure au coin de l'eau de l'avant-temple. « Des troubles dans la haute-ville ! »

lança-t-il, et il vint se camper devant la lieutenant Awn, où je m'effaçai pour me céder le passage. « Des gens se rassemblent chez Jen Shinnan, elles sont en colère, elles parlent de meurtre, et d'obtenir justice.

— De *meurtre*. Oh, *putain* ! »

Tous les segments proches de la lieutenant Awn lancèrent, à l'unisson : « Surveillez votre langage, lieutenant ! » Anaander Mianaaï tourna vers moi un regard incrédule, mais ne dit rien.

« Oh, *putain* ! répéta la lieutenant.

— Allez-vous agir, demanda Anaander Mianaaï, calme et posée, au lieu de jurer ? »

La lieutenant Awn se figea une demi-seconde, puis regarda alentour, de l'autre côté de l'eau, en direction de la basse-ville, vers le temple. « Qui est ici ? Comptez-vous ! » Et quand nous l'eûmes fait : « Un à Sept, restez ici. Le reste, avec moi. » Je la suivis dans le temple, laissant Anaander Mianaaï debout sur la place.

Les prêtres se tenaient près de l'estrade, observant notre approche. « Sublime, appela la lieutenant Awn.

— Lieutenant, répondit la grande prêtre.

— Il y a une foule de la haute-ville qui se dirige par ici, avec des envies de violence. J'estime que nous disposons de cinq minutes. Elles ne peuvent pas causer beaucoup de dégâts avec les volets de tempête baissés, j'aimerais les attirer ici, pour les empêcher de commettre l'irréparable.

— Les attirer ici, répéta la grande prêtre, pleine de doute.

— Tout le reste est éteint et claquemuré. Les grandes portes sont ouvertes, c'est la destination la plus évidente. Quand la plupart d'entre elles seront entrées nous refermerons les portes et Un Esk les cernera. Nous pourrions nous contenter de refermer les portes du temple et les laisser tenter leur chance contre les volets des maisons, mais je ne tiens pas vraiment à découvrir à quel point ils peuvent résister aux tentatives d'effraction. Si…, ajouta-t-elle, voyant Anaander Mianaaï entrer dans le temple d'un pas lent comme s'il ne se passait rien d'inhabituel, son Altesse le permet. »

La Maître du Radch indiqua d'un geste silencieux son assentiment.

La suggestion déplaisait clairement à la grande prêtre, mais elle accepta. Désormais, mes segments sur la place voyaient des lumières brandies apparaître sporadiquement dans les rues les plus proches de la haute-ville.

En quelques instants, la lieutenant Awn me positionna derrière les grandes portes du temple, prêt à les refermer à son signal, et expédia quelques moi dans les rues entourant la place afin d'aider à diriger les Tanmindes vers le temple. Le reste de moi se tenait dans les ombres sur le périmètre à l'intérieur du temple proprement dit, et les prêtres reprirent leurs prières, tournant le dos à la large entrée accueillante.

Plus d'une centaine de Tanmindes descendirent de la haute-ville. La plupart d'entre elles agirent précisément comme nous le souhaitions et se ruèrent dans le temple en une masse agitée et hurlante, exception faite de vingt-trois, dont une douzaine obliquèrent vers une avenue obscure et vide. Les onze autres, déjà à la traîne du groupe principal, voyant un de mes segments debout en silence à proximité, reconsidérèrent leurs actions. Elles s'arrêtèrent, marmonnèrent un moment entre elles, observant la foule des Tanmindes entrer en courant dans le temple, les autres se ruer, en hurlant, dans la rue. Elles me regardèrent refermer les portes du temple, les segments postés là dépourvus d'uniforme, seulement couverts de l'argent de ma propre armure générée, et peut-être cela leur rappela-t-il l'annexion. Plusieurs d'entre elles poussèrent un juron, et tournèrent les talons pour regagner en courant la haute-ville.

Quatre-vingt-trois Tanmindes s'étaient ruées à l'intérieur du temple, leurs voix furieuses sonnaient et résonnaient, magnifiées. Au bruit des portes qui se refermaient en claquant, elles se retournèrent et tentèrent de ressortir précipitamment par où elles étaient arrivées, mais je les cernais, mes armes dégainées et braquées sur qui pouvait se trouver à proximité de chaque segment.

« Citoyens ! » s'écria la lieutenant Awn, mais elle n'avait pas le don pour se faire entendre.

« Citoyens ! » crièrent les différents fragments de moi, mes propres voix résonnant avant de s'éteindre. En même temps que le tohu-bohu des Tanmindes – Jen Shinnan et Jen Taa, et quelques autres dont je savais qu'elles étaient de leurs amis ou parents, firent taire leurs voisins, les incitant à se calmer, à prendre en considération que la Maître du Radch en personne était présente, et qu'elles pouvaient s'adresser directement à elle.

« Citoyens ! s'écria de nouveau la lieutenant Awn. Avez-vous perdu la tête ? Que faites-vous ?

— Au meurtre ! » s'exclama Jen Shinnan en se portant en avant de la foule, criant par-dessus ma tête en direction de la lieutenant Awn qui se trouvait derrière moi, à côté de la Maître du Radch et de la Sublime. Les prêtres auxiliaires se serraient les unes contre les autres, apparemment figées. Les voix tanmindes grondaient, résonnant, en soutien de Jen Shinnan. « Nous n'obtiendrons pas justice de vous, aussi la ferons-nous nous-mêmes ! » s'écria Shinnan. La rumeur de la foule roula autour des murs en pierre du temple.

« Expliquez-vous, citoyen », demanda Anaander Mianaaï, sa voix étudiée pour retentir par-dessus le bruit.

Les stationniers s'intimèrent le silence quatre ou cinq secondes durant, puis : « Altesse », dit Jen Shinnan. Son ton respectueux paraissait presque sincère. « Ma jeune cousin loge chez moi cette semaine. Elle a été harcelée et menacée par des Orsiens quand elle est allée dans la basse-ville, ce que j'ai rapporté à la lieutenant Awn. Mais rien n'a été fait. Ce soir, j'ai trouvé sa chambre vide, la fenêtre cassée, du sang partout ! Que dois-je en conclure ? Les Orsiens nous ont toujours détestées ! À présent, elles ont l'intention de toutes nous tuer, est-il étonnant que nous nous défendions ? »

Anaander Mianaaï se tourna vers la lieutenant Awn. « Est-ce que ça a été signalé ?

— En effet, Altesse. J'ai enquêté et découvert que la jeune personne en question n'avait jamais quitté la surveillance d'Un Esk du *Justice de Toren*, qui a rapporté qu'elle avait passé tout son temps dans la basse-ville seule. Les uniques paroles échangées entre elle et quelqu'une d'autre étaient de banales transactions commerciales. À aucun moment elle n'a été harcelée ou menacée.

— Vous voyez ! s'écria Jen Shinnan. Vous voyez pourquoi nous sommes contraintes de faire justice nous-mêmes !

— Et qu'est-ce qui vous laisse penser que toutes vos vies sont menacées ? demanda Anaander Mianaaï.

— Altesse, répliqua Jen Shinnan, la lieutenant Awn voudrait vous faire croire que tout le monde dans la basse-ville est loyale et respectueuse des lois, mais nous savons par expérience que les Orsiens sont tout sauf des parangons de vertu. Les pêcheurs sortent sur l'eau la nuit, sans être vues. Des sources... » Elle hésita, rien qu'un moment, pour une raison que je ne pus comprendre. Était-ce l'arme pointée directement sur elle, l'impassibilité persistante d'Anaander Mianaaï, ou autre chose, je ne pouvais le dire. Mais il me parut que quelque chose l'amusait. Puis elle se reprit. « Des sources que je préfère ne pas nommer ont vu les bateliers de la basse-ville déposer des armes dans des caches, sur le lac. À quoi serviraient-elles, sinon à exercer enfin leur vengeance contre nous, qui, croient-elles, les avons maltraitées ? Et comment ces armes ont-elles pu arriver ici sans la collusion de la lieutenant Awn ? »

Anaander Mianaaï tourna son visage sombre vers la lieutenant Awn et leva un sourcil grisonnant. « Avez-vous une réponse à cela, lieutenant Awn ? »

Quelque chose dans la question, ou la façon dont elle fut posée, troubla tous les segments qui l'entendirent. Et Jen Shinnan sourit bel et bien. Elle *s'attendait* à ce que la Maître du Radch se retourne contre la lieutenant Awn, et s'en réjouissait.

« J'en ai une, Altesse, répondit la lieutenant Awn. Il y a quelques nuits, une pêcheur locale m'a rapporté qu'elle avait trouvé une cache d'armes dans le lac. Je les ai retirées et emportées chez moi et, en fouillant, j'ai découvert deux caches supplémentaires, que j'ai également vidées. J'avais prévu de nouvelles fouilles ce soir, mais les événements, comme vous le voyez, m'en ont empêchée. Mon rapport est rédigé, mais pas encore envoyé parce que, moi aussi, je me suis demandé comment les armes avaient pu arriver ici sans que je le sache. »

Peut-être fut-ce simplement à cause du sourire de Jen Shinnan et des questions curieusement accusatrices d'Anaander Mianaaï – et de l'affront, plus tôt, sur la place du temple – mais dans l'air électrisé du temple l'écho même des paroles de la lieutenant Awn ressembla à une accusation.

« Je me suis également demandé, ajouta la lieutenant Awn dans le silence qui suivit l'extinction de ces échos, pourquoi la jeune personne en question accuserait à tort des résidents de la basse-ville de l'avoir harcelée, alors qu'elles n'ont absolument rien fait. Je suis absolument certaine que nulle dans la basse-ville ne lui a fait de mal.

— Quelqu'une lui en a fait, pourtant ! » s'écria une voix dans la foule, et des grondements d'assentiment s'élevèrent, montèrent et résonnèrent autour du vaste espace de pierre.

« À quelle heure avez-vous vu votre cousin pour la dernière fois ? demanda la lieutenant Awn.

— Il y a trois heures, répondit Jen Shinnan. Elle nous a souhaité bonne nuit et est allée dans sa chambre. »

La lieutenant Awn s'adressa au segment de moi qui était le plus proche d'elle. « Un Esk, quelqu'une est-elle passée de la basse-ville à la haute au cours des trois dernières heures ? »

Le segment qui répondit – Treize – savait que je devais être prudent dans ma réponse, que, nécessairement, tout le monde allait entendre. « Non. Personne n'a traversé dans aucun sens. Bien que je ne puisse être certain des quinze dernières minutes.

— Quelqu'une aurait pu venir plus tôt, fit remarquer Jen Shinnan.

— En ce cas, répondit la lieutenant Awn, elles sont toujours dans la haute-ville, et vous devriez les rechercher là-bas.

— Les armes…, commença Jen Shinnan.

— … ne présentent aucun danger pour vous. Elles sont sous clé à l'étage supérieur de ma résidence, et Un Esk en a désormais neutralisé la plupart. »

Jen Shinnan lança un curieux regard d'appel à Anaander Mianaaï, qui était demeurée silencieuse et impassible tout au long de cet échange. « Mais…

— Lieutenant Awn, lança la Maître du Radch. Un mot. » Elle fit signe de s'écarter et la lieutenant Awn la suivit vers un point à une quinzaine de mètres de là. Un de mes segments suivit, que Mianaaï ignora. « Lieutenant, dit-elle d'une voix calme. Dites-moi ce que vous pensez qu'il se passe. »

La lieutenant Awn déglutit, prit sa respiration. « Altesse. Je suis certaine que nul dans la basse-ville n'a fait de mal à la jeune personne en question. Je suis également certaine que les armes n'ont pas été cachées par quelqu'une de la basse-ville. L'origine de tout ceci ne peut se situer qu'à un très haut niveau. Voilà pourquoi je n'ai pas transmis le rapport. J'espérais vous en parler directement à votre arrivée, mais je n'en ai jamais eu l'occasion.

— Vous craigniez qu'en rapportant ceci par les voies régulières les responsables ne comprennent que leur plan avait été éventé, et ne couvrent leurs traces.

— Oui, Altesse. Quand j'ai appris que vous veniez, j'ai immédiatement envisagé de vous en entretenir.

— *Justice de Toren.* » La Maître du Radch s'adressa à mon segment sans me regarder. « Est-ce vrai ?

— Entièrement, Altesse », répondis-je. Les prêtres auxiliaires étaient encore pelotonnées, la grande prêtre se tenait à l'écart d'elles, regardant la lieutenant Awn et la Maître du Radch en train de conférer, avec au visage une expression que je ne savais interpréter.

« Bien, statua Anaander Mianaaï. Quelle est votre évaluation de la situation ? »

D'étonnement, la lieutenant Awn battit des paupières. « Il… il me semble tout à fait que Jen Shinnan est impliquée dans cette affaire d'armes. Comment aurait-elle connu leur existence, sinon ?

— Et cette jeune personne assassinée ?

— Si on l'a bel et bien assassinée, personne dans la basse-ville n'a rien fait. Mais auraient-elles pu la tuer elles-mêmes pour avoir un prétexte pour… » La lieutenant Awn s'arrêta, horrifiée.

« Un prétexte pour descendre sur la basse-ville et assassiner d'innocentes citoyens dans leurs lits. Et employer ensuite l'existence des caches d'armes pour soutenir leur assertion qu'elles n'agissaient que pour se défendre et que vous aviez refusé de faire votre devoir et de les protéger. » Elle jeta un regard vers les Tanmindes, encerclées par mes segments encore armés et armurés d'argent. « Bien. Nous pourrons nous soucier des détails plus tard. Pour l'heure, nous devons nous occuper de ces gens.

— Altesse, acquiesça la lieutenant Awn, avec une légère courbette.

— Abattez-les. »

Pour des non-citoyens, qui ne voient jamais des Radchaaïs que dans des divertissements mélodramatiques, qui ne connaissent rien du Radch au-delà des ancillaires, des annexions et de ce qu'elles considèrent comme du lavage de cerveau, un tel ordre pouvait paraître atroce, mais guère surprenant. Mais l'idée de tirer sur des citoyens était, en fait, extrêmement choquante et perturbante. Quel intérêt, après tout, possède la civilisation, sinon le bien-être des citoyens ? Et ces gens étaient désormais des citoyens.

La lieutenant Awn se figea, deux secondes. « A... Altesse ? »

La voix d'Anaander Mianaaï, qui avait été dépassionnée, peut-être légèrement austère, se fit glacée et sévère. « Est-ce que vous refusez un ordre, lieutenant ?

— Non, Altesse, seulement... ce sont des *citoyens*. Et nous sommes dans un temple. Et elles sont sous notre contrôle, j'ai envoyé Un Esk du *Justice de Toren* à la division voisine demander des renforts. La Sept Issa du *Justice d'Enté* devrait être ici dans une heure, deux peut-être, et nous pourrons arrêter les Tanmindes et les envoyer très facilement à la rééducation, puisque vous êtes ici.

— Est-ce que, demanda Anaander Mianaaï lentement et intelligiblement, vous refusez un ordre ? »

L'amusement de Jen Shinnan, son bon vouloir – et même son empressement – à parler à la Maître du Radch, tout tombait en place pour mon segment qui écoutait. Quelqu'une de très haut placée avait mis ces armes à disposition, avait su comment couper les communications. Nulle n'était plus haut placée qu'Anaander Mianaaï. Mais cela n'avait aucun sens. Les motivations de Jen Shinnan étaient évidentes, mais comment la Maître du Radch pouvait-elle en tirer profit ?

La lieutenant Awn avait sans doute suivi le même cours d'idées. Je lisais sa détresse dans la tension de sa mâchoire, la posture rigide de ses épaules. Cependant, tout cela semblait irréel, parce que les signes externes étaient tout ce que je voyais. « Je ne refuserai pas un ordre, Altesse, dit-elle au bout de cinq secondes. Puis-je protester contre lui ?

— Il me semble que vous l'avez déjà fait, déclara froidement Anaander Mianaaï. À présent, abattez-les. »

La lieutenant Awn se détourna. Il me parut qu'elle tremblait très légèrement en se dirigeant vers les Tanmindes encerclées.

« *Justice de Toren*, dit Mianaaï, et le segment de moi qui se préparait à suivre la lieutenant Awn s'arrêta. Quand t'ai-je rendu visite pour la dernière fois ? »

Je me souvenais très clairement de la dernière occasion où la Maître du Radch était montée à bord du *Justice de Toren*. C'était une visite inhabituelle – aucune annonce, quatre corps plus âgés sans escorte. Elle était essentiellement restée dans ses quartiers à discuter avec moi – le moi-*Justice de Toren*, pas le moi-Un Esk, mais elle avait demandé à Un Esk de chanter pour elle. Je m'étais exécuté avec un air valskaayien. Cela faisait quatre-vingt-quatorze ans, deux mois, deux semaines et six jours, peu après l'annexion de Valskaay. J'ouvris la bouche pour le dire, mais m'entendis répondre en fait : « Deux cent trois ans, quatre mois, une semaine et un jour, Altesse.

— Hum », fit Anaander Mianaaï, mais elle n'ajouta rien.

La lieutenant Awn s'approcha de moi, qui cernais les Tanmindes. Elle se tint là, derrière un segment, pendant trois secondes et demie, sans rien dire.

Sa détresse ne devait pas être visible de moi seul. Jen Shinnan, la voyant là debout, silencieuse et troublée, sourit. Presque triomphalement. « Eh bien ?

— Un Esk », dit la lieutenant Awn, appréhendant clairement la fin de sa phrase. Le sourire de Jen Shinnan s'élargit encore un peu. S'attendant à ce que la lieutenant Awn les renvoie chez elles, sans doute. S'attendant, en temps utile, au départ de la lieutenant Awn et au déclin de l'influence de la basse-ville. « Je n'ai pas voulu ceci, lui dit à voix basse la lieutenant Awn. Mais j'ai reçu un ordre direct. » Elle éleva la voix. « Un Esk. Abattez-les. »

Le sourire de Jen Shinnan disparut, remplacé par l'horreur et, me sembla-t-il, un sentiment de trahison, et elle regarda, clairement, directement, vers Anaander Mianaaï. Qui resta impassible. Une clameur s'éleva des autres Tanmindes, qui poussèrent des cris de peur et des protestations.

Tous mes segments hésitèrent. L'ordre n'avait aucun sens. Quoi qu'elles aient fait, c'étaient des citoyens, et je les avais en mon pouvoir. Mais la lieutenant Awn lança, d'un ton fort et dur : « Feu ! » et j'exécutai. En trois secondes, toutes les Tanmindes étaient mortes.

Personne dans le temple à ce moment-là n'était assez jeune pour être surprise de ce qui s'était passé, bien que peut-être les quelques années écoulées depuis que j'avais exécuté quelqu'une aient pu rendre lointains les souvenirs, voire susciter la conviction que la citoyenneté marquait le terme de telles pratiques. Les prêtres auxiliaires se tenaient à l'endroit où elles étaient restées depuis le début de tout ceci, sans bouger, sans rien dire. La grande prêtre pleurait ouvertement, sans bruit.

« Je crois, dit Anaander Mianaaï dans le vaste silence qui nous entourait, une fois que les échos de la fusillade furent retombés, qu'il n'y aura plus de problèmes avec les Tanmindes, ici. »

La bouche et la gorge de la lieutenant Awn frémirent légèrement, comme si elle allait parler, mais elle n'en fit rien. Et elle avança, contournant les corps, tapotant l'épaule de quatre de mes segments au passage et leur indiquant de suivre. Je compris qu'elle était tout simplement incapable de se résoudre à parler. Ou peut-être craignait-elle ce qui sortirait de sa bouche si elle s'y aventurait. N'avoir d'elle que des données visuelles était frustrant.

« Où allez-vous, lieutenant ? » demanda la Maître du Radch.

Le dos tourné à Mianaaï, la lieutenant Awn ouvrit la bouche, puis la referma. Abaissa ses paupières, prit une inspiration. « Avec votre permission, Altesse, j'ai l'intention de découvrir ce qui bloque les communications. » Anaander Mianaaï ne répondit pas, et la lieutenant Awn se tourna vers mon plus proche segment.

« Chez Jen Shinnan », annonça ce segment, puisqu'il était clair que la lieutenant Awn était encore en pleine détresse émotionnelle. « Je chercherai également la jeune personne. »

*
* *

Juste avant le lever du soleil, je trouvai le dispositif là-bas. À l'instant où je coupai son action, je me retrouvai moi-même – hormis un segment manquant. Je vis les rues silencieuses, tout juste crépusculaires, de la haute et de la basse-ville, le temple déserté par toutes, hormis moi et quatre-vingt-trois cadavres muets aux yeux fixes. Le chagrin, la détresse et la honte de la lieutenant Awn me furent subitement clairs et visibles, à mon soulagement et mon inconfort combinés. Et à l'instant où je le voulus, les signaux de traqueurs de tout le monde à Ors s'embrasèrent dans ma vision, y compris ceux des gens qui étaient mortes et gisaient encore au temple d'Ikkt ; de mon segment manquant dans une rue de la haute-ville, la nuque brisée ; et de la nièce de Jen Taa – dans la vase du fond, à l'extrémité nord de la pièce d'eau de l'avant-temple.

Chapitre neuf

Strigan est sortie de l'infirmerie, son manteau de
dessous couvert de sang, et la jeune fille et sa mère,
qui discutaient à voix basse dans une langue que je
ne comprenais pas, se sont tues et l'ont regardée d'un air
expectatif.

« J'ai fait ce que je pouvais, a commencé Strigan, sans
préambule. Il est tiré d'affaire. Vous allez devoir le conduire
à Therrod pour faire repousser ses membres, mais j'ai effectué une partie du travail préparatoire, et ils devraient se
reformer assez facilement.

— Deux semaines », déclara la Niltais, impassible.
Comme si ce n'était pas la première fois qu'une pareille
chose se produisait.

« Impossible de faire autrement, dit Strigan en réponse à
quelque chose que je n'avais pas entendu ou compris. Peut-
être que quelqu'un aura des mains de rechange à céder.

— J'appellerai des cousins.

— Faites-le, oui. Vous pouvez le voir maintenant, si
vous voulez, mais il dort.

— Quand pourrons-nous le déplacer ? a demandé la
femme.

— Tout de suite, si vous voulez. Le plus tôt sera le
mieux, j'imagine. »

La femme a hoché la tête, et la jeune fille et elle se sont
levées pour entrer dans l'infirmerie sans ajouter un mot.

Peu de temps après, nous avons porté la blessé jusqu'au volier, puis assisté à leur départ avant de rentrer dans la maison et de nous dépouiller de nos manteaux de dessus.

Seivarden avait entre-temps regagné sa couche par terre et était assise, genoux relevés, bras serrés autour des jambes comme si elle les retenait et que cela exige des efforts.

Strigan m'a regardé, une curieuse expression sur le visage, une expression que je ne pouvais déchiffrer. « C'est une brave gamine.

— Oui.

— Elle va en retirer un bon nom. Une bonne histoire pour l'accompagner. »

J'avais appris la langue vernaculaire que j'avais pensé m'être la plus utile ici, et procédé au genre de documentation rapide nécessaire quand on doit se déplacer dans des lieux qu'on ne connaît pas, mais je ne savais presque rien des gens qui gardaient les boves sur cette partie de la planète. « C'est en rapport avec un passage à l'âge adulte ? ai-je supposé.

— En quelque sorte. Oui. » Elle est allée vers un placard, en a sorti une tasse et un bol. Ses mouvements étaient vifs et précis, mais j'ai eu je ne sais comment une impression d'épuisement. La ligne de ses épaules, peut-être. « Je ne croyais pas que vous vous intéresseriez autant aux enfants. À part pour les tuer, je veux dire. »

J'ai refusé la provocation. « Elle m'a fait comprendre qu'elle n'était plus une enfant. Même si elle avait un jeu de Tiktik. »

Strigan s'est assise à sa petite table. « Vous avez joué deux heures d'affilée.

— Il n'y avait pas grand-chose d'autre à faire. »

Strigan a éclaté d'un rire bref et amer. Puis elle a fait un geste vers Seivarden, qui semblait nous ignorer. Elle ne nous comprenait pas, de toute façon, nous ne parlions pas radchaaï. « Je n'éprouve aucune compassion pour lui. C'est simplement que je suis docteur.

— Vous l'avez dit.

— Je n'ai pas l'impression que vous en ayez, non plus.

— Non.

— Vous ne facilitez rien, hein ? » La voix de Strigan était à demi irritée. Exaspérée.

« Ça dépend. »

Elle a secoué légèrement la tête, comme si elle n'avait pas entendu tout à fait clairement. « J'ai vu pire. Mais il a besoin d'attentions médicales.

— Je n'ai pas l'intention de lui en fournir », lui ai-je dit. Sans rien demander.

« J'essaie encore de vous comprendre, reprit Strigan comme si cette déclaration était liée à la mienne, alors que j'étais sûr du contraire. En fait, j'envisage de lui faire prendre quelque chose de plus, pour le tenir calme. » Je n'ai pas répondu. « Vous désapprouvez. » Ce n'était pas une question. « Je ne ressens aucune compassion pour lui.

— Vous vous répétez.

— Il a perdu son vaisseau. » Très probablement, son intérêt pour les objets garseddaïs l'avait conduite à apprendre ce qu'elle pouvait des événements qui avaient abouti à la destruction de Garsedd. « C'est déjà grave, a enchaîné Strigan, mais les vaisseaux radchaaïs ne sont pas de simples vaisseaux, n'est-ce pas ? Son équipage, aussi. C'était il y a mille ans pour nous, mais pour lui... À un moment, tout va pour le mieux ; l'instant d'après, *tout* a disparu. » D'une main, elle a esquissé un geste de frustration, ambigu. « Il a besoin d'attentions médicales.

— S'il n'avait pas fui le Radch, il en aurait reçu. »

Strigan a levé un sourcil gris, s'est assise sur un banc. « Faites l'interprète pour moi. Mon radchaaï n'est pas assez bon. »

*
* *

À un moment Seivarden avait été poussée dans une nacelle de suspension par un ancillaire, au suivant elle s'était retrouvée, glacée, en train de suffoquer tandis que les fluides de la nacelle s'évacuaient par sa bouche et par son nez, aspirés, et elle s'était découverte dans l'infirmerie d'un navire de patrouille. Quand Seivarden décrivait la situation, je voyais son agitation, sa colère, à peine masquées. « Un crasseux petit *Miséricorde*, avec une capitaine négligée, provinciale. »

« Votre visage est d'une impassibilité presque parfaite », m'a dit Strigan. Pas en radchaaï, afin que Seivarden ne comprenne pas. « Mais je vois votre température et votre fréquence cardiaque. » Et probablement quelques autres données, avec les implants médicaux qu'elle devait posséder.

« Le vaisseau avait un équipage humain », ai-je précisé à Seivarden.

Cela a rajouté à son trouble – était-ce la colère, l'embarras ou autre chose, je ne pouvais le dire. « Je n'ai pas compris. Pas tout de suite. La capitaine m'a prise à part et m'a expliqué. »

J'ai traduit ces mots pour Strigan, et elle a regardé Seivarden avec incrédulité, puis moi, en réfléchissant. « Est-ce une erreur qu'on peut facilement commettre ?

— Non, répondis-je brièvement.

— C'est là qu'elle a finalement dû me dire combien de temps avait passé, reprit Seivarden, inconsciente de tout ce qui n'était pas sa propre histoire.

— Et ce qui était arrivé ensuite », a suggéré Strigan. J'ai traduit, mais Seivarden l'a ignorée et a continué comme si aucune de nous deux n'avait parlé. « Finalement, nous avons fait relâche dans une minuscule station frontière. Vous connaissez le genre, une administrateur de station qui est soit en disgrâce, soit une rien du tout parvenue, une première inspecteur pointilleuse qui joue les despotes sur les quais, et une demi-douzaine de gardes de sécurité dont le plus gros problème est de chasser les volailles de la boutique de thé.

» J'avais trouvé l'accent de la capitaine du *Miséricorde* abominable, mais sur la station, je ne comprenais absolument personne. L'IA de la station a dû traduire pour moi, mais mes implants ne fonctionnaient pas. Trop dépassés. Alors, je n'ai pu lui parler qu'en employant les consoles murales. » Ce qui devait avoir rendu extrêmement difficile toute tentative de conversation. « Et même avec les explications de Station, ce que racontaient les gens n'avait aucun sens.

» On m'a assigné un appartement, une chambre avec une couchette, à peine assez grande pour s'y tenir debout. Oui, elles savaient qui je prétendais être, mais elles n'avaient aucune archive sur mes données financières, et il faudrait des semaines avant que celles-ci puissent arriver. Peut-être davantage. Entre-temps, je recevais la nourriture et le logis garantis à toute Radchaaï. À moins, bien entendu, que je ne veuille passer de nouveau les aptitudes afin de pouvoir obtenir une nouvelle affectation. Parce qu'elles n'avaient pas mes données d'aptitudes et que, même si elles les avaient eues, celles-ci devaient être périmées. *Périmées*, a-t-elle répété, d'une voix amère.

— Vous avez vu un docteur ? » a demandé Strigan. En scrutant le visage de Seivarden, j'ai deviné ce qui lui avait finalement fait quitter l'espace radchaaï. Elle avait dû voir une docteur, qui avait décidé d'attendre. Les blessures physiques n'étaient pas un problème, la médic du *Miséricorde* qui l'avait recueillie avait dû s'en charger, mais les séquelles psychologiques et émotionnelles – elles pourraient se résoudre toutes seules et, sinon, la docteur avait besoin de ces données d'aptitudes pour travailler de façon efficace.

« Elles m'ont dit que je pouvais adresser un message à ma maître de maison pour demander de l'assistance. Mais elles ne savaient pas de qui il s'agissait. » À l'évidence, Seivarden n'avait aucune intention de parler de la docteur de station.

« Votre maître de maison ? demanda Strigan.

— Le chef de sa famille étendue, ai-je expliqué. Ça paraît tout à fait grandiose une fois traduit, mais ce n'est pas le cas, sauf si votre maison est très riche ou prestigieuse.

— Et la sienne ?

— Était les deux. »

Le détail n'a pas échappé à Strigan. « *Était.* »

Seivarden a poursuivi comme si nous n'avions pas parlé. « Mais il s'est avéré que Vendaaï avait disparu. Ma maison tout entière n'*existait* même plus. Tout, les biens, les contrats, tout, absorbé par *Geir* ! » Cela avait surpris tout le monde, à l'époque, quelque cinq cents ans plus tôt. Les deux maisons, Geir et Vendaaï, se détestaient. La maître de la maison Geir avait profité avec malveillance des dettes de jeu de Vendaaï, et de quelques contrats imprudents.

— Informée de l'actualité courante ? » ai-je demandé à Seivarden.

Elle a ignoré ma question. « Tout avait *disparu.* Et ce qui en restait, ça semblait *presque* exact. Mais les couleurs étaient fausses, les choses pas tout à fait à leur place. Des gens parlaient et je n'y comprenais rien du tout, ou je savais que c'était de vrais mots, mais mon esprit ne parvenait pas à les assimiler. Rien ne paraissait réel. »

Peut-être était-ce une réponse à ma question, après tout. « Qu'avez-vous ressenti vis-à-vis des soldats humaines ? »

Seivarden s'est renfrognée et m'a regardée en face pour la première fois depuis son réveil. J'ai regretté d'avoir posé cette question. Ce n'était pas vraiment celle que je voulais lui poser. *Qu'as-tu pensé quand on t'a parlé d'Imé ?* Mais peut-être ne l'avait-on pas fait. À moins que cela ne lui ait semblé incompréhensible. *Est-ce que quelqu'une est venue te trouver pour te proposer à voix basse de restaurer l'ordre naturel des choses ?* Probablement pas, tout bien considéré. « Comment avez-vous quitté le Radch sans permis ? » Voilà qui ne devait pas avoir été aisé. Au grand minimum, cela avait exigé une somme d'argent qu'elle ne possédait pas.

Seivarden a détourné les yeux de moi, les baissant vers la gauche. Elle n'allait rien dire là-dessus.

« Rien ne correspondait, a-t-elle repris après neuf secondes de silence.

— De mauvais rêves, a supputé Strigan. Anxiété. Des tremblements, parfois.

— Instable », ai-je dit. Traduit, ça avait très peu de mordant, mais en radchaaï, pour une officier comme Seivarden, cela en disait plus long. Faible, inquiète, inapte aux exigences de sa position. Fragile. Si Seivarden était instable, elle n'avait jamais vraiment mérité son affectation, jamais été réellement apte à l'armée, et moins encore à être capitaine de vaisseau. Mais bien entendu, Seivarden avait passé les aptitudes, et les aptitudes avaient déclaré qu'elle était ce que sa maison avait toujours supposé qu'elle serait – stable, apte au commandement et à la conquête. Et non sujette au doute et à des peurs irrationnelles.

« Vous ne savez pas ce que vous dites », a lancé Seivarden, mi-ricanement, mi-rugissement. Les bras toujours noués autour de ses genoux. « Personne n'est instable, dans ma maison. »

Bien sûr (ai-je pensé sans le dire), les diverses cousins qui avaient servi à peu près un an durant telle ou telle annexion et s'étaient retirées pour faire vœu d'ascèse ou peindre des services à thé n'avaient pas agi ainsi par instabilité. Et les cousins dont les tests n'avaient pas eu les résultats escomptés, mais qui avaient surpris leurs parents par des affectations dans les prêtrises mineures, ou les beaux-arts – cela n'avait indiqué aucun type d'instabilité inhérent à la maison, non, non, jamais. Et Seivarden n'éprouvait pas la moindre crainte ou appréhension quant à la nouvelle affectation qu'un nouveau passage des aptitudes lui vaudrait, et ce que cela pourrait révéler sur son instabilité. *Bien sûr* que non.

« Instable ? a demandé Strigan, qui avait compris le mot, mais pas son contexte.

— Les instables, ai-je expliqué, sont dépourvus d'une certaine force de caractère.

— De caractère ! » L'indignation de Strigan était évidente.

« Bien sûr. » Je n'ai pas modifié mon expression faciale, l'ai gardée vague et agréable, comme elle l'avait été durant le plus clair des journées écoulées. « Des citoyens de moindre importance se brisent contre l'adversité ou le stress, et exigent parfois pour cela une attention médicale. Mais certaines citoyens sont d'une autre trempe. Jamais elles ne se brisent. Bien qu'elles puissent prendre une retraite anticipée, ou consacrer quelques années à poursuivre des intérêts spirituels ou artistiques… les retraites de méditation prolongées sont très populaires. C'est ainsi qu'on fait la différence entre des familles haut placées et les secondaires.

— Mais vous êtes tellement doués pour le lavage de cerveau, chez les Radchaaïs. Enfin, à ce que j'ai entendu dire.

— La rééducation, ai-je rectifié. S'il était resté, il aurait reçu de l'aide.

— Mais, dès le départ, il ne pouvait faire face à son besoin d'aide. » Je n'ai rien dit dans un sens ou dans l'autre, bien que j'estime que Strigan avait raison. « Que peut accomplir le… la rééducation ?

— Beaucoup de choses, ai-je expliqué. Même si une grande partie de ce que vous avez sans doute entendu dire est considérablement exagéré. Ça ne peut pas vous transformer en ce que vous n'êtes pas. Pas de façon utile.

— Effacer les souvenirs.

— Les réprimer, je crois. En ajouter de nouveaux, peut-être. Il faut savoir ce qu'on fait, sinon on peut gravement endommager les gens.

— Je n'en doute pas. »

Seivarden nous regardait, la mine renfrognée, nous voyant discuter sans pouvoir nous comprendre.

Strigan a souri à moitié. « Vous n'êtes pas un produit de la rééducation, vous.

— Non.

— C'était de la chirurgie. On coupe quelques liaisons, on en crée de nouvelles. On installe des implants. » Elle s'est arrêtée un instant, attendant ma réponse, qui n'est pas venue. « Vous faites assez bien illusion. Dans l'ensemble. Votre expression, le ton de votre voix, toujours juste, mais toujours... toujours étudié. Toujours en représentation.

— Vous pensez avoir résolu l'énigme, ai-je deviné.

— *Résolu* n'est pas le mot qui convient. Mais vous êtes un soldat cadavre, j'en ai la conviction. Est-ce que vous vous souvenez de quoi que ce soit ?

— De beaucoup de choses, ai-je répondu, toujours neutre.

— Non, je veux dire d'avant. »

Il m'a fallu presque cinq secondes pour comprendre ce qu'elle voulait dire. « Cette personne-là est morte. »

Soudain, Seivarden s'est levée convulsivement et est sortie par la porte intérieure et, d'après le bruit, par l'extérieure aussi.

Strigan l'a regardée aller, avec un rapide *hum*, puis s'est retournée vers moi. « Le sentiment de votre identité a une base neurologique. Un petit changement et vous ne croyez plus à votre existence. Mais vous êtes encore là. Je le pense. Pourquoi cette envie extravagante de tuer Anaander Mianaaï ? Pourquoi seriez-vous toujours en colère contre *lui*, sinon ? » Elle a incliné la tête pour indiquer la sortie, Seivarden dehors dans le froid avec un seul manteau.

« Il va prendre le chenilleur », l'ai-je avertie. La fillette et sa mère avaient pris le volier, et laissé le chenilleur devant la maison de Strigan.

« Je l'ai mis hors service. » J'ai approuvé d'un geste, et Strigan a poursuivi, revenant à son sujet. « Et la musique. Je n'imagine pas que vous chantiez, pas avec une voix comme la vôtre. Mais vous avez dû faire de la musique, autrefois, ou l'aimer. »

J'ai envisagé d'éclater du rire amer que la supposition de Strigan méritait. « Non, me suis-je ravisé. Pas vraiment.

— Mais vous êtes bien un soldat cadavre, j'ai raison sur ce point. » Je n'ai pas répondu. « Vous leur avez échappé, apparemment ou… vous faisiez partie de *son* vaisseau ? Celui du capitaine Seivarden ?

— L'*Épée de Nathtas* a été détruit. » J'étais là, j'étais dans les parages. Relativement parlant. J'avais vu la chose, ou pratiquement. « Et c'était il y a mille ans. »

Strigan a regardé en direction de la porte, et de nouveau vers moi. Puis elle a froncé les sourcils. « Non. Non, je crois que vous êtes d'origine ghaonaise, et on les a annexés il y a quelques siècles, seulement, non ? Je n'aurais pas dû oublier ça… C'est pour ça que vous vous faites passer pour originaire du Gérantat, n'est-ce pas ? Non, vous avez dû trouver moyen de vous échapper. *Je peux vous ramener.* J'en suis sûr, je le peux.

— Me tuer, voulez-vous dire. Vous pouvez détruire ma conscience de moi-même pour la remplacer par une autre, qui aura votre approbation. »

Entendre ces mots n'a visiblement pas plu à Strigan. La porte extérieure s'est ouverte, puis Seivarden est entrée en grelottant par la porte intérieure. « Mettez votre manteau de dessus, la prochaine fois, lui ai-je lancé.

— Va te faire foutre. » Elle a attrapé une couverture sur sa couche, s'en est enveloppé les épaules et est restée debout, tremblant toujours.

« Langage très inconvenant, citoyen », ai-je observé.

Un instant, elle a paru sur le point de perdre son calme. Puis elle s'est souvenue apparemment de ce qu'il pourrait se passer si elle le faisait. « Je. » Elle s'est assise sur le banc le plus proche, lourdement. « T'emmerde.

— Pourquoi ne l'avez-vous pas laissé où vous l'avez trouvé ? a demandé Strigan.

— J'aimerais bien le savoir. » C'était encore une énigme pour Strigan, mais pas délibérée de ma part. Je ne le savais pas moi-même. J'ignorais pourquoi je me souciais que Seivarden puisse périr gelée dans la neige dégagée par la tempête, ignorais pourquoi je l'avais amenée avec moi, ignorais pourquoi je m'inquiétais qu'elle s'empare du chenilleur de quelqu'une d'autre et s'enfuie, ou parte à pied dans le désert glacé taché de vert, et meure.

« Et pourquoi êtes-vous tellement en colère contre lui ? » Ça, je le savais. Et, à vrai dire, ce n'était pas entièrement juste envers Seivarden, si j'étais en colère, ni mes raisons pour cela. Cependant, les faits demeuraient, et ma colère aussi.

« Pourquoi voulez-vous tuer Anaander Mianaaï ? » La tête de Seivarden s'est tournée, légèrement, son attention captée par ce nom familier.

« C'est personnel.

— *Personnel* ? » Le ton de Strigan était incrédule.

« Oui.

— Vous n'êtes plus une personne. Vous me l'avez pratiquement dit. Vous êtes un équipement. Un appendice d'une IA de vaisseau. » Je suis resté silencieux, pour lui laisser le temps de mesurer ses paroles. « Y a-t-il un vaisseau qui a perdu la raison ? Récemment, je veux dire. »

Les vaisseaux radchaaïs fous étaient un cliché fréquent des mélodrames, à l'intérieur et à l'extérieur de l'espace radchaaï. Bien que les divertissements sur ce thème soient d'ordinaire de nature historique. Lorsque Anaander Mianaaï

161

avait pris le contrôle du cœur de l'espace du Radch, de rares vaisseaux s'étaient détruits plutôt que de faire face à la mort ou à la capture de leurs capitaines, et la rumeur prétendait que d'autres erraient encore depuis trois mille ans dans l'espace, à demi fous, au désespoir. « Aucun, à ma connaissance. »

Elle suivait très probablement les nouvelles du Radch – c'était pour elle une question de sécurité, compte tenu de ce que j'étais sûr qu'elle cachait, et des conséquences pour elle si Anaander Mianaaï l'apprenait un jour. Elle avait potentiellement toutes les informations utiles pour m'identifier. Mais après une demi-minute, elle a exprimé son doute par un geste vague. « Vous n'allez rien me dire. »

J'ai souri, calme et aimable. « Où serait le plaisir ? »

Elle a ri, apparemment amusée par ma réponse. Ce que j'ai considéré comme un signe prometteur. « Alors, quand partez-vous ?

— Quand vous m'aurez remis l'arme.

— Je ne sais pas de quoi vous parlez. »

Mensonge. Mensonge manifeste. « Votre appartement, sur la station Dras Annia. Il est intact. Exactement tel que vous l'avez quitté, pour autant que j'aie pu en juger. »

Chacun des mouvements de Strigan est devenu délibéré, à peine ralenti – battements de paupière, respiration. La main époussetant négligemment la manche de son manteau. « Vraiment.

— Il m'en a beaucoup coûté, pour m'y introduire.

— *D'où* est-ce qu'un soldat cadavre tire tout cet argent, au fait ? » a demandé Strigan, toujours tendue, et cherchant toujours à le masquer. Mais réellement intriguée. Toujours.

« D'un travail.

— Un travail lucratif.

— Et dangereux. » J'avais risqué ma vie pour obtenir cet argent.

« L'icône ?

— N'est pas sans rapport. » Mais je ne voulais pas parler de ça. « Qu'ai-je besoin de faire, pour vous convaincre ? N'y a-t-il pas assez d'argent ? » J'en avais encore, ailleurs, mais le révéler serait stupide.

« Qu'avez-vous vu dans mon appartement ? s'est enquise Strigan, de la curiosité et de la colère dans la voix.

— Un puzzle. Où manquaient des pièces. » J'avais correctement déduit l'existence et la nature de ces pièces, forcément, puisque j'étais ici et qu'ici se trouvait Arilesperas Strigan.

Elle rit à nouveau. « Comme vous. Écoutez. » Elle s'est penchée en avant, les mains sur les cuisses. « On ne peut pas tuer Anaander Mianaaï. Je souhaiterais par tout ce qui est bon que ce soit possible, mais ça ne l'est pas. Même avec… même si j'avais ce que vous croyez que j'ai, vous n'y arriveriez pas. Vous m'avez dit que vingt-cinq de ces armes n'avaient pas suffi…

— Vingt-quatre », ai-je corrigé.

Elle a balayé cela d'un revers de main. « N'avaient pas suffi à tenir les Radchaaïs à distance de Garsedd. Pourquoi imaginez-vous qu'*une seule* serait autre chose qu'une irritation mineure ? »

Elle savait bien que non, sinon elle ne se serait pas enfuie. N'aurait pas demandé aux gros bras locaux de s'occuper de moi avant que je parvienne jusqu'à elle.

« Et pourquoi mettez-vous une telle détermination à accomplir un acte aussi ridicule ? Tout le monde en dehors du Radch a de la haine pour Anaander Mianaaï. Si par miracle il mourait, les réjouissances se prolongeraient cent ans. Mais *ça n'arrivera pas.* Et certainement pas à cause d'une attaque imbécile avec une arme. Je suis sûr que vous le savez. Vous le savez sans doute beaucoup mieux que moi.

— C'est vrai.

— Alors pourquoi ? »

L'information est le pouvoir. L'information est la sécurité. Les plans conçus à partir d'informations imparfaites portent une faille fatale, et échoueront ou réussiront sur un lancer de pièce. J'avais su, dès que j'avais compris que je devrais trouver Strigan et obtenir d'elle l'arme, que ce serait le cas à ce moment-ci. Si je répondais à la question de Strigan — si j'y répondais complètement, comme elle l'exigerait à coup sûr —, je lui donnerais quelque chose qu'elle pourrait utiliser contre moi, une arme. Ce faisant, elle en souffrirait aussi, presque assurément, mais ce n'était pas toujours une considération très dissuasive, je le savais.

« Parfois, ai-je commencé, avant de me corriger : Très souvent, quelqu'un apprend des bribes de religion radchaaïe et demande : *si tout ce qui se passe est la volonté d'Amaat, si rien ne peut se passer qui n'est pas déjà conçu par la Divinité, pourquoi se donner la peine de faire quoi que ce soit ?*

— Bonne question.

— Pas particulièrement.

— Non ? Pourquoi se donner la peine, alors ?

— Je suis, répondis-je, ainsi qu'Anaander Mianaaï m'a fait. Anaander Mianaaï est ainsi qu'il a été fait. Nous ferons tous deux ce pour quoi nous avons été faits. Les choses à faire qui s'étendent devant nous.

— Je doute beaucoup qu'Anaander Mianaaï ait pu vous concevoir dans le but que vous le tuiez. »

Toute réponse en révélerait plus que je ne le souhaitais, pour le moment.

« Et moi, a continué Strigan après une seconde et demie de silence, je suis fait pour exiger des réponses. C'est simplement la volonté de la Divinité. » Elle a fait un geste de la main gauche, *pas mon problème.*

« Vous admettez que vous avez l'arme.

— Je n'admets rien du tout. »

Je restais face au hasard aveugle, un pas dans une obscurité imprévisible, à attendre de vivre ou de mourir selon l'issue du lancer, sans connaître les probabilités des résultats. Mon seul autre choix était d'abandonner, mais comment abandonner maintenant ? Après si longtemps, après tant de choses ? Et j'avais déjà couru tant de risques, voire davantage, et j'étais arrivée jusqu'ici.

Elle devait détenir l'arme. *Forcément.* Mais comment pouvais-je la convaincre de me la donner ? Qu'est-ce qui lui ferait choisir de me la donner ?

« *Dites-moi* », a repris Strigan en me fixant d'un regard intense. Sans doute en voyant au travers de ses implants médicaux ma frustration et mes doutes, les fluctuations de ma pression artérielle, de ma température et de ma respiration. « Dites-moi pourquoi. »

J'ai fermé les yeux, ressenti la désorientation d'être incapable de voir par d'autres yeux que je savais avoir possédés autrefois. Les ai rouverts, ai pris ma respiration et me suis lancé.

Chapitre dix

J'avais pensé que les acolytes matinales du temple pourraient choisir (de façon tout à fait compréhensible) de rester chez elles, mais une petite porteur de fleurs, réveillée avant les adultes de sa maisonnée, arriva avec une poignée de fleurs sauvages aux pétales roses et s'arrêta à l'orée de la maison, surprise de voir Anaander Mianaaï agenouillée devant notre petite icône d'Amaat.

La lieutenant Awn s'habillait, à l'étage. « Je ne peux pas servir aujourd'hui », me dit-elle, d'une voix aussi impassible que ses émotions l'étaient peu. La matinée était déjà chaude, et elle transpirait.

« Vous n'avez touché aucun des corps », rappelai-je en ajustant le col de sa veste, certain du fait. C'était ce qu'il ne fallait pas dire.

Quatre de mes segments, deux sur la bordure nord de l'avant-temple et deux debout jusqu'à la taille dans l'eau tiède et la vase, hissèrent le corps de la nièce de Jen Taa sur le rebord, et l'apportèrent chez la médic.

Au rez-de-chaussée de la demeure de la lieutenant Awn, je dis à la porte-fleur, effrayée et figée : « Tout va bien. » Il n'y avait aucun signe de la porteur d'eau, et j'étais inéligible pour cette tâche.

« Vous allez au moins devoir apporter l'eau, lieutenant, annonçai-je, à l'étage, à la lieutenant Awn. La porteur de fleurs est arrivée mais pas la porteur d'eau. »

Pendant quelques instants la lieutenant Awn resta muette, tandis que je finissais de lui essuyer le visage. « Très bien », dit-elle, et elle descendit, remplit le bol et l'apporta à la porteur de fleurs, qui se tenait près de moi, encore effrayée, serrant sa poignée de pétales roses. La lieutenant Awn lui tendit l'eau, et la petite y déposa les fleurs et se lava les mains. Mais avant qu'elle ait pu reprendre les fleurs, Anaander Mianaaï se tourna pour la regarder, et l'enfant recula d'un sursaut et saisit ma main gantée de sa main nue. « Vous allez devoir vous laver à nouveau les mains, citoyen », chuchotai-je et, avec quelques encouragements supplémentaires, elle obtempéra, reprit les fleurs et accomplit sa part du rituel matinal de façon correcte, quoique nerveuse. Personne d'autre ne vint. Je n'en fus pas surpris.

La médic, parlant pour elle-même et non à moi, bien que je me tienne à trois mètres d'elle, annonça : « Gorge tranchée, clairement, mais on l'a également empoisonnée. » Et puis, avec dégoût et mépris : « Une enfant de leur propre maison. Ces gens ne sont pas civilisées. »

Notre unique petite acolyte s'en fut, serrant dans une main un présent de la Maître du Radch – une broche en forme de fleur à quatre pétales, chaque pétale renfermant l'image émaillée d'une des quatre Émanations. C'était un honneur que la plupart des Radchaaïs qui le recevaient prisaient, et arboraient presque constamment, la marque d'avoir servi au temple avec la Maître du Radch en personne. Cette enfant la jetterait sans doute dans un coffret et l'oublierait. Quand elle fut hors de vue (de la lieutenant Awn et de la Maître du Radch, mais non de moi), Anaander Mianaaï se tourna vers la lieutenant Awn pour demander : « Ce ne sont pas de mauvaises herbes ? »

Un flot d'embarras submergea la lieutenant Awn, mêlé un instant plus tard de déception et d'une intense colère que je n'avais jamais vue en elle avant. « Pas pour les enfants,

Altesse. » Elle avait été incapable de totalement éliminer le tranchant de sa voix.

L'expression d'Anaander Mianaaï ne changea pas. « Cette icône, et ce jeu d'augures. Ils sont votre propriété personnelle, je crois. Où sont ceux qui appartiennent au temple ?

— Je prie votre Altesse de me pardonner, répondit la lieutenant Awn bien que je sache à ce point qu'elle n'en pensait pas un mot et que le fait soit audible dans le ton de sa voix. J'ai employé les fonds réservés à leur achat afin de grossir les dons de fin de terme aux acolytes du temple. » Elle avait également pris sur ses deniers dans le même but, mais n'en dit rien.

— Je vous renvoie sur le *Justice de Toren*, déclara la Maître du Radch. Votre remplaçant sera ici demain. »

La honte. Une nouvelle flambée de colère. Et le désespoir. « Bien, Altesse. »

*
* *

Il n'y avait pas grand-chose à emballer. Je pouvais être prêt à partir en moins d'une heure. Je passai le reste de la journée à livrer des présents à nos acolytes du temple, qui étaient toutes chez elles. On avait fermé l'école, et c'est à peine si des gens sortaient dans la rue. « La lieutenant Awn ignore, dis-je à chacune, si la nouvelle lieutenant procédera à de nouvelles nominations, ni si elle vous donnera vos présents de fin d'année sans que vous ayez servi une année entière. Vous devriez quand même venir à la maison, pour son premier matin. » Les adultes dans chaque maison me considéraient en silence, sans m'inviter à entrer et, chaque fois, je déposais le présent – pas la paire de gants traditionnelle, qui n'importait guère ici, mais une jupe aux motifs vivement colorés et une petite boîte de confiseries au tamarin. Des fruits frais étaient la norme, mais il n'y avait pas eu assez de temps pour s'en procurer. Je laissai chaque petite pile de présents dans la rue, au bord de la maison, et personne ne fit mine de les prendre, ni ne m'adressa un mot.

La Sublime passa une heure ou deux derrière des paravents dans la résidence du temple, puis en émergea avec la mine de quelqu'une qui n'avait pris aucun repos et se rendit dans le temple, où elle s'entretint avec les prêtres auxiliaires. On avait enlevé les corps. Je m'étais proposé pour nettoyer le sang, sans savoir s'il me serait permis de le faire, mais les prêtres avaient décliné mon assistance. « Certaines d'entre nous, me dit la Sublime, fixant toujours l'espace sur le sol où les morts avaient été étendues, avaient oublié ce que vous êtes. À présent, la mémoire leur est revenue.

— Je ne crois pas que vous ayez oublié, vous, Sublime, dis-je.

— Non. » Elle garda le silence deux secondes. « Est-ce que la lieutenant viendra me voir avant de partir ?

— Il se peut que non, Sublime. » Je faisais en ce moment mon possible pour encourager la lieutenant Awn à dormir, ce dont elle avait grand besoin.

« Il vaut probablement mieux qu'elle s'abstienne », observa la grande prêtre, avec amertume. Alors, elle me regarda. « Ce n'est pas raisonnable de ma part. Je le sais. Qu'aurait-elle pu faire d'autre ? Il est facile pour moi de dire – et je le dis – qu'elle aurait pu choisir autrement.

— Elle aurait pu, Sublime, acquiesçai-je.

— Quelle est votre formule, chez les Radchaaïs ? » Je n'étais pas une Radchaaï, mais je ne la corrigeai pas, et elle continua. « Justice, convenances et avantages, non ? Que chaque acte soit juste, convenable et avantageux.

— Oui, Sublime.

— Est-ce que ceci était juste ? » Sa voix trembla, un instant seulement, mais j'entendis qu'elle était au bord des larmes. « Était-ce convenable ?

— Je ne sais pas, Sublime.

— Plus important, qui en a tiré avantage ?

— Personne, Sublime, à ce que je peux voir.

— Personne ? Vraiment ? Allons, Un Esk, ne jouez pas les idiotes avec moi. » Ce sentiment de trahison sur le visage de Jen Shinnan, clairement adressé à Anaander Mianaaï, avait été une évidence pour toutes les gens présentes. Toutefois, je ne voyais pas ce que la Maître du Radch avait à gagner de ces morts. « Elles vous auraient tuée, Sublime, dis-je. Vous, et toutes celles qu'elles auraient trouvées sans défense. La lieutenant Awn a fait son possible pour éviter que le sang ne coule, hier soir. Ce n'est pas sa faute si elle a échoué.

— Si. » Elle me tournait toujours le dos. « Que la Divinité lui pardonne cela. Qu'Elle m'épargne de jamais devoir faire face à pareil choix. » Elle eut un geste d'invocation. « Et vous ? Qu'auriez-vous fait, si la lieutenant avait refusé et que la Maître du Radch vous ait ordonné de l'abattre ? Auriez-vous pu le faire ? Je croyais votre armure impénétrable.

— La Maître du Radch peut contraindre notre armure à se rétracter. » Mais le code qu'Anaander Mianaaï aurait dû transmettre pour forcer l'armure de la lieutenant Awn – ou la mienne, ou celle de n'importe quelle autre soldat radchaaïe – aurait dû transiter par des communications qui étaient bloquées à ce moment-là. Néanmoins. « Spéculer sur de tels sujets ne sert à rien, Sublime. Ce n'est pas arrivé. »

La grande prêtre se tourna, et me regarda avec intensité. « Vous n'avez pas répondu à la question. »

Ce n'était pas une question à laquelle il m'était facile de répondre. J'étais fragmenté et, sur le moment, un seul segment avait même su qu'une telle chose était possible, qu'un instant, la vie de la lieutenant Awn avait dépendu, incertaine, de l'issue de ce moment. Je n'étais pas totalement sûr que ce segment n'aurait pas plutôt retourné son arme contre Anaander Mianaaï.

Sans doute ne l'aurait-il pas fait. « Sublime, je ne suis pas une personne. » Si j'avais abattu la Maître du Radch, rien n'aurait changé, j'en étais convaincu, sinon que, non seulement la lieutenant Awn serait morte quand même, mais j'aurais été détruit, Deux Esk aurait pris ma place, ou on aurait créé un nouvel Un Esk avec des segments tirés des cales du *Justice de Toren*. L'IA du vaisseau aurait pu se retrouver en position délicate, bien que, plus vraisemblablement, on aurait imputé mon geste au fait que je me sois retrouvé isolé. « Les gens croient souvent qu'elles auraient choisi la voie la plus noble, mais lorsqu'elles se retrouvent dans une telle situation, elles s'aperçoivent que les choses ne sont pas tout à fait si simples.

— Comme je l'ai dit – la Divinité me l'épargne. Je me réconforterai de l'illusion que vous auriez d'abord abattu cette crapule de Mianaaï.

— Sublime ! » la mis-je en garde. Elle ne pouvait rien dire à portée de mon ouïe qui ne risquerait pas tôt ou tard de venir aux oreilles de la Maître du Radch.

« Qu'elle entende. Dites-le-lui vous-même ! C'est *elle* qui a instigué ce qui est arrivé cette nuit. Que la cible ait été nous, les Tanmindes ou la lieutenant Awn, je n'en sais rien. J'ai mes soupçons là-dessus. Je ne suis pas sotte.

— Sublime, dis-je. Quelle que soit l'instigateur des événements de la nuit dernière, je ne pense pas que les choses soient allées dans le sens qu'elle souhaitait. Je crois qu'elle voulait une guerre ouverte entre la haute et la basse-ville, bien que je ne comprenne pas pourquoi. Et je crois que cela a été empêché quand Denz Ay a parlé des armes à la lieutenant Awn.

— Je pense comme vous, dit la grande prêtre. Et je crois que Jen Shinnan en savait plus long, et que c'est pour cette raison qu'elle est morte.

— Je regrette que votre temple ait été profané,
Sublime. » Je ne regrettais pas particulièrement la mort de
Jen Shinnan, mais je gardais cette considération pour moi.
La Sublime se détourna à nouveau de moi. « Je suis
sûre que vous avez beaucoup à faire, avec vos préparatifs
de départ. Que la lieutenant Awn ne se mette pas en peine
de me rendre visite. Vous pouvez lui transmettre vous-
même mes adieux. » Elle s'éloigna de moi, sans attendre
de confirmation de ma part.

*
* *

La lieutenant Skaaïat arriva pour dîner, avec une bouteille d'arrack et deux Sept Issa. « Ta relève n'atteindra
même pas Kould Ves avant midi », dit-elle en brisant le
sceau de la bouteille. Pendant ce temps, les Sept Issa se
tenaient raides et empruntées au rez-de-chaussée. Elles
étaient arrivées juste avant que je rétablisse les communications. Elles avaient vu les mortes dans le temple d'Ikkt,
avaient deviné sans qu'on le leur dise ce qui s'était passé.
Et elles n'étaient sorties des cales que depuis ces deux ans.
Elles n'avaient pas assisté à l'annexion elle-même.

Ors entière, haute et basse, était pareillement silencieuse, pareillement tendue. Lorsque les gens quittaient
leurs maisons, elles évitaient de me regarder ou de me
parler. Pour la plupart, elles sortaient simplement pour
une visite au temple, où les prêtres dirigeaient des prières
pour les mortes. Quelques Tanmindes descendirent même
de la haute-ville et se tinrent en silence sur les franges de
la petite foule. Je me postai dans les ombres, ne voulant
ni distraire ni affliger davantage.

« Dis-moi que tu n'as pas presque refusé », demanda la
lieutenant Skaaïat, à l'étage dans la maison avec la lieutenant Awn, derrière des paravents. Elles étaient assises face

à face sur des coussins à l'odeur de moisi. « Je te connais, Awn, je jure que quand j'ai entendu ce que les Sept Issa ont vu en arrivant au temple, j'ai eu peur d'apprendre ensuite que tu étais morte. Dis-moi que tu n'as pas fait ça.

— Je ne l'ai pas fait », répondit la lieutenant Awn, malheureuse et coupable. L'amertume dans la voix. « Tu le vois bien.

— Je ne vois rien. Rien du tout. » La lieutenant Skaaïat versa une solide rasade d'alcool dans la tasse que je tendais, et je la passai à la lieutenant Awn. « Un Esk non plus, sinon il ne serait pas si silencieux ce soir. » Elle regarda le segment le plus proche. « La Maître du Radch t'a-t-elle interdit de chanter ?

— Non, lieutenant. » Je n'avais pas voulu déranger Anaander Mianaaï pendant qu'elle était là, ni interrompre le peu de sommeil que pouvait prendre la lieutenant Awn. Et d'ailleurs, je n'en avais guère eu envie.

La lieutenant Skaaïat émit un bruit de frustration et se retourna vers la lieutenant Awn. « Si tu avais refusé, ça n'aurait rien changé, sinon que tu serais morte, toi aussi. Tu as fait ce que tu avais à faire, et ces imbéciles… Verge d'Hyr, quelles *imbéciles* ! Elles auraient dû savoir, pourtant. »

La lieutenant Awn fixa la tasse dans sa main, sans bouger.

« Je te *connais*, Awn. Si tu dois commettre une telle folie, réserve ça pour un moment où ça changera quelque chose.

— Comme Une Amaat Une, sur le *Miséricorde de Sarrsé* ? » Elle parlait des événements à Imé, de la soldat qui avait refusé les ordres, pris la tête de cette mutinerie, cinq ans plus tôt.

« Elle au moins a changé la donne. Écoute, Awn, nous savons toi et moi qu'il se tramait quelque chose. Nous savons toi et moi que ce qui est arrivé la nuit dernière n'a aucun sens, à moins que… » Elle s'arrêta.

La lieutenant Awn posa sans douceur sa tasse d'arrack. De l'alcool clapota hors de la tasse. « À moins que quoi ? Quel sens est-ce que ça pourrait avoir ?

— Tiens. » La lieutenant Skaaïat prit la tasse et la força dans la main de la lieutenant Awn. « Bois ça. Et je vais t'expliquer. Du moins dans la limite où cela a un sens pour moi.

» Tu sais comment fonctionnent les annexions. Je veux dire, oui, elles fonctionnent sur une force pure et indéniable, mais après. Après les exécutions, les déportations, une fois que les derniers groupes d'imbéciles qui croient pouvoir riposter ont été liquidés. Une fois que tout cela est terminé, nous casons toutes celles qui restent dans la société radchaaïe – elles se regroupent en maisons, acceptent des clientélages et, en une ou deux générations, sont aussi radchaaïes que n'importe qui. Et en général, ça se passe ainsi parce que nous allons trouver le sommet de la hiérarchie locale – il y en a pratiquement toujours un – pour lui offrir toutes sortes d'avantages en échange d'un comportement de citoyens, on leur offre des contrats de clientélage, ce qui leur permet de proposer des contrats à toutes celles qui peuvent se situer au-dessous d'elles, et avant d'avoir compris ce qui se passait, toute l'architecture locale est intégrée à la société radchaaïe, avec un minimum de disruptions. »

La lieutenant Awn fit un geste d'impatience. Elle savait déjà tout cela. « Qu'est-ce que ça a à voir avec…

— Tu as tout foutu en l'air.

— J'ai…

— Ce que tu as fait *marchait*. Et les Tanmindes locales allaient devoir l'avaler. D'accord. Si j'avais fait ce que tu as fait – aller directement voir la prêtre orsienne, s'établir dans la basse-ville plutôt que d'utiliser le poste de police et la prison déjà construits dans la haute-ville, commencer à forger des alliances avec les autorités de la basse-ville et ignorer…

— Je n'ai ignoré *personne* ! » s'indigna la lieutenant Awn.

La lieutenant Skaaïat balaya sa protestation d'un revers de main. « Au lieu d'ignorer ce que n'importe qui d'autre aurait vu comme la hiérarchie locale naturelle. Ta maison ne peut se permettre d'offrir un clientélage à quiconque, ici. *Pas encore.* Ni toi ni moi ne pouvons établir de contrats avec qui que ce soit. *Pour l'instant.* Nous avons dû nous exempter des contrats de nos maisons et accepter directement un clientélage d'Anaander Mianaaï, pour la durée de notre service. Mais nous avons toujours ces liens familiaux, et ces familles peuvent faire usage des liens que nous établissons à présent, même si nous, nous ne pouvons pas. Et nous pourrons assurément les mettre à profit quand nous prendrons notre retraite. Poser les pieds sur le sol durant une annexion est l'unique moyen sûr d'accroître le statut financier et social de sa maison.

» Ce qui est très bien, jusqu'à ce que ce soit la mauvaise personne qui le fasse. Nous nous disons que tout va selon la volonté d'Amaat, que tout ce qui est, l'est à cause de la Divinité. Donc, si nous sommes riches et respectées, c'est que les choses *doivent* être ainsi. Les aptitudes prouvent que tout cela est juste, que chacune reçoit selon son mérite, et quand les personnes qu'il faut entrent par les tests dans les carrières qu'il faut, ça démontre simplement combien tout cela est juste.

— Je ne suis pas la bonne personne. » La lieutenant Awn déposa sa tasse vide, et la lieutenant Skaaïat la remplit à nouveau.

« Tu n'es qu'une personne sur mille, mais tu es quelqu'une qui se remarque, pour quelqu'une d'autre. Et cette annexion est différente, c'est la dernière. Dernière chance, pour s'emparer de domaines, d'établir des liens à une échelle dont les grandes maisons ont toujours eu l'habitude. Elles n'aiment pas voir la moindre de ces ultimes chances aller à des maisons comme la tienne. Et pour tout aggraver, ton détournement de la hiérarchie locale...

— J'ai *utilisé* la hiérarchie locale !

— Lieutenants », les mis-je en garde. L'éclat de voix de la lieutenant Awn avait été assez sonore pour qu'on l'entende dans la rue, s'il y avait eu quelqu'une dans la rue ce soir-là.

« Si les Tanmindes dirigeaient les affaires ici, c'était ainsi que cela devait être, dans l'esprit d'Amaat. D'accord ?

— Mais elles... » La lieutenant Awn s'arrêta. Je n'étais pas certain de ce qu'elle allait dire. Peut-être qu'elles n'avaient imposé leur autorité sur Ors qu'à une date relativement récente. Ou qu'elles représentaient, à Ors, une minorité numérique et que le but de la lieutenant Awn avait été d'atteindre le plus grand nombre de gens possible.

« Attention », la mit en garde la lieutenant Skaaïat, bien que la lieutenant Awn n'ait nul besoin d'avertissement. Toute soldat radchaaïe savait qu'on ne parle pas sans réfléchir. « Si tu n'avais pas découvert ces armes, quelqu'une aurait eu une excuse, non seulement pour te flanquer à la porte d'Ors, mais pour lancer une répression sévère contre les Orsiens et favoriser la haute-ville. Rétablir l'ordre naturel de l'univers. Et ensuite, bien entendu, quiconque inclinant dans ce sens aurait pu utiliser l'incident comme exemple de notre mollesse actuelle. Si nous nous en étions remises à des tests d'aptitudes prétendument impartiaux, si nous avions exécuté plus de gens, si nous fabriquions encore des ancillaires...

— Mais *j'ai* des ancillaires », fit observer la lieutenant Awn.

La lieutenant Skaaïat haussa les épaules. « Tout le reste se tenait, elles pouvaient ignorer ça. Elles ignorent tout ce qui ne leur obtient pas ce qu'elles veulent. Et ce qu'elles veulent, c'est tout ce dont elles peuvent s'emparer. » Elle semblait tellement calme. Presque détendue, même. J'avais l'habitude de ne pas recevoir de données de la lieutenant Skaaïat, mais cette dichotomie entre son attitude et la gravité de la situation – la détresse encore extrême de la lieutenant Awn et, pour être honnête, mon propre trouble face aux événements – me la faisait paraître étrangement plate et irréelle.

« Je comprends le rôle de Jen Shinnan dans cette affaire, déclara la lieutenant Awn. Tout à fait, je comprends. Mais je ne comprends pas comment… comment quelqu'une d'autre pourrait en bénéficier. » La question qu'elle ne pouvait pas poser directement était, bien entendu, pourquoi Anaander Mianaaï était impliquée, ou pourquoi elle voudrait revenir à un ordre ancien, convenable, étant donné qu'elle avait elle-même dû donner son accord à tout changement. Et pourquoi, si elle souhaitait une telle chose, elle n'avait pas simplement donné des ordres en fonction de ses vœux. En cas d'interrogatoire, les deux lieutenants pourraient dire – et l'affirmeraient sans doute – qu'elles ne parlaient pas de la Maître du Radch, mais d'une inconnue qui devait être impliquée. Cependant, j'en étais certain, cela ne tiendrait pas lors d'un interrogatoire sous drogues. Par chance, un tel événement était peu probable. « Et je ne vois pas pourquoi quelqu'une dotée de tels accès n'aurait pas simplement ordonné mon départ et nommé à ma place quelqu'une qu'on préférait, si c'était tout ce qu'on cherchait.

— Peut-être n'était-ce pas *tout* ce qu'on cherchait, répondit la lieutenant Skaaïat. Mais clairement, on voulait au minimum ces choses et on pensait en tirer profit en agissant selon cette méthode particulière. Et tu as fait tout ton possible pour empêcher qu'on ne tue des gens. Rien d'autre n'aurait changé quoi que ce soit. » Elle vida sa tasse. « Tu vas garder le contact avec moi », dit-elle, ni question, ni requête. Et puis, avec plus de douceur : « Tu me manqueras. »

Un instant, je crus que la lieutenant Awn allait se remettre à pleurer. « Qui me remplace ? »

La lieutenant Skaaïat nomma une officier, et un vaisseau.

« Des troupes humaines, donc. » Un instant, la lieutenant Awn fut troublée, puis elle soupira, avec frustration. J'imagine qu'elle se rappelait qu'Ors n'était plus son problème. « Je sais, dit la lieutenant Skaaïat. Je lui parlerai. Prends garde à toi. Maintenant que les annexions appartiennent au passé, les transports de troupes ancillaires sont surchargés de filles inutiles de maisons prestigieuses, qu'on ne peut assigner à des postes inférieurs. » La lieutenant Awn fronça les sourcils, clairement désireuse d'en débattre, songeant, peut-être, à ses homologues lieutenants d'Esk. Ou à elle-même. La lieutenant Skaaïat vit son expression et sourit tristement. « Bon. Dariet est bien. C'est du reste que je te préviens de te méfier. Très haute opinion d'elles-mêmes et pas grand-chose pour la justifier. » Skaaïat en avait rencontré quelques-unes durant l'annexion, avait toujours été absolument et correctement polie envers elles.

« Tu n'as pas besoin de me le dire », commenta la lieutenant Awn.

La lieutenant Skaaïat versa encore de l'arrack et, durant le reste de la nuit, leur conversation fut d'une nature qui ne nécessite pas d'être rapportée.

Finalement, la lieutenant Awn dormit de nouveau et, le temps qu'elle s'éveille, j'avais loué des navires pour nous transporter à l'estuaire du fleuve, près de Kould Ves, et les avais chargés de nos maigres bagages et de mon segment mort. À Kould Ves, le mécanisme qui contrôlait son armure et quelques autres éléments de tech seraient retirés en vue d'un usage ultérieur.

*
* *

Si tu dois commettre une telle folie, réserve ça pour un moment où ça changera quelque chose, avait dit la lieutenant Skaaïat, et j'avais été d'accord. Je le suis encore.

Le problème est de savoir quand ce que vous vous apprêtez à faire changera les choses. Je ne parle pas seulement de petits gestes qui, par une action cumulée, avec le temps ou en grand nombre, orientent le cours des événements selon des modes trop chaotiques ou subtils pour qu'on les suive. Le mot précis qui dicte le destin d'une personne et finalement le destin de celles avec lesquelles elle entre en contact est bien sûr un sujet courant de divertissements et de récits à morale, mais si chacune devait considérer toutes les conséquences possibles de tous ses choix possibles, personne ne bougerait d'un millimètre ou n'oserait même respirer, par peur des résultats à long terme.

Je parle d'une échelle plus grande et plus évidente. À la façon dont Anaander Mianaaï elle-même déterminait le destin de peuples entiers. Ou à celle dont mes propres actes pouvaient signifier la vie ou la mort pour des milliers de gens. Ou pour quatre-vingt-trois, simplement, recroquevillées dans le temple d'Ikkt, cernées. Je me demande – comme assurément la lieutenant Awn se l'est demandé – quelles auraient été les conséquences d'un refus de l'ordre de feu ? Directement, à l'évidence, sa mort en aurait été une immédiate. Et puis, tout de suite après, ces quatre-vingt-trois personnes seraient mortes à leur tour, parce que je les aurais abattues sur ordre direct d'Anaander Mianaaï.

Aucune différence, sinon que la lieutenant Awn ne serait plus de ce monde. Les augures avaient été lancés et leurs trajectoires étaient simples, calculables, directes et claires.

Mais ni la lieutenant Awn ni la Maître du Radch ne savaient à cet instant que, si un disque avait varié, à peine, tout le dessin aurait pu se disposer différemment. Parfois, quand on lance les augures, l'un d'eux vole ou roule où on ne l'attendait pas et déforme toute la configuration. Si la lieutenant Awn avait fait un autre choix, cet unique segment, isolé, désorienté et, oui, horrifié à l'idée d'abattre la lieutenant Awn, aurait pu retourner plutôt son arme contre Mianaaï. Et ensuite ?

En fin de compte, un tel acte aurait simplement retardé la mort de la lieutenant Awn, et assuré ma propre destruction – celle d'Un Esk. Ce qui, puisque je n'existais sous aucune forme en tant qu'individu, n'était pas inquiétant pour moi.

Mais la mort de ces quatre-vingt-trois personnes aurait été retardée. La lieutenant Skaaïat aurait été forcée d'arrêter la lieutenant Awn – j'ai la conviction qu'elle ne l'aurait pas abattue, bien qu'elle soit légalement justifiée à le faire – mais elle n'aurait pas exécuté les Tanmindes, parce que Mianaaï n'aurait pas été là pour en donner l'ordre. Et Jen Shinnan aurait eu le temps et l'occasion de révéler tout ce que la Maître du Radch, de la façon dont les choses s'étaient réellement passées, l'avait empêchée de dire. Quelle différence cela aurait-il fait ?

Peut-être énorme. Peut-être nulle. Il y a trop d'inconnues. Trop de gens apparemment prévisibles qui sont, en réalité, en équilibre sur le fil du rasoir, ou dont on pourrait aisément modifier les trajectoires, si seulement je savais le faire.

Si tu dois commettre une telle folie, réserve ça pour un moment où ça changera quelque chose. Mais faute d'une quasi-omniscience il n'y a aucun moyen de savoir quand cela arrivera. On ne peut effectuer de son mieux que des calculs approximatifs. On peut seulement réaliser son lancer et essayer par la suite de déchiffrer les résultats.

Chapitre onze

L'explication, la raison pour laquelle j'avais besoin de l'arme, pourquoi je voulais tuer Anaander Mianaaï, a pris longtemps. La réponse n'était pas simple – ou, plus précisément, une réponse simple n'aurait pu que soulever de nouvelles questions de Strigan. Aussi ai-je repris toute l'histoire au commencement, et lui ai laissé déduire la réponse simple de la plus longue et la plus complexe. Quand j'ai eu fini, la nuit était très avancée. Seivarden dormait, respirant lentement, et Strigan elle-même était clairement épuisée.

Pendant trois minutes, il n'y a eu d'autre bruit que la respiration de Seivarden qui s'accélérait dans sa transition vers un état plus proche de l'éveil, ou peut-être était-elle troublée par un rêve.

« Et je sais à présent qui vous êtes, a enfin dit Strigan, avec lassitude. Ou qui vous croyez être. » Il n'était pas besoin pour moi de répondre quoi que ce soit, elle croirait désormais sur moi ce qu'elle voulait, malgré ce que je lui avais dit. « Est-ce que ça ne vous gêne pas, a continué Strigan, est-ce que ça n'a jamais été une gêne pour vous, d'être des esclaves ?

— Qui ?

— Les vaisseaux. Les vaisseaux de guerre. Si puissants. Armés. Les officiers à l'intérieur sont à tout instant à votre merci. Qu'est-ce qui vous empêche de tous les tuer et de vous déclarer libres ? Je n'ai jamais pu comprendre comment les Radchaaïs pouvaient tenir les vaisseaux en esclavage.

— Si vous y réfléchissez, vous verrez que vous connaissez déjà la réponse à votre question. »

Elle a de nouveau fait silence, plongeant à l'intérieur d'elle-même. Je suis resté assis immobile. Attendant les résultats de mon lancer.

« Vous étiez à Garsedd, a-t-elle dit au bout d'un moment.

— Oui.

— Vous connaissiez Seivarden ? Personnellement, je veux dire ?

— Oui.

— Avez-vous… avez-vous participé ?

— À la destruction des Garseddaïs ? Oui. Comme tous ceux qui étaient là. »

Elle a fait une grimace, du dégoût, ai-je estimé. « Aucun n'a refusé.

— Je n'ai pas dit ça. » En fait, ma capitaine avait refusé et était morte. Sa remplaçante avait des scrupules – elle ne pouvait le cacher à son vaisseau –, mais n'avait rien dit et s'était comportée comme on le lui demandait. « Il est facile de dire que, si vous aviez été là, vous auriez refusé, que vous auriez préféré mourir plutôt que de participer au massacre, mais tout semble bien différent quand c'est réel, quand vient le moment de choisir. »

Ses yeux se sont rétrécis – désaccord, sans doute, mais je n'avais dit que la vérité. Puis son expression a changé, en songeant, peut-être, à cette petite collection d'objets dans ses appartements sur la station Dras Annia. « Vous parlez la langue ?

— Deux d'entre elles. » Il y en avait eu plus d'une douzaine.

« Et vous connaissez leurs chansons, bien sûr. » La voix se moquait légèrement.

« Je n'ai pas eu l'occasion d'en apprendre autant que je l'aurais souhaité.

— Et si vous aviez été libre de choisir, auriez-vous refusé ?

— La question est futile. On ne m'a pas offert le choix.

— Je m'inscris en faux, a-t-elle protesté, entrant à ma réponse dans une colère retenue. Le choix vous a toujours été offert.

— Garsedd a marqué un tournant. » Ce n'était pas une réponse directe, mais rien de tel, aucune qu'elle aurait comprise, ne m'est venu à l'esprit. « La première fois que tant d'officiers radchaaïes sont revenues d'une annexion sans la conviction d'avoir bien agi. Croyez-vous toujours que Mianaaï contrôle les Radchaaïs par un lavage de cerveau ou des menaces d'exécution ? C'est là, ça existe, certes, mais la plupart des Radchaaïs, comme les gens dans bien des endroits que j'ai connus, font ce qu'ils sont censés faire parce qu'ils pensent que c'est la bonne chose à faire. Personne *n'aime* tuer des gens. »

Strigan a émis un son sardonique. « Personne ?

— Pas beaucoup, ai-je corrigé. Pas assez pour remplir les vaisseaux de guerre du Radch. Mais au final, au-delà de tout le sang et le chagrin, toutes ces âmes dans les ténèbres qui, sans nous, auraient souffert dans le noir sont des citoyens heureux. Elles le confirmeront, si vous leur posez la question ! Ce fut un jour de chance que celui où Anaander Mianaaï leur a apporté la civilisation.

— Leurs parents seraient-ils d'accord ? Ou leurs grands-parents ? »

J'ai fait un geste, entre *pas mon problème* et *hors sujet*. « Vous avez été surpris de me voir traiter une enfant avec gentillesse. Cela n'aurait pas dû vous étonner. Croyez-vous que les Radchaaïs n'ont pas d'enfants, ou qu'ils ne les aiment pas ? Croyez-vous qu'ils ne réagissent pas face à des enfants comme presque tous les humains ?

— Quelle vertu !

— La vertu n'est pas une chose isolée et compliquée. »
Le bien a besoin du mal, et les deux faces de ce disque
ne sont pas toujours marquées de façon claire. « On peut
forcer les vertus à servir tous les objectifs qui vous profitent.
Elles existent cependant, et influenceront vos actes. Vos
choix. »

Strigan a étouffé un ricanement. « Vous me donnez
la nostalgie des discussions philosophiques avinées de ma
jeunesse. Mais nous ne parlons pas ici d'abstractions, il
s'agit de vie et de mort. »

Mes chances d'obtenir ce que j'étais venu chercher me
filaient entre les doigts. « Pour la première fois, des forces
du Radch ont infligé la mort sur une échelle inimaginable
sans renouvellement ultérieur. Tranché de façon irrévocable toute chance de bien qui pouvait découler de leurs
actes. Ceci a affecté tout le monde, là-bas.

— Même les vaisseaux ?

— Tout le monde. » J'ai attendu la question suivante,
ou le sarcastique *Je n'éprouve aucune peine pour vous*, mais
elle est restée simplement assise en silence, à me regarder.
« Les premières tentatives de contact diplomatique avec les
Presgers ont débuté peu de temps après. Comme, j'en ai la
forte certitude, le mouvement pour remplacer les ancillaires
par des soldats humains. » *Une forte certitude*, seulement,
car une grande partie des travaux préliminaires avait dû se
dérouler en privé, dans les coulisses.

« Pourquoi les Presgers se mêleraient-ils de Garsedd ? »
a demandé Strigan.

Elle a certainement vu ma réaction à sa question, presque
un aveu direct qu'elle détenait l'arme, devait savoir – avait dû
savoir, avant de parler – ce que cet aveu me révélerait. Elle
n'aurait pas posé cette question si elle n'avait pas vu l'arme,
ne l'avait pas examinée de près. Ces armes venaient des
Presgers ; les Garseddaïs avaient trafiqué avec les extérieurs,

peu importe qui avait fait le premier pas. Nous avions au moins appris cela des représentants capturés. Mais je gardai mon visage immobile. « Qui peut savoir les motivations des Presgers ? Mais Anaander Mianaaï s'est posé la même question : *Pourquoi les Presgers sont-ils intervenus ?* Ce n'était pas qu'ils voulaient quoi que ce soit que possédaient les Garseddaïs, ils auraient pu tendre la main et prendre tout ce qu'ils voulaient. » Mais je savais que les Presgers avaient fait payer aux Garseddaïs un lourd tribut. « Et si les Presgers décidaient de détruire le Radch ? De vraiment le détruire ? Et que les Presgers possèdent de telles armes ?

— Vous êtes en train de dire, a résumé Strigan, incrédule et horrifiée, que les Presgers ont manipulé les Garseddaïs afin d'obliger Anaander Mianaaï à négocier.

— Je parle de la réaction de Mianaaï, de ses motifs. Je ne connais pas, je ne comprends pas les Presgers. Mais j'imagine que si les Presgers avaient l'intention d'obliger à quoi que ce soit, ce serait sans ambiguïté. Sans subtilité. Je crois que c'était simplement conçu comme une *suggestion*. Si cela avait vraiment quelque chose à voir avec leurs actes.

— Tout cela, une simple *suggestion*.

— Ce sont des extérieurs. Qui peut les comprendre ?

— Rien de ce que vous pouvez faire, a-t-elle dit après cinq secondes de silence, ne peut changer quoi que ce soit.

— C'est probablement vrai.

— *Probablement*.

— Si tous ceux qui avaient... » J'ai cherché les mots justes. « Si tous ceux qui objectaient à la destruction des Garseddaïs avaient refusé, que se serait-il passé ? »

Strigan a froncé les sourcils. « Combien ont refusé ?

— Quatre.

— Quatre. Sur... ?

— Sur des milliers. » Chaque *Justice*, pour ne citer qu'eux, comptait à cette époque des centaines d'officiers, en plus de sa capitaine, et nous étions des dizaines, là-bas.

Ajoutez-y les *Miséricordes* et les *Épées*, aux équipages plus réduits. « La loyauté, une longue habitude de l'obéissance, un désir de vengeance... même ces quatre morts, oui, ont dissuadé tous les autres d'un choix aussi radical.

— Les vôtres étaient assez nombreux pour faire face, même si tout le monde avait refusé. »

Je suis resté silencieux, dans l'attente du changement d'expression témoignant qu'elle avait réfléchi plus avant à ce qu'elle venait de dire. Quand il vint, j'ai répondu : « Je crois que cela aurait pu tourner différemment.

— Vous n'êtes pas un sur des milliers ! » Strigan se pencha en avant, avec une véhémence inattendue. Seivarden s'est réveillée en sursaut, a regardé Strigan, alarmée et hébétée.

« Il n'y a personne d'autre prêt à faire ce choix, a continué Strigan. Personne pour suivre votre exemple. Et même s'il y en avait, vous ne suffiriez pas par vous-même. Si vous parvenez seulement à vous retrouver face à face avec Mianaaï – avec un des corps de Mianaaï – vous serez seul et désemparé. Vous mourrez sans rien accomplir ! » Elle exhala un son impatient. « Reprenez votre argent. » Elle fit un geste en direction de mon paquetage, appuyé contre le banc sur lequel j'étais assis. « Achetez des terres, achetez un logement sur une station, achetez une station, bordel ! Vivez la vie qu'on vous a refusée. Ne vous sacrifiez pas pour rien.

— À quel *moi* parlez-vous ? ai-je demandé. Quelle vie dont on m'aurait privé voulez-vous que je vive ? Devrai-je vous adresser des rapports mensuels, pour que vous ayez la certitude que mes choix recueillent votre approbation ? »

Cela l'a réduite au silence, pendant vingt bonnes secondes.

« Breq, a déclaré Seivarden, comme si elle testait le son de ce nom dans sa bouche, je veux partir.

— Bientôt, lui ai-je répondu. Soyez patiente. » À ma totale surprise, elle n'a élevé aucune objection ; elle s'est adossée à un banc et a passé les bras autour de ses genoux.

Strigan l'a considérée un moment d'un œil spéculatif, puis elle s'est tournée vers moi. « J'ai besoin de réfléchir. » J'ai exprimé mon assentiment d'un geste et elle s'est levée pour aller dans sa chambre et fermer la porte.

« C'est quoi, *son* problème ? » a demandé Seivarden, apparemment innocente de toute ironie. Une voix à peine méprisante. Je n'ai pas répondu, l'ai simplement regardée, sans changer d'expression. Les couvertures avaient imprimé en travers de sa joue une ligne qui s'effaçait à présent, et ses vêtements, le pantalon et la chemise doublée niltais sous le manteau de dessous défait, étaient froissés et en désordre. Au cours de ces derniers jours, avec une nourriture régulière et sans kef, sa peau avait recouvré une coloration plus saine, mais Seivarden paraissait encore maigre, fatiguée. « Pourquoi t'embêtes-tu avec elle ? » s'est-elle enquise, indifférente à mon examen. Comme si quelque chose avait basculé et qu'elle et moi étions subitement devenues camarades. Associées.

Certainement pas égales. Jamais. « Des affaires que je dois régler. » Une plus longue explication serait inutile ou imprudente, voire les deux. « Vous avez des problèmes pour dormir ? »

Quelque chose de subtil dans son expression a trahi un retrait, une conclusion. Je n'étais plus dans son camp. Elle est restée dix secondes assise en silence, et j'ai cru qu'elle ne me parlerait plus de la soirée, mais en fait elle a pris une longue inspiration et exhalé. « Ouais. Je… J'ai besoin de bouger. Je vais sortir. »

Quelque chose avait changé, sans aucun doute, mais je ne savais pas bien ce que c'était, ni ce qui l'avait déclenché.

« Il fait nuit, ai-je indiqué. Et très froid. Prenez votre manteau de dessus et vos gants, et ne vous éloignez pas trop. »

Elle a exprimé son assentiment d'un geste, et, chose plus stupéfiante encore, m'a obéi avant de sortir par les deux portes sans un seul mot de récrimination, ni même un regard de rancœur.

Et qu'en avais-je à faire ? Elle allait s'égarer et geler, ou pas. J'ai disposé mes couvertures et me suis couché pour dormir, sans attendre de voir si Seivarden revenait saine et sauve.

*

* *

Quand je me suis réveillé, Seivarden dormait sur son tas de couvertures. Elle n'avait pas jeté son manteau par terre, mais l'avait suspendu avec les autres, à un crochet près de la porte. Je me suis levé et suis allé ouvrir le placard pour découvrir qu'elle avait aussi reconstitué les réserves de nourriture – un supplément de pain, et un bol sur la table avec un bloc spongieux de lait en train de fondre lentement, un autre à côté avec un pain de graisse de bove.

Derrière moi, la porte de Strigan s'est ouverte avec un déclic. Je me suis retourné. « Il veut quelque chose », m'a-t-elle dit à voix basse. Seivarden n'a pas réagi. « Ou, en tout cas, il met en place une stratégie. Je ne lui ferais pas confiance, si j'étais vous.

— Je ne lui en accorde aucune. » J'ai laissé tomber une miche de pain dans un bol d'eau et l'ai mis à part pour la laisser ramollir. « Mais je me demande bien ce qu'elle a soudain en tête. » Strigan a paru amusée. « Ce qu'il a, ai-je rectifié.

— Sans doute l'idée de tout l'argent que vous transportez, a observé Strigan. On pourrait acheter pas mal de kef avec ça.

— Dans ce cas, ce n'est pas un problème. Tout servira à vous payer. » Moins mon billet de retour sur le ruban, et les éventuels imprévus. Ce qui, dans le cas présent, signifierait sans doute aussi le billet de Seivarden.

« Qu'arrive-t-il aux accros, dans le Radch ?

— Il n'y en a pas. » Elle a levé un sourcil, puis un second, incrédule. « Pas sur les stations, ai-je rectifié. On ne peut pas aller très loin sur cette voie avec l'IA de la station qui vous observe en permanence. Sur une planète, c'est différent, elle est trop vaste pour ça. Même en ce cas, quand on atteint le point où on n'est plus fonctionnel, on est rééduqué et généralement envoyé quelque part ailleurs.

— Pour ne pas être un motif d'embarras.

— Pour prendre un nouveau départ. Un nouvel environnement, une nouvelle affectation. » Et si on arrivait d'un endroit très lointain pour occuper un poste qu'aurait pu occuper pratiquement n'importe qui, tout le monde savait la raison, même si personne n'était assez balourde pour le dire à portée d'ouïe. « Ça vous trouble, que les Radchaaïs n'aient pas la liberté de détruire leur vie, ou celle d'autres citoyens.

— Je n'aurais pas exprimé cela ainsi.

— Non, évidemment. »

Elle s'est appuyée contre l'encadrement de la porte, a croisé les bras. « Pour quelqu'un qui souhaite une faveur – et en plus une faveur incroyablement, indiciblement énorme et dangereuse –, vous êtes d'une agressivité inattendue. »

D'une main, je fis un geste. *C'est ainsi.*

« Mais après tout, vous occuper de lui vous met en colère. » Elle a incliné la tête dans la direction générale de Seivarden. « Ça se comprend, je pense. »

Les mots *Je suis ravi que vous m'approuviez* me sont montés aux lèvres, mais je ne les ai pas prononcés. Je souhaitais, après tout, une faveur incroyablement, indiciblement énorme et dangereuse. « Tout l'argent dans le coffre, ai-je dit à la place. Assez pour vous permettre d'acheter des terres, un logement sur une station, même une station, bordel !

— Une très petite. » Ses lèvres se sont tordues d'amusement.

« Et vous ne l'auriez plus. Il est déjà dangereux de l'avoir vue, mais la détenir pour de bon est pire.

— Et vous, a-t-elle fait observer en se redressant, laissant baller ses bras, d'une voix à présent dénuée d'amusement, vous allez directement attirer sur elle l'attention de la Maître du Radch. Qui sera alors en mesure de remonter jusqu'à moi.

— Ce danger existera toujours », ai-je acquiescé. Je ne ferais même pas semblant de croire qu'une fois que je tomberais sous le contrôle de Mianaaï, elle ne serait pas capable d'extraire de moi toute information qu'elle désirait, quoi que je puisse vouloir révéler ou dissimuler. « Mais il existe depuis le moment où vous avez posé les yeux sur l'arme, et continuera tant que vous vivrez, que vous me la donniez ou pas. »

Strigan a poussé un soupir. « C'est vrai. C'est fort dommage. Et à franchement parler, j'ai très envie de rentrer chez moi. »

Idiote au-delà du possible. Mais ce n'était pas mon problème, mon problème était d'obtenir cette arme. Je suis resté silencieux. Strigan aussi. Puis elle a enfilé son manteau de dessus et ses gants et est sortie par les deux portes, et je me suis assis pour prendre mon petit déjeuner, en faisant de gros efforts pour ne pas deviner où elle était allée, ni si j'avais la moindre raison d'espérer.

*
* *

Strigan est revenue quinze minutes plus tard, avec une boîte noire, large et plate. elle l'a posée sur la table. On aurait dit une masse d'un seul bloc, mais Strigan a soulevé une épaisse couche de noir, révélant encore du noir, dessous.

Elle se tenait là, attendant en m'observant, le couvercle entre ses mains. J'ai tendu la main et, d'un doigt, doucement, ai touché un endroit sur le noir. Du brun s'est propagé à partir du point de contact, se condensant sous la forme d'une arme, à présent de la nuance exacte de ma peau. J'ai levé le doigt et le noir a reflué. Tendu la main, soulevé une autre couche de noir, sous laquelle cela a enfin commencé à ressembler à une boîte, avec un véritable contenu, même s'il s'agissait d'une boîte d'un noir déroutant, remplie de chargeurs, qui absorbait la lumière.

Strigan a tendu la main à son tour et touché la surface supérieure de la couche noire que je tenais encore. Du gris s'est répandu à partir de ses doigts pour former une épaisse lanière enroulée à côté de l'arme. « Je n'étais pas sûr de ce que c'était. Vous le savez ?

— C'est de l'armure. » Les officiers et les troupes humaines utilisaient des unités d'armure portées à l'extérieur, plutôt que le genre qu'on installe à l'intérieur du corps. Comme la mienne. Mais il y a mille ans, tout le monde en portait une implantée.

« Elle n'a jamais déclenché la moindre alarme, n'est jamais apparue sur aucun scan que j'ai traversé. » C'était *ça* que je cherchais. La capacité de débarquer sur n'importe quelle station radchaaïe sans alerter qui que ce soit sur le fait que j'étais armé. La capacité de porter une arme en présence d'Anaander Mianaaï elle-même, sans que personne ne s'en aperçoive. La plupart des Anaander n'avaient nul besoin d'armure, la capacité de tirer à travers était simplement un bonus.

Strigan m'a demandé : « Comment est-ce qu'elle fait ça ? Comment est-ce qu'elle se cache ?

— Je n'en sais rien. » J'ai rabattu la couche que je tenais, puis le couvercle.

« Combien d'exemplaires de ce salaud croyez-vous pouvoir tuer ? »

J'ai levé le regard, quittant des yeux la boîte, l'arme, le terme improbable de presque vingt ans d'efforts, devant moi, réel et concret. Entre mes mains. *Je voulus dire autant que je pourrai en atteindre, avant qu'elles m'abattent.* Mais en étant réaliste, je ne pouvais espérer rencontrer qu'une Mianaaï, un seul corps sur des milliers. Mais en étant réaliste, après tout, jamais je n'aurais pu espérer trouver cette arme. « Ça dépend.

— Si vous devez commettre un geste de défi suprême, désespéré, faites en sorte qu'il compte. »

J'ai acquiescé d'un geste. « J'envisage de demander une audience.

— En obtiendrez-vous une ?

— Sans doute. N'importe quel citoyen peut en demander, et la reçoit presque certainement. Je n'y irai pas en tant que citoyen... »

Strigan s'est esclaffée. « Comment allez-vous passer, vous, pour quelqu'un de non-radchaaï ?

— Je débarquerai sur les quais d'un Palais provincial sans gants ou avec des gants inappropriés, annoncerai mes origines étrangères et parlerai avec un accent. Rien d'autre ne sera nécessaire. »

Elle a battu des paupières. S'est rembrunie. « Pas vraiment.

— Je vous assure que si. En tant que non-citoyen, mes chances d'obtenir une audience dépendront de mes raisons de la solliciter. » Je n'avais pas encore établi mes plans jusqu'au bout. Tout dépendrait de ce que je trouverais en arrivant là-bas. « Il y a des choses qu'on ne peut pas planifier trop longtemps à l'avance.

— Et qu'allez-vous faire de... » Elle a agité une main sans gant vers Seivarden inconsciente.

J'avais moi-même évité de me poser la question. Évité, depuis le moment où je l'avais trouvée, d'envisager plus d'une étape à la fois quand il s'agissait de ce que j'allais faire de Seivarden.

« *Surveillez-le*. Il est peut-être arrivé au point où il est prêt à arrêter le kef pour de bon, mais je ne le pense pas.

— Pourquoi pas ?

— Il ne m'a pas demandé d'aide. »

J'ai levé à mon tour un sourcil sceptique. « S'il en demandait, vous l'aideriez ?

— Je ferais mon possible. Mais, bien sûr, il devrait s'attaquer aux problèmes qui l'ont poussé à en prendre, au départ, pour que cela marche à long terme. Je ne vois aucun signe qu'il le fait. » En mon for intérieur, j'ai approuvé.

« Il aurait pu me demander de l'aide n'importe quand, a poursuivi Strigan. Il traîne depuis, quoi, cinq ans au moins. » Probablement davantage, mais je n'en ai rien dit. « N'importe quel docteur l'aurait aidé, s'il l'avait voulu. Mais cela aurait signifié qu'il admette qu'il avait un problème, non ? Et je ne vois pas cela se produire avant longtemps.

— Il vaudrait mieux qu'ell… qu'il retourne dans le Radch. » Les médics du Radch pouvaient résoudre tous ses problèmes. Et ne se souciaient pas de savoir si Seivarden demandait leur aide ou la souhaitait sous quelque forme que ce soit.

« Il ne retournera pas dans le Radch tant qu'il ne reconnaîtra pas qu'il a un problème. »

Ça ne me concerne pas, ai-je exprimé d'un geste. « Il peut aller où il voudra.

— Mais vous le nourrissez, et vous allez sans doute payer son passage par le ruban, vers je ne sais quel système où vous embarquerez ensuite sur un vaisseau. Il restera avec vous tant qu'il y aura avantage, tant qu'il sera nourri et logé. Et il volera tout ce qu'il pensera susceptible de lui obtenir une nouvelle dose de kef. »

Seivarden n'était pas aussi robuste qu'elle l'avait été, ni aussi lucide, mentalement. « Croyez-vous qu'il trouvera la chose facile ?

— Non, a reconnu Strigan, mais il sera très déterminé.

— Oui. »

Strigan a secoué la tête, comme pour se la clarifier. « Qu'est-ce que je suis en train de faire ? Vous ne m'écoutez pas.

— J'écoute. »

Mais visiblement, elle ne me croyait pas. « Ça ne me regarde pas, je le sais. Bornez-vous... » Elle a pointé le doigt vers la boîte noire. « Bornez-vous à tuer autant de Mianaaï que vous pourrez. Et ne l'envoyez pas à *mes* trousses.

— Vous vous en allez ? » Bien sûr, qu'elle s'en allait, inutile de répondre à une question aussi sotte, et elle ne s'en est pas donné pas la peine. Elle s'est contentée de regagner sa chambre, sans rien ajouter, et a fermé la porte.

J'ai ouvert mon paquetage, en ai sorti l'argent et l'ai posé sur la table, fait glisser à sa place la boîte noire. L'ai touchée, selon la combinaison qui la ferait disparaître, plus rien que des chemises pliées, quelques paquets de nourriture lyophilisée. Puis je suis allée vers Seivarden étendue et l'ai poussée du bout de ma botte. « Réveillez-vous. » Elle a sursauté, se dressant soudain sur son séant, et elle a rejeté son dos contre le banc le plus proche, le souffle court. « Réveillez-vous, ai-je répété. On s'en va. »

Chapitre douze

Hormis en ces heures où les communications avaient été coupées, je n'avais jamais vraiment perdu le sentiment de faire partie du *Justice de Toren*. Mes kilomètres de coursives aux cloisons blanches, ma capitaine, les commandants de décade, les lieutenants de chaque décade, le moindre geste, le moindre souffle de chacun, m'étaient visibles. Jamais perdu la sensation de mes ancillaires, Un Amaat, Un Toren, Un Etrépa, Un Bo et Deux Esk, aux vingt corps, des mains et des pieds au service de ces officiers, des voix pour leur parler. Mes milliers d'ancillaires en suspension froide. Jamais perdu la vision de Shis'urna même, toute de bleu et de blanc, les anciennes frontières et partitions gommées par la distance. De ce point de vue les événements à Ors n'étaient rien, invisibles, complètement insignifiants.

Dans la navette en approche, je sentis la distance diminuer, éprouvai avec plus de force cette impression d'*être* le vaisseau. Un Esk devint encore plus ce qu'il avait toujours été – une part infime de moi-même. Mon attention n'était plus commandée par des éléments isolés du reste du vaisseau.

Deux Esk avait remplacé Un Esk pendant qu'Un Esk était sur la planète. Dans la salle de décade d'Esk, Deux Esk préparait du thé pour ses lieutenants – mes lieutenants. Il nettoyait la coursive aux cloisons blanches devant la salle d'eau d'Esk, recousait des uniformes déchirés au cours de la permission. Deux de mes lieutenants étaient assises devant un plateau de jeu en salle de décade, posant des jetons, rapides et silencieuses sous le regard de trois autres. Les lieutenants des décades Amaat, Toren, Etrépa et Bo, les commandants de décade, la capitaine de centaine Rubran, les officiers administratives et les médics, discutaient, dormaient, se lavaient, en fonction de leur emploi du temps et de leurs inclinations.

Chaque décade comprenait vingt lieutenants et sa commandant de décade, mais Esk était à présent le plus inférieur de mes ponts occupés. Au-dessous d'Esk, à partir de Var – la moitié de mes ponts de décades – tout était froid et vide, malgré des cales toujours pleines. Le vide et le silence de ces espaces où avaient jadis vécu des officiers m'avaient dérangé au début, mais j'y étais désormais accoutumé.

Sur la navette, face à Un Esk, la lieutenant Awn était assise en silence, mâchoire serrée. À certains points de vue, elle était physiquement plus à l'aise qu'elle ne l'avait jamais été à Ors – la température, vingt degrés centigrades, convenait davantage au port de sa vareuse et de son pantalon d'uniforme. Et le remugle de l'eau des marécages était remplacé par l'odeur plus familière et plus tolérable de l'air recyclé. Mais les espaces minuscules qui, la première fois qu'elle était arrivée sur le *Justice de Toren*, avaient excité sa fierté d'être affectée ici, et son anticipation de ce que l'avenir pouvait réserver, semblaient à présent la prendre au piège et la confiner. Elle était tendue et malheureuse.

La commandant de décade Esk Tiaund siégeait dans son réduit étriqué. Il ne contenait que deux chaises et un bureau coincé contre un mur, à peine mieux qu'une étagère, et de l'espace pour deux autres personnes debout, peut-être. « La lieutenant Awn est de retour », lui annonçai-je, ainsi qu'à la capitaine de centaine Rubran sur le pont de commandement. La navette accosta avec un choc.

La capitaine Rubran fronça les sourcils. La nouvelle du retour soudain de la lieutenant Awn l'avait surprise et décontenancée. L'ordre venait directement d'Anaander Mianaaï, qu'on ne questionnait pas. Avec l'ordre était venue la consigne de ne pas demander ce qui s'était passé.

Dans son réduit sur le pont Esk, la commandant Tiaund soupira, ferma les yeux et demanda : « Du thé. » Elle resta assise en silence jusqu'à ce que Deux Esk lui apporte une tasse et une théière, verse et les dispose toutes deux près du coude de la commandant. « Qu'elle vienne me voir dès que cela lui conviendra. »

L'attention d'Un Esk s'attachait principalement à la lieutenant Awn en train de se faufiler par l'ascenseur et les étroites coursives blanches qui la conduiraient à la décade Esk et à ses quartiers personnels. Je lus du soulagement quand elle trouva ces coursives vides à l'exception de Deux Esk.

« La commandant Tiaund vous recevra dès que cela vous conviendra », annonçai-je à la lieutenant Awn, par transmission directe. Elle accusa réception d'un bref jeu de doigts en entrant dans les coursives Esk.

Deux Esk évacua le pont, remontant en file la coursive à destination de la cale et de ses nacelles de suspension qui attendaient ; Un Esk reprit les tâches qui occupaient Deux Esk, et suivit également la lieutenant Awn. Au-dessus, au Médical, une tech médic commença à installer ce dont elle avait besoin pour remplacer le segment manquant d'Un Esk.

À la porte de ses quartiers étroits – ceux-là mêmes qui, plus d'un millénaire auparavant, avaient appartenu à la lieutenant Seivarden – la lieutenant Awn se tourna pour s'adresser au segment qui la suivait, puis s'arrêta. « Quoi ? demanda-t-elle au bout d'un instant. Quelque chose ne va pas, de quoi s'agit-il ?

— Veuillez m'excuser, lieutenant, dis-je. Dans les minutes qui viennent, la tech médic va relier un nouveau segment. Je resterai peut-être inerte un bref moment.

— Inerte », répéta-t-elle, se sentant temporairement dépassée pour une raison que je ne compris pas tout à fait. Puis coupable, et furieuse. Elle se tint face à la porte encore close de ses quartiers, respira deux fois, puis tourna les talons et reprit la coursive en direction de l'ascenseur.

Le système nerveux d'un nouveau segment se doit d'être plus ou moins fonctionnel pour effectuer la liaison. On avait essayé par le passé avec des corps morts, et échoué. De même avec des corps sous sédation complète – la liaison ne s'établissait jamais correctement. Parfois, le nouveau segment reçoit un tranquillisant, mais il arrive aussi que la tech médic préfère décongeler le nouveau corps et le lier rapidement, sans aucune sédation. Ce qui esquive l'étape hasardeuse d'une sédation effectuée avec un dosage absolument exact, mais rend toujours la liaison inconfortable.

La tech médic en question ne se souciait guère de mon confort. Elle n'y était nullement tenue, bien entendu.

La lieutenant Awn entra dans l'ascenseur qui la conduirait au Médical juste au moment où la tech médic lançait l'ouverture de la nacelle de suspension contenant le corps. Le couvercle se souleva et, durant un centième de seconde, le corps reposa immobile et glacé dans son bassin de fluides.

La tech médic fit rouler le corps hors de la nacelle sur une table voisine, le fluide s'étalant sur elle pour en tomber en nappe, et au même moment il s'éveilla, convulsivement, s'étranglant et s'étouffant. Le milieu de préservation glisse tout seul aisément hors de la gorge et des poumons, mais c'est une sensation déplaisante, les premières fois. La lieutenant Awn sortit de l'ascenseur, remonta la coursive en direction du Médical, suivie de près par Un Esk Dix-huit.

La tech médic se mit rapidement à l'ouvrage, et soudain je fus sur la table (je marchais derrière la lieutenant Awn, je reprenais la couture abandonnée par Deux Esk en partant pour la cale, je m'allongeais sur mes petites couchettes exiguës, j'essuyais un comptoir en salle de décade) et je voyais, j'entendais, mais je n'avais aucun contrôle sur le nouveau corps et sa terreur accéléra le rythme cardiaque de tous les segments d'Un Esk. La bouche du nouveau segment s'ouvrit et il hurla ; en arrière-plan, un rire. Je me débattis, les sangles se détachèrent et je roulai de la table, tombai d'un mètre cinquante sur le sol dans un choc douloureux. *Non non non*, pensai-je à l'adresse du corps, mais il n'écoutait pas. Il était malade, il était terrifié, il était en train de mourir. Il poussa sur ses bras pour se relever et avança à quatre pattes, saisi de vertige ; où ? Peu lui importait, du moment qu'il partait d'ici.

Puis des mains sous mes bras (ailleurs, Un Esk restait figé) m'encourageant à me lever, et la lieutenant Awn. « Aidez-moi », croassai-je, pas en radchaaï. Cette foutue médic avait extrait un corps dépourvu d'une voix décente. « Aidez-moi.

— Tout va bien. » La lieutenant Awn changea de prise, passa les bras autour du nouveau segment, l'attira plus près. Il grelottait, encore froid de la suspension, mais de terreur aussi. « Tout va bien. Tout va bien se passer. » Le segment hoqueta et sanglota pendant une éternité, sembla-t-il, et je crus qu'il allait vomir, jusqu'à ce que… La liaison s'établit, et je l'eus sous mon contrôle. J'arrêtai les sanglots.

« Voilà », dit la lieutenant Awn. Horrifiée. Prise de nausée. « Beaucoup mieux. » Je vis qu'elle était de nouveau en colère, ou peut-être était-ce une autre percée de la détresse que je notais depuis le temple. « Ne blessez pas mon unité », lança la lieutenant Awn sèchement, et je compris que, même si elle me regardait toujours, elle s'adressait à la tech médic.

« Je ne l'ai pas blessée, lieutenant », objecta celle-ci, avec une trace de dédain dans la voix. Elles avaient déjà eu une conversation de ce type, plus longue et plus acerbe, durant l'annexion. La médic avait dit : *Ce n'est pas comme s'il était humain. Il est en cale depuis mille ans, ce n'est qu'un élément du vaisseau.* La lieutenant Awn s'était plainte auprès de la commandant Tiaund, qui n'avait pas compris la colère de la lieutenant Awn, mais, depuis lors, je n'avais plus eu affaire à cette médic particulière. « Si vous êtes tellement délicate, poursuivit la médic, vous n'êtes peut-être pas à votre place ici. »

La lieutenant Awn se détourna, furieuse, et quitta la salle sans rien ajouter. Je pivotai et regagnai la table avec une certaine trépidation. Le segment résistait déjà, et je savais que cette tech médic n'aurait cure de la douleur, lorsqu'elle installerait mon armure, et le reste de mes implants.

La situation restait toujours un peu laborieuse, le temps que je m'accoutume à un nouveau segment – parfois, il laissait échapper les objets ou émettait des impulsions déconcertantes, des décharges aléatoires de peur et de nausée. La situation paraissait toujours déséquilibrée durant une certaine période. Mais d'habitude, tout se calmait au bout d'une semaine ou deux. La plupart du temps, en tout cas. Parfois, un segment n'arrivait pas à fonctionner comme il le devait, et il fallait alors le retirer et le remplacer. On sélectionne les corps, bien entendu, mais le processus n'est pas parfait.

Sa voix n'était pas du genre que je préférais, et il ne connaissait pas de chansons intéressantes. Aucune que je ne sache déjà, du moins. Je ne peux toujours pas chasser le soupçon, léger et tout à fait irrationnel, que la tech médic avait précisément choisi ce corps pour me contrarier.

*

* *

Après avoir pris un bain rapide, durant lequel je l'assistai, et revêtu un nouvel uniforme propre, la lieutenant Awn se présenta devant la commandant Tiaund.

« Awn. » La commandant de décade indiqua à la lieutenant Awn de prendre le siège en face d'elle. « Je suis heureuse de vous voir de retour, bien entendu.

— Merci, commandant, dit la lieutenant Awn en s'asseyant.

— Je ne m'attendais pas à vous voir si tôt. J'étais persuadée que vous resteriez en bas quelque temps encore. » La lieutenant Awn ne répondit pas. La commandant Tiaund attendit cinq secondes en silence, puis déclara : « Je vous demanderais bien ce qui s'est passé, mais on m'a donné l'ordre de m'abstenir. »

La lieutenant Awn ouvrit la bouche, prit sa respiration pour parler, se ravisa. Surprise. Je ne lui avais rien dit des ordres de ne pas l'interroger sur ce qui s'était passé. Aucun ordre correspondant de ne rien dire à personne n'était parvenu à la lieutenant Awn. Une mise à l'épreuve, je le soupçonnais ; j'avais toute confiance que la lieutenant Awn la réussirait.

« Grave ? » demanda la commandant Tiaund. Très désireuse d'en savoir plus long, et forçant sa chance en demandant ne serait-ce que cela.

« Oui, commandant. » La lieutenant Awn baissa les yeux vers ses mains gantées, posées dans son giron. « Très.

— Votre faute ?

— Tout ce qui se passe sous mon commandement est de ma responsabilité, n'est-ce pas, commandant ?

— Oui, reconnut la commandant Tiaund. Mais j'ai du mal à vous imaginer en train de commettre un acte... inconvenant. » Le mot était lourd de sens en radchaaï, appartenant à une triade : Justice, convenances et avantages. En l'employant, la commandant Tiaund laissait entendre plus encore que le fait qu'elle attendait de la lieutenant Awn qu'elle observe les règlements et l'étiquette. Sous-entendait qu'elle soupçonnait une injustice derrière les événements. Bien qu'elle ne puisse certainement pas en faire part ouvertement – elle ne disposait d'aucun des faits et ne souhaitait assurément pas donner à quiconque l'impression qu'elle les connaissait. Et si la lieutenant Awn devait être punie pour une violation, la commandant n'aurait pas voulu prendre publiquement son parti, quelle que puisse être son opinion personnelle.

La commandant Tiaund soupira, peut-être de curiosité frustrée. « Bien, poursuivit-elle avec un enjouement feint. Vous avez à présent tout le temps de rattraper vos heures de gymnase. Et vous êtes très en retard pour renouveler votre qualification au tir de précision. »

La lieutenant Awn se força à un sourire sans humour. Il n'y avait pas eu de gymnase à Ors, ni rien qui ressemble même de loin à un pas de tir. « Oui, commandant.

— Et, lieutenant, je vous prie, ne montez pas au Médical, à moins que ce ne soit vraiment nécessaire. »

Je vis que la lieutenant Awn avait envie de protester, de se plaindre. Mais cela aussi aurait été la réédition d'une ancienne conversation. « Bien, commandant.

— Vous pouvez disposer. »

*
* *

Le temps que la lieutenant Awn entre enfin dans ses quartiers, il était presque l'heure du repas – un repas officiel, pris dans la salle de décade avec les autres lieutenants d'Esk. La lieutenant Awn prétexta l'épuisement – ce n'était pas un mensonge, en réalité ; elle avait à peine dormi six heures depuis son départ d'Ors, près de trois jours plus tôt.

Voûtée, le regard fixe, elle resta assise sur sa couchette jusqu'à ce que j'entre, lui retire ses bottes et prenne sa vareuse. « Très bien », dit-elle alors, et elle ferma les paupières et fit pivoter ses jambes pour les étendre sur la couchette. « J'ai saisi la suggestion. » Elle dormait cinq secondes après avoir posé sa tête.

*

* *

Le lendemain, dix-huit de mes vingt lieutenants d'Esk se tenaient dans la salle de décade, buvant du thé en attendant le petit déjeuner. Selon l'usage, elles ne pouvaient pas s'asseoir sans la lieutenant la plus ancienne dans le grade.

Les cloisons de la salle de décade Esk étaient blanches, avec un liseré bleu et jaune peint juste sous le plafond. Sur une cloison, face à un long comptoir, étaient accrochés divers trophées d'annexions précédentes – les lambeaux de deux drapeaux, rouge, noir et vert ; la tuile d'un toit, en argile rose portant un motif moulé de feuilles en bas-relief ; une ancienne arme de poing (déchargée) et son fourreau au style élégant ; un masque ghaonais incrusté de pierres précieuses. Tout un vitrail de temple valskaayien, du verre coloré arrangé pour représenter une femme tenant un balai, trois petits animaux à ses pieds. Je me souvenais de l'avoir moi-même retiré de son mur et rapporté ici. Chaque salle de décade sur le vaisseau possédait un vitrail du même édifice. Les habits sacerdotaux et les accessoires du temple avaient été jetés dans la rue, ou trouvé le chemin des salles de décade d'autres vaisseaux. C'était la pratique normale que d'absorber toutes les religions que rencontrait le Radch, d'intégrer leurs divinités à une généalogie d'une complexité déjà aveuglante, ou de déclarer simplement que la suprême déité créatrice était Amaat sous un autre nom, et de laisser le reste s'arranger par lui-même. Une singularité de la religion valskaayienne leur avait rendu ceci difficile, avec un résultat dévastateur. Parmi les récentes modifications de politique du Radch, Anaander Mianaaï avait légalisé la pratique de la religion obstinément séparatiste de Valskaay, et la gouverneur de Valskaay avait restitué l'édifice. On avait parlé de rendre les vitraux, puisqu'à l'époque nous étions encore en orbite autour de Valskaay, mais, en fin de compte, ils avaient été remplacés par des copies. Peu de temps après, on avait vidé et fermé les décades au-dessous d'Esk, mais les vitraux étaient encore accrochés aux cloisons des salles de décades vides et sombres.

La lieutenant Issaaïa entra, se dirigea vers l'icône de Toren dans sa niche du coin et alluma l'encens qui attendait dans le bol rouge aux pieds de l'icône. Six officiers froncèrent les sourcils, et deux émirent un murmure très bas, surpris ; seule la lieutenant Dariet prit la parole. « Awn ne vient pas déjeuner ? »

La lieutenant Issaaïa se retourna vers la lieutenant Dariet, manifesta une expression étonnée qui, pour autant que je puisse en juger, ne reflétait pas ses sentiments véritables, et dit : « Grâce d'Amaat ! J'avais complètement oublié qu'Awn est revenue. »

À l'arrière du groupe, abritée en toute sécurité du regard de la lieutenant Issaaïa, une lieutenant très subalterne lança un coup d'œil à une autre lieutenant très subalterne.

« C'est tellement calme, poursuivit la lieutenant Issaaïa. Difficile de croire qu'elle est vraiment de retour.

— Silence et cendres froides », déclama, plus hardie que sa collègue, la lieutenant subalterne qui avait reçu le coup d'œil significatif. Le poème cité était une élégie pour une personne dont on avait délibérément négligé les offrandes funéraires. Je vis la lieutenant Issaaïa réagir par un instant d'ambivalence – le vers suivant parlait d'offrandes de nourriture qu'on n'avait pas déposées pour la morte, et la jeune lieutenant aurait fort bien pu critiquer la lieutenant Awn de ne pas être venue dîner la veille au soir, ou de ne pas arriver à l'heure pour le petit déjeuner ce matin.

« C'est effectivement Un Esk », commenta une autre lieutenant, masquant son sourire goguenard face à l'habileté de la lieutenant subalterne en examinant de près les segments qui disposaient en ce moment les plats de poisson et de fruit sur le comptoir. « Peut-être Awn lui a-t-elle fait perdre ses mauvaises habitudes. Je l'espère.

— Pourquoi un tel silence, Un ? demanda la lieutenant Dariet.

— Oh, ne commencez pas avec ça, gémit une autre lieutenant. Il est trop tôt pour tout ce raffut.

— Si ça vient d'Awn, je lui dis bravo, dit la lieutenant Issaaïa. Mais un peu tard.

— Comme en ce moment, déclara une lieutenant, coude à coude avec la lieutenant Issaaïa. Nourrissez-moi tant que je suis encore en vie. » Une autre citation, autre référence à des offrandes funéraires, et réfutation au cas où la lieutenant subalterne avait voulu adresser son insulte du mauvais côté. « Elle vient, ou pas ? Si elle ne vient pas, elle devrait prévenir. »

À ce moment-là la lieutenant Awn était dans le bain, et je m'occupais d'elle. J'aurais pu informer les lieutenants qu'elle ne tarderait pas, mais je n'en fis rien, me contentant de noter le niveau et la température du thé dans les bols en verre noir que tenaient diverses lieutenants, et je continuai à disposer les assiettes du petit déjeuner.

Près de ma propre armurerie, je nettoyais mes vingt fusils, afin de pouvoir les ranger, en même temps que leurs munitions. Dans chacun des quartiers de mes lieutenants je retirais les draps des lits. Les officiers d'Amaat, Toren, Etrépa et Bo avaient toutes largement entamé leur petit déjeuner, bavardant, enjouées. La capitaine mangeait avec les commandants de décade, entretenant une conversation plus calme, plus mesurée. Une de mes navettes m'approchait, quatre lieutenants de Deux Bo de retour de permission, sanglées sur leurs sièges, inconscientes. Elles ne seraient pas heureuses en se réveillant.

« Vaisseau, demanda la lieutenant Dariet, la lieutenant Awn va-t-elle nous rejoindre pour le petit déjeuner ?

— Oui, lieutenant », répondis-je avec la voix d'Un Esk Six. Dans le bain, je versai de l'eau sur la lieutenant Awn qui se tenait, les yeux clos, sur la grille au-dessus de l'évacuation. Sa respiration était régulière, mais sa fréquence cardiaque légèrement élevée, et elle manifestait d'autres signes de tension. J'étais pratiquement convaincu que son retard était délibéré, conçu pour lui laisser les bains à elle seule. Non qu'elle ne puisse affronter la lieutenant Issaaïa – elle en était tout à fait capable. Mais parce qu'elle était encore bouleversée par les événements des derniers jours.

« Quand ? demanda la lieutenant Issaaïa, avec une moue très légère.

— Dans cinq minutes environ, lieutenant. »

Un concert de gémissements s'éleva. « Allons, lieutenants, les admonesta la lieutenant Issaaïa. C'est notre officier supérieure. Et nous devrions tous être patientes avec elle en ce moment. Un retour si soudain, alors que nous pensions toutes que la Sublime n'accepterait *jamais* qu'elle quitte Ors.

— Elle a découvert qu'elle n'avait pas fait un si bon choix que ça, hein ? » ricana la lieutenant voisine de la lieutenant Issaaïa. Elle était proche d'elle à plus d'un sens. Aucune d'elles ne savait ce qui s'était passé et ne pouvait poser la question. Et pour ma part, bien entendu, je n'avais rien dit.

« Peu probable », répliqua la lieutenant Dariet, d'une voix un soupçon plus forte qu'à l'habitude. Elle était en colère. « Pas au bout de cinq ans. » Je pris la théière, quittai le comptoir pour venir à l'endroit où se tenait la lieutenant Dariet verser onze millimètres de thé dans le bol pratiquement plein qu'elle tenait.

« Vous aimez la lieutenant Awn, bien entendu, disait la lieutenant Issaaïa. Comme nous toutes. Mais elle n'est pas *racée*. Elle n'était pas née pour ceci. Elle travaille très dur pour ce qui nous vient naturellement. Je ne serais pas surprise d'apprendre que cinq ans ont été le maximum qu'elle puisse supporter sans craquer. » Elle considéra le bol vide dans sa main gantée. « Il me faut encore du thé.

— Vous estimez que vous auriez accompli un meilleur travail, à la place de la lieutenant Awn, observa la lieutenant Dariet.

— Je ne me soucie pas d'hypothèses, répondit la lieutenant Issaaïa. Les faits sont ce qu'ils sont. Il y a une raison pour qu'Awn ait été lieutenant supérieure Esk longtemps avant l'arrivée ici d'aucune d'entre nous. De toute évidence, Awn a du talent, elle n'aurait jamais aussi bien réussi, sinon, mais elle a atteint ses limites. » Un murmure bas d'acquiescement. « Ses parents sont *cuisiniers*, enchaîna la lieutenant Issaaïa. Je suis sûre qu'elles excellent à leur besogne. Je suis certaine qu'elle gérerait une cuisine de façon admirable. »

Trois lieutenants ricanèrent. La lieutenant Dariet répliqua, la voix tendue et lourde de menace : « Vraiment ? » Enfin habillée, son uniforme aussi parfait qu'il était en mon pouvoir de le présenter, la lieutenant Awn émergea du vestiaire dans la coursive, à cinq pas de la salle de décade.

La lieutenant Issaaïa nota l'humeur de la lieutenant Dariet avec une ambivalence familière. La lieutenant Issaaïa était une supérieure hiérarchique, mais la maison de la lieutenant Dariet était plus ancienne et plus riche que celle de la lieutenant Issaaïa, et la branche de la lieutenant Dariet dans cette maison était cliente directe d'une importante branche de Mianaaï en personne. En théorie, cela n'avait ici aucune importance. En théorie.

Toutes les données que je recevais de la lieutenant Issaaïa ce matin-là avaient un arrière-goût de ressentiment, qui se renforça à cet instant. « Diriger une cuisine est un emploi parfaitement respectable, déclara la lieutenant Issaaïa. Mais je ne puis qu'imaginer toute la difficulté qu'il y a à être élevée pour devenir serviteur et, au lieu de recevoir une affectation vraiment convenable, de se voir jetée dans une telle position d'autorité. Tout le monde n'est pas taillée pour être officier. » La porte s'ouvrit et la lieutenant Awn entra juste au moment où la dernière phrase sortait de la bouche de la lieutenant Issaaïa.

Le silence engloutit la salle de décade. La lieutenant Issaaïa paraissait calme et détachée, mais se sentait penaude. Elle n'avait visiblement pas eu l'intention de dire ouvertement – ne l'aurait jamais osé – de telles choses à la lieutenant Awn.

Seule la lieutenant Duriet prit la parole. « Bonjour, lieutenant. »

La lieutenant Awn ne répondit pas, ne la regarda même pas, se dirigeant vers le coin de la salle où se dressait l'autel de la décade, avec sa figurine de Toren et le bol d'encens qui se consumait. La lieutenant Awn rendit hommage à la statuette puis considéra le bol avec un léger froncement de sourcils. Comme auparavant, ses muscles étaient crispés, son rythme cardiaque élevé, et je savais qu'elle devinait le contenu, ou du moins la teneur générale, de la conversation avant qu'elle entre, avait compris *qui* n'était pas taillée pour être officier.

Elle se retourna. « Bonjour, lieutenants. Je vous présente mes excuses pour vous avoir fait attendre. » Et se lança sans autre préambule dans la prière du matin. « La fleur de la justice est la paix… » Les autres s'y joignirent, et quand elles eurent terminé la lieutenant Awn prit sa place à la tête de la table, s'assit. Avant que les autres aient eu le temps de s'installer, j'avais déposé le thé et le petit déjeuner de la lieutenant Awn devant elle.

Je servis les autres, et la lieutenant Awn but une gorgée et commença à manger.

La lieutenant Dariet saisit son ustensile de table. « Ça fait plaisir de vous voir de retour. » Sa voix était à peine mordante, ne réussissant que de justesse à dissimuler sa colère.

« Merci », dit la lieutenant Awn, et elle mangea une autre bouchée de poisson.

« J'attends toujours du thé », annonça la lieutenant Issaaïa. Le reste de la table était tendu et muet, aux aguets. « C'est agréable d'avoir du silence, mais il me semble qu'il y a eu un déclin d'efficacité. »

La lieutenant Awn mâcha, avala, but une autre gorgée de thé. « Pardon ?

— Vous avez réussi à faire taire Un Esk, expliqua la lieutenant Issaaïa, mais... » Elle leva son bol vide.

À cet instant précis, j'étais derrière elle avec la théière et je versai, remplissant le bol.

La lieutenant Awn leva une main gantée, exprimant par un geste que la déclaration de la lieutenant Issaaïa n'avait plus lieu d'être. « Je n'ai pas réduit Un Esk au silence. » Elle considéra le segment qui portait la théière et fronça les sourcils. « Pas délibérément, du moins. Va, chante si tu le désires, Un Esk. » Une douzaine de lieutenants gémirent. La lieutenant Issaaïa eut un sourire factice.

La lieutenant Dariet s'arrêta, une portion de poisson à mi-chemin de sa bouche. « J'aime ses chants. C'est agréable. Et c'est une singularité.

— C'est embarrassant, oui, déclara la lieutenant voisine d'Issaaïa.

— Je ne trouve pas que ce soit embarrassant, déclara la lieutenant Awn, avec une certaine raideur.

— Non, bien entendu, commenta la lieutenant Issaaïa, voilant son ressentiment sous l'ambiguïté de ses mots. Alors pourquoi un tel silence, Un ?

— J'ai été occupé, lieutenant, répondis-je. Et je ne voulais pas déranger la lieutenant Awn.

— Ton chant ne me dérange pas, Un, assura la lieutenant Awn. Je regrette que tu l'aies cru. Je t'en prie, chante, si tu veux. »

La lieutenant Issaaïa leva un sourcil. « Des excuses ? Et un "je t'en prie" ? Cela fait beaucoup.

— La courtoisie, déclara la lieutenant Dariet, d'une voix pincée assez peu caractéristique, est toujours convenable, et toujours avantageuse. »

La lieutenant Issaaïa eut un sourire sarcastique. « Merci, Maman. »

La lieutenant Awn ne dit rien.

*
* *

Quatre heures et demie après le petit déjeuner, la navette qui transportait ces quatre lieutenants Deuxième Bo rentrant de permission accosta.

Elles buvaient depuis trois jours, et avaient continué jusqu'au moment où elles avaient quitté la station Shis'urna. La première d'entre elles à passer le sas tituba légèrement, puis ferma les yeux. « Médic, souffla-t-elle.

— Elles vous attendent, dis-je par le segment d'Un Bo que j'avais placé là. Avez-vous besoin d'aide pour gagner l'ascenseur ? »

La lieutenant fit une vague tentative pour repousser d'un geste mon offre, et remonta lentement la coursive, une épaule contre la paroi pour se soutenir.

Je montai à bord de la navette, me propulsant d'un coup de pied au-delà de la limite de ma gravité artificiellement établie – la navette était trop petite pour posséder la sienne. Deux des officiers, elles-mêmes encore ivres, essayaient de réveiller la troisième, complètement inconsciente dans son siège. La pilote – la plus subalterne des officiers Deuxième Bo – était assise, rigide et pleine d'appréhension. J'attribuai tout d'abord sa gêne à la puanteur de l'arrack renversé et du vomi – par chance, le premier s'était apparemment répandu sur les lieutenants elles-mêmes, sur la station Shis'urna, et presque tout le second était allé dans les réceptacles dévolus à cet effet – mais ensuite je regardai (Un Bo regarda) en direction de la poupe et vis trois Anaander Mianaaï assises, silencieuses et impassibles dans les sièges arrière. Pas *là*, pour moi. Elle avait dû embarquer à la station Shis'urna, discrètement. Ordonner à la pilote de ne rien me dire. Les autres avaient, je le soupçonnai, été trop ivres pour la remarquer. Je pensai au moment où elle m'avait demandé, sur la planète, quand elle m'avait rendu visite pour la dernière fois. À mon inexplicable mensonge réflexe. La véritable dernière fois avait beaucoup ressemblé à ceci.

« Altesse, dis-je lorsque tous les lieutenants Bo furent hors de portée. Je vais aviser la capitaine de centaine.

— Non, répondit une Anaander. Ton pont Var est vide.

— Oui, Altesse, confirmai-je.

— Je vais y loger tant que je serai à bord. » Rien de plus, ni pourquoi, ni pour combien de temps. Ni quand je pourrais dire à la capitaine ce que je faisais. J'étais obligé d'obéir à Anaander Mianaaï, même en passant par-dessus ma propre capitaine, mais je recevais rarement un ordre de l'une sans que l'autre le sache. C'était une position inconfortable.

J'envoyai des segments d'Un Esk récupérer Un Var dans la cale, commençai à réchauffer une section du pont Var. Les trois Anaander Mianaaï déclinèrent mon offre d'assistance pour leurs bagages, portèrent leurs affaires vers Var.

Cela s'était déjà produit, à Valskaay. Mes ponts inférieurs avaient été vides, pour la plupart, parce que nombre de mes troupes étaient hors de la cale, au travail. Elle avait séjourné sur le pont Esk, cette fois-là. Que voulait-elle, à l'époque, qu'avait-elle fait ?

À ma consternation, je découvris que mes pensées glissaient autour de la réponse, qui demeurait floue, invisible. Ce n'était pas normal. Pas normal du tout.

Entre les ponts Esk et Var se trouvait l'accès direct à mon cerveau. Qu'avait-elle fait, à Valskaay, que je ne pouvais pas me rappeler, et que se préparait-elle à faire à présent ?

Chapitre treize

a trop dirtenu a s'avanre

pouvais pas me rappeler, et que se préparait-elle à faire

procène ?

Plus au sud, la neige et la glace devenaient imperma-
nentes, bien qu'il fasse toujours froid selon des critères non niltais. Les Niltais considéraient la région
équatoriale comme une sorte de paradis tropical, où le grain
arrivait bel et bien à pousser, la température à dépasser huit
ou neuf degrés centigrades. La plupart des grandes villes
de Nilt se situaient sur l'anneau équatorial ou à proximité.
Il en allait de même pour l'unique prétention de la planète à une quelconque gloire – les ponts de verre.

Ce sont des rubans noirs, larges d'environ cinq mètres,
projetés en caténaires douces au-dessus de tranchées
presque aussi larges qu'elles sont profondes – des dimen-
sions qui se mesurent en kilomètres. Pas de câbles, de
piles ou de suspensions. Rien que l'arche noire attachée sur
la face de chaque falaise. D'extravagants arrangements de
spirales et de baguettes en verre coloré pendent en dessous
des passerelles, parfois dépassant sur les côtés.

Les ponts eux-mêmes sont, selon toutes les observations, également composés de verre, même si du verre
n'aurait jamais pu soutenir le genre de tension que ces
ponts supportent – même leur propre poids devrait être
trop pour eux, suspendus comme ils le sont sans rien pour
les étayer. Il n'y a ni rambarde ni garde-corps, rien que l'à-
pic et, au fond, des kilomètres plus bas, un agrégat de tubes
aux parois épaisses, larges chacun d'un mètre cinquante

précisément, vides et lisses. Ils sont composés de la même substance que les ponts. Nul ne sait à quoi ils servaient, ni qui les a bâtis. Ils étaient déjà là quand les humains sont venues coloniser Nilt.

Les théories abondaient, toutes plus improbables les unes que les autres. Des êtres interdimensionnelles revenaient dans un certain nombre d'entre elles – elles créaient ou modelaient l'humanité à leurs propres fins, ou laissaient un message à déchiffrer aux humains pour d'obscures raisons qui leur appartenaient. Ou elles étaient malveillantes, dédiées à la destruction de toute vie. Les ponts, d'une façon ou d'une autre, faisaient partie de leurs plans.

Toute une autre sous-catégorie affirmait que les ponts avaient été construits par des humains, une ancienne civilisation perdue depuis longtemps et fantastiquement avancée, qui soit s'était éteinte (de façon lente et pitoyable ; ou de façon spectaculaire, conséquence d'une erreur catastrophique), soit avait progressé vers un niveau supérieur de l'existence. Au surplus, les avocats de ce genre de théorie prétendaient souvent que Nilt était, en réalité, le berceau où les humains étaient nées. Partout où je suis allé ou presque, la croyance populaire veut que l'emplacement de la planète originelle de l'humanité soit inconnu, un mystère. En fait, il ne l'est pas du tout, comme n'importe qui peut le découvrir, en se donnant la peine de lire sur le sujet, mais *c'est* très, très, *très* loin de pratiquement n'importe où ailleurs, un endroit qui n'est pas terriblement intéressant. Ou, du moins, qui est loin de l'être autant que l'idée merveilleuse que vos congénères ne sont pas de nouvelles arrivantes chez elles, mais qu'en fait elles ont recolonisé la planète à laquelle elles appartenaient depuis le début des temps. On rencontre cette revendication partout où on tombe sur une planète vaguement habitable par les humains.

Le pont à l'extérieur de Therrod n'était pas une grande attraction touristique. La plupart des arabesques en verre, brillantes comme des joyaux, s'étaient brisées au fil des millénaires, le laissant presque nu. Et Therrod se trouve encore trop au nord pour que des non-Niltais supportent confortablement son climat. Les visiteurs extérieures au monde se contentent en général des ponts de l'équateur, mieux préservés, achètent une couverture en poil de bove garantie filée et tissée à la main par des maîtres artisans dans le froid insoutenable des tréfonds du monde (alors qu'elles sont presque à coup sûr tissées à la machine, par dizaines, à quelques kilomètres de la boutique de souvenirs), tentent d'ingurgiter quelques gorgées fétides de lait fermenté et rentrent chez elles régaler leurs amis et associés des récits de leur aventure.

Tout cela, je l'ai appris durant les premières minutes où j'ai su que je devrais visiter Nilt pour atteindre mon objectif.

*

* *

Therrod était sise sur un large fleuve, des blocs de glace vert et blanc dansant et s'entrechoquant dans son courant, les premiers bateaux de la saison déjà amarrés aux quais. De l'autre côté de la ville, la balafre sombre de l'immense auge du pont portait un coup d'arrêt définitif aux limites floues des habitations. La région sud de la ville se composait de parcs de voliers, puis d'un vaste complexe de bâtiments peints en bleu et jaune, un centre médical, semblait-il, probablement le plus vaste de son espèce dans les parages. Il était entouré par les carrés de logements et de boutiques de restauration, et des jonchées de maisons, rose vif, orange, jaunes, rouges, en bandes, zigzags et quadrillages.

Nous avions volé la moitié de la journée. J'aurais pu voler toute la nuit ; j'en étais capable. Toutefois, cela aurait été pénible. Et je ne voyais pas de raison de me hâter. Je me suis posé dans le premier emplacement libre que j'ai trouvé, ai commandé sèchement à Seivarden de descendre, et ai fait de même. J'ai endossé mon paquetage, payé le tarif du parking, mis le volier hors d'usage comme je l'avais fait chez Strigan, et m'en suis allé vers la ville, sans regarder pour vérifier si Seivarden me suivait.

Je m'étais posé à proximité du complexe médical. Certains des logements qui l'entouraient étaient luxueux, mais beaucoup étaient plus petits et moins confortables que celui que j'avais loué dans le village où j'avais trouvé Seivarden, bien qu'un peu plus chers. Des Sudistes allaient et venaient en manteaux colorés, parlant ce qui ressemblait à mon oreille à la langue de la jeune fille et de sa mère qui avaient rendu visite à Strigan. Les autres parlaient le seul langage que je connaissais, et, par chance, c'était le même qu'employaient les panneaux.

J'ai choisi un logement – plus spacieux, au moins, que les trous à la taille de nacelles de suspension à bas coût – et ai conduit Seivarden à la première boutique de restauration d'apparence propre et raisonnablement bon marché que j'ai pu trouver.

À notre entrée, Seivarden a repéré les étagères de bouteilles contre le mur du fond. « Ils ont de l'arrack.

— Il doit être incroyablement cher, et pas très bon, sans doute. On n'en fabrique pas, ici. Prenez plutôt une bière. »

Elle avait manifesté quelques signes de tension, et grimacé légèrement devant la profusion de coloris vifs, si bien que je m'attendais à une riposte irritée, mais elle s'est bornée à simplement indiquer d'un geste son acquiescement. Puis elle a froncé le nez, léger dégoût. « Avec quoi font-elles leur bière, ici ?

— Du grain. Il en pousse, près de l'équateur. Il ne fait pas aussi froid qu'ici. » Nous avons trouvé des places sur les bancs qui bordaient trois rangées de longues tables, et une serveur nous apporta de la bière, et des bols de quelque chose qu'elle nous présenta comme la spécialité de la maison, *extra bien manger, oui*, dit-elle dans une approximation particulièrement massacrée du radchaaï, et c'était en effet très bon. Il y avait même de véritables légumes parmi ses ingrédients, une bonne proportion de fines tranches de chou au milieu de tout ce qui pouvait constituer le reste. Les morceaux plus petits ressemblaient à de la viande – probablement du bove. Seivarden a coupé un des plus gros morceaux en deux avec sa cuillère, révélant du blanc lisse. « Du fromage, sans doute », ai-je indiqué.

Elle a fait la grimace. « Pourquoi est-ce que ces gens-là ne peuvent pas manger de la *vraie* nourriture ? Elles ne savent donc rien ?

— Le fromage est de la vraie nourriture. Le chou aussi.

— Mais cette sauce…

— A très bon goût. » J'en ai pris une nouvelle cuillerée. « Tout l'endroit a une drôle d'odeur.

— Mangez donc. » Elle a considéré son bol d'un œil sceptique, y a prélevé une cuillerée, l'a reniflée. « Ça ne pourra jamais sentir plus mauvais que leur boisson au lait fermenté », ai-je enchéri.

Elle est allée jusqu'à sourire à demi. « Non. »

J'ai pris une nouvelle cuillerée, méditant les implications de cette amélioration de conduite. Je n'étais pas sûr de ce que cela signifiait, pour son état d'esprit, ses intentions, ou l'idée qu'elle avait de ce que j'étais ou de qui j'étais. Peut-être Strigan avait-elle raison ; Seivarden avait décidé que la voie la plus avantageuse, pour le moment, était de ne pas s'aliéner la personne qui la nourrissait, et cela changerait dès que ses options évolueraient.

Une voix aiguë a appelé, d'une autre table : « Salut ! »

Je me suis retourné – la jeune fille au jeu de Tiktik me faisait signe depuis son siège, à côté de sa mère. Un instant j'ai été surpris, mais nous nous trouvions à proximité du centre médical, où je savais qu'elles avaient conduit leur parent blessée, et elles venaient de la même direction que nous, si bien qu'elles s'étaient sans doute garées du même côté de la ville que nous. J'ai souri et hoché la tête, et elle s'est levée pour venir jusqu'à nos sièges. « Votre amie va mieux ! a-t-elle déclaré avec enjouement. C'est bien. Qu'est-ce que vous mangez ?

— Je ne sais pas, ai-je reconnu. La serveur a dit que c'était la spécialité de la maison.

— Oh, c'est très bon, j'en ai mangé hier. Quand êtes-vous arrivés ici ? Qu'est-ce qu'il fait chaud, on se croirait déjà en été, je n'imagine pas ce que ça doit être, plus au nord. » Clairement, elle avait eu le temps de recouvrer une humeur plus habituelle depuis que l'accident l'avait amenée chez Strigan. Seivarden, cuillère en main, l'observait avec perplexité.

« Nous sommes arrivées depuis une heure, l'ai-je informée. Nous ne nous arrêtons que pour la nuit, en route vers le ruban.

— Nous restons ici jusqu'à ce que la jambe d'Oncle aille mieux. Ça prendra sans doute encore une semaine. » Elle fronça les sourcils, comptant les jours. « Un peu plus longtemps. Nous dormons dans le volier, ce qui est très inconfortable, mais Maman dit que le prix des logements, ici, c'est vraiment du vol. » Elle s'est assise au bout du banc, à côté de moi. « Je ne suis jamais allée dans l'espace, à quoi ça ressemble ?

— Il fait très froid – même *toi*, tu trouverais qu'il fait froid. » L'idée l'a amusée au point de la faire rire. « Et bien sûr, il n'y a pas d'air, et presque aucune gravité, si bien que tout flotte. »

Elle m'a regardé en fronçant les sourcils, en reproche simulé. « Vous savez ce que je veux dire. »

J'ai jeté un coup d'œil vers sa mère, assise, impavide, en train de manger. Indifférente. « Ce n'est pas très exaltant, en fait. »

L'adolescente a fait un geste détaché. « Oh ! Vous aimez la musique. Il y a une chanteuse qui se produit dans un établissement de la rue, ce soir. » Elle a utilisé le mot que j'avais employé par erreur, et non celui par lequel elle m'avait corrigé, chez Strigan. « Nous ne sommes pas allées l'écouter hier au soir, parce qu'ils font payer. Et puis, d'ailleurs, c'est ma cousine. Enfin, elle est de la lignée après la mienne, et c'est la tante de la fille de la cousine de ma mère, donc c'est presque ça. Je l'ai entendue à la dernière rassemblée, elle chante très bien.

— Je ne manquerai pas d'y aller. Où est-ce ? »

Elle m'a donné le nom de l'endroit, puis a ajouté qu'elle devait aller finir son repas. Je l'ai regardée rejoindre sa mère, qui n'a levé les yeux qu'une fois, brièvement, pour m'adresser un bref hochement de tête, que je lui ai rendu.

*

* *

L'endroit qu'avait indiqué la jeune fille n'était qu'à quelques portes de là, un long bâtiment bas de plafond, avec un mur du fond tout en volets, ouverts pour le moment sur une cour enclose, où des Niltais étaient assises sans manteau dans l'air à un degré, en train de boire de la bière, d'écouter en silence une femme jouer d'un instrument à cordes incurvé que je n'avais encore jamais vu.

J'ai commandé discrètement de la bière pour Seivarden et moi, et nous avons pris place du côté intérieur des volets – légèrement plus chaud que la cour, en l'absence de brise, et avec un mur auquel nous adosser. Quelques personnes se sont retournées pour nous regarder, nous ont fixées un moment, puis ont repris leur position de façon plus ou moins polie.

Seivarden s'est inclinée de trois centimètres vers moi et a murmuré : « Pourquoi sommes-nous ici ?

— Pour écouter la musique. »

Elle a levé un sourcil. « C'est de la *musique* ? »

Je me suis tourné pour la regarder en face. Elle a frémi, à peine. « Désolée. C'est juste que... » Elle a eu un geste désemparé. Les Radchaaïs possèdent des instruments à cordes, toute une variété, en fait, accumulée au long des annexions, mais en jouer en public est considéré comme un acte légèrement indécent, parce qu'on doit jouer soit à mains nues, soit avec des gants tellement fins qu'ils sont pratiquement inutiles. Et cette musique – les longues phrases lentes, inégales, qui rendaient ses cadences difficiles à appréhender pour une oreille radchaaïe, les sons rudes et tranchants de l'instrument – n'était pas ce que l'éducation de Seivarden l'avait formée à apprécier. « Elle est tellement... »

Une femme à une table voisine nous a lancé un « chut » éloquent. Je lui ai fait un geste conciliant, et j'ai adressé à Seivarden un regard de mise en garde. Un instant, sa colère a paru sur son visage et j'ai bien cru que j'allais devoir la faire sortir, mais elle a pris sa respiration, considéré sa bière, bu et, par la suite, regardé tout le temps droit devant elle en silence.

Le morceau s'est achevé et le public a doucement cogné du poing sur les tables. La musicienne a semblé, curieusement, à la fois impassible et reconnaissante, et s'est lancée dans un autre morceau, nettement plus vif et assez sonore pour que Seivarden me chuchote de nouveau en toute sécurité : « Combien de temps allons-nous rester ici ?

— Un moment.

— Je suis fatiguée. Je veux rentrer à la chambre.

— Vous savez où elle se trouve ? »

Elle m'a fait signe que oui. La femme à l'autre table nous lorgnait avec désapprobation. « Allez-y », ai-je chuchoté, aussi bas que j'ai pu, tout en étant, je l'espérais, audible de Seivarden.

Celle-ci est partie. Qu'elle retrouve ou non le chemin de notre logement n'était plus de ma responsabilité (et je me suis félicité d'avoir eu la prévoyance d'enfermer mon paquetage dans le coffre de l'établissement pour la nuit – même sans la mise en garde de Strigan, je ne faisais pas confiance à Seivarden pour mes biens ou mon argent), qu'elle erre sans but dans la ville ou qu'elle entre dans le fleuve pour s'y noyer – quoi qu'elle fasse, cela ne me concernait pas, et je n'avais plus à m'inquiéter de rien. J'avais devant moi un pichet d'une bière assez convenable et une soirée de musique, avec la promesse d'une bonne chanteuse, et de chansons que je n'avais encore jamais entendues. J'étais plus près de mon but que je n'avais jamais espéré l'être, et je pouvais, rien que ce soir, me détendre.

*
* *

La chanteuse était excellente, bien que je n'aie compris aucune des paroles qu'elle prononçait. Elle s'est produite jusque tard et, à ce stade, la salle était bondée et bruyante, même si le public, en écoutant la musique, sombrait parfois dans le silence en buvant sa bière, et les martèlements entre les morceaux se sont faits sonores et désordonnés. J'ai commandé assez de bière pour justifier ma présence continue, mais j'en ai bu moins de la moitié. Je ne suis pas humain, mais mon corps l'est, et un abus aurait émoussé mes réactions à un point inacceptable.

Je suis resté très tard, puis je suis rentré à pied à notre logement, en suivant la rue dans l'ombre, croisant çà et là un couple ou un trio marchant, discutant, m'ignorant.

Dans la pièce minuscule, j'ai trouvé Seivarden endormie – immobile, le souffle calme, le visage et les membres détendus. Un indéfinissable air de tranquillité sur ses traits me laissait croire que je la voyais pour la première fois jouir d'un sommeil véritablement reposant. Pendant un infime instant, je me suis surpris à me demander si elle avait pris du kef, mais je savais qu'elle n'avait pas d'argent, ne connaissait personne ici et ne parlait aucune des langues que j'avais entendues jusque-là.

Je me suis étendu à ses côtés et me suis endormi.

Je me suis réveillé six heures plus tard et, chose incroyable, Seivarden reposait toujours auprès de moi, dormant encore. Je ne pensais pas qu'elle se soit réveillée pendant mon sommeil.

Autant qu'elle prenne le plus de repos possible. Après tout, rien ne me pressait. Je me suis levé et suis sorti.

Plus près du centre médical, la rue devenait bruyante et encombrée de monde. J'ai acheté un bol de gruau chaud et laiteux à un vendeur au bord du trottoir, et j'ai continué en suivant la rue qui s'incurvait autour de l'hôpital et partait vers le centre-ville. Des bus s'arrêtaient, laissaient descendre des passagers, en chargeaient d'autres et poursuivaient leur route.

Dans le flot de gens, j'ai vu une tête connue. La jeune fille de chez Strigan, et sa mère. Elles m'ont repéré. Les yeux de la fille se sont écarquillés, et elle s'est légèrement rembrunie. L'expression de sa mère n'a pas changé, mais toutes deux ont obliqué pour m'approcher. Elles me cherchaient, apparemment.

« Breq », a commencé la jeune fille quand elles se sont arrêtées devant moi. Retenue. De façon peu caractéristique, semblait-il.

« Ton oncle va bien ? me suis-je enquis.

— Oui, Oncle va très bien. » Mais clairement, quelque chose la troublait.

« Votre ami », a dit la mère, impassible comme toujours. Et elle s'est arrêtée.

« Oui ?

— Notre volier est garé près du vôtre, dit la jeune fille, redoutant visiblement de communiquer de mauvaises nouvelles. Nous l'avons vu en rentrant de dîner hier au soir.

— Continue. » Je n'aimais pas le suspense.

Sa mère a froncé les sourcils pour de bon. « Il n'est plus là, maintenant. »

J'attendais la suite.

« Vous avez dû le mettre hors de service, a-t-elle poursuivi. Votre ami a pris de l'argent, et les gens qui l'ont payé ont emporté le volier. »

Le personnel du parking n'avait pas dû poser de questions, elles avaient vu Seivarden avec moi.

« Elle ne parle aucune langue, ai-je protesté.

— Ils ont fait beaucoup de gestes ! a expliqué la fille, gesticulant d'abondance. Beaucoup de signes du doigt et de mots dits très lentement. »

J'avais gravement sous-estimé Seivarden. Bien entendu – elle avait survécu, allant d'un lieu à un autre sans autre langue que le radchaaï, et pas d'argent, probablement, mais avait quand même réussi à frôler l'overdose de kef. Sans doute plus d'une fois. Elle pouvait se débrouiller, même si elle le faisait mal. Elle était parfaitement capable d'obtenir sans aide ce qu'elle voulait. Elle avait voulu du kef, et elle l'avait obtenu. À mes dépens, mais ça n'avait pour elle aucune importance.

« Nous savions que ça ne pouvait pas être normal, a expliqué la fille, parce que vous aviez dit que vous ne passiez qu'une nuit ici avant de reprendre la route vers l'espace, mais personne ne nous aurait écoutées, nous sommes juste des gardiennes de bove. » Et sans doute que le genre de personne capable d'acheter un volier sans documents, sans preuve de propriété – un volier, en plus, qu'on a très clairement mis hors d'usage pour empêcher qu'il ne soit déplacé par toute autre personne que la propriétaire – ...ce devait être une très bonne idée d'éviter d'affronter une telle personne.

« Je ne me hasarderais pas à dire, déclara la mère, en une condamnation oblique, quelle sorte d'ami est votre ami. »

Pas mon ami. Jamais mon ami, ni maintenant ni à aucun moment. « Merci de m'avoir prévenu. »

Je me suis rendu au parking, et, en effet, le volier avait disparu. Quand je suis rentré à la chambre, j'ai trouvé Seivarden toujours en train de dormir. Ou au moins toujours inconsciente. Je me demandai combien de kef au juste le volier lui avait obtenu. Je ne me suis posé la question que le temps de récupérer mon paquetage dans le coffre du logement, de payer pour la nuit – après, Seivarden devrait se débrouiller toute seule, ce qui apparemment lui posait fort peu de problèmes – et je suis parti en quête d'un moyen de transport pour quitter la ville.

*
* *

Il y avait un bus, mais le premier était parti quinze minutes avant que je me renseigne sur lui, et le suivant ne partirait pas avant trois heures. Un train longeait le fleuve, vers le nord une fois par jour et, comme le bus, il était déjà parti.

Je ne voulais pas attendre. Je voulais partir d'ici. Plus précisément, je ne voulais pas risquer de revoir Seivarden, même brièvement. La température ici était en général au-dessus du point de congélation, et j'étais parfaitement capable de parcourir de longues distances à pied. La prochaine ville digne de ce nom était, selon les cartes que j'avais vues, à peine à un jour de distance, si je coupais par le pont de verre puis droit à travers la campagne au lieu de suivre la route, qui décrivait une courbe pour éviter le fleuve et le large gouffre du pont.

Le pont se situait à plusieurs kilomètres à l'extérieur de la ville. La marche me ferait du bien ; je n'avais pas fait assez d'exercice, ces derniers temps. Le pont lui-même pouvait présenter un vague intérêt. Je suis parti dans sa direction.

Lorsque j'ai eu parcouru un peu plus de cinq cents mètres, dépassant les logements et les boutiques de restauration qui cernaient le centre médical, pour entrer dans ce qui ressemblait à un quartier résidentiel – immeubles plus petits, épiceries, magasins de vêtements, complexes de maisons basses et carrées réunies par des passages couverts –, Seivarden a surgi derrière moi. « Breq ! a-t-elle hoqueté, essoufflée. Où allez-vous ? »

Je n'ai pas répondu, me contentant de presser le pas. « Breq, bordel ! »

Je me suis arrêté, mais sans me retourner. J'ai envisagé de parler. Rien de ce qui m'est venu à l'idée n'était même modérément mesuré, et rien de ce que je dirais ne servirait à rien. Seivarden m'a rejoint.

« Pourquoi vous ne m'avez pas réveillée ? » Plusieurs réponses me sont venues à l'esprit. Je me suis retenu d'en formuler une à haute voix, reprenant ma marche.

Je n'ai pas regardé en arrière. Je me moquais qu'elle me suive ou pas, espérais en fait qu'elle ne le ferait pas. Je ne pouvais certainement plus ressentir de responsabilité, la crainte qu'elle ne se retrouve sans défense, sans moi. Elle savait se débrouiller toute seule.

« Breq, bordel ! » a encore appelé Seivarden. Puis elle a juré et j'ai entendu ses pas derrière moi, et de nouveau son souffle laborieux quand elle m'a rattrapé. Cette fois-ci, je ne me suis pas arrêté, ai même légèrement pressé le pas.

Après cinq autres kilomètres, durant lesquels elle avait par intermittences pris du retard puis couru, souffle court, pour me rattraper, elle a lâché : « Par les nichons d'Aatr, tu es rancunière, toi. »

J'ai continué à marcher en silence.

Une heure a encore passé, laissant la ville loin derrière nous, et le pont apparut, noir mat, se cambrant au-dessus du précipice, des pointes et des boucles de verre au-dessous, rouge brillant, jaune intense, outremer, et les moignons déchiquetés d'autres. Les parois du gouffre étaient striées de noir, gris-vert et bleu, çà et là vernissées de glace. En bas, le fond du gouffre se perdait dans un nuage. Une pancarte en cinq langues proclamait qu'il s'agissait d'un monument protégé, d'accès autorisé seulement à une certaine catégorie de détenteurs de permis – quel permis, dans quel but, c'était un mystère pour moi, car je ne reconnaissais pas le mot. Une petite barrière interdisait l'entrée, rien que je ne puisse aisément enjamber, et il n'y avait personne d'autre sur place que Seivarden et moi. Le pont lui-même mesurait cinq mètres de large, comme tous les autres, et si le vent soufflait fort, il ne l'était pas assez pour me mettre en péril. J'ai avancé, enjambé la barrière et posé le pied sur le pont.

Si j'avais eu peur de l'altitude, j'aurais pu éprouver du vertige. Par chance, ce n'était pas le cas et mon seul inconfort venait de la perception des espaces dégagés derrière moi et sous moi, que je ne pouvais pas scruter sans détourner mon attention du reste. Mes bottes claquaient sur le verre noir, et toute la structure tanguait et frémissait légèrement sous le vent.

Un nouveau jeu de vibrations m'a appris que Seivarden m'avait suivi.

*
* *

Je suis en grande partie responsable de ce qui est arrivé par la suite.

Nous étions arrivées à la moitié de la traversée quand Seivarden a pris la parole. « Ça va, ça va, j'ai compris. Vous êtes en colère. »

Je me suis arrêté, mais sans me retourner. « Combien est-ce que ça vous a rapporté ? ai-je enfin demandé, une seule des choses que j'avais envisagé de dire.

— Quoi ? » Bien que je ne me sois pas retourné, je voyais son geste tandis qu'elle se penchait, les mains sur les genoux, l'entendais encore ahaner, s'efforçant de se faire entendre par-dessus le vent.

« Combien de kef ?

— Je n'avais besoin que d'un peu, a-t-elle dit, sans répondre tout à fait à ma question. Assez pour casser le manque. J'en ai *besoin*. Et c'est pas comme si vous aviez payé pour ce volier, au départ. » Un instant, j'ai cru qu'elle se souvenait de la façon dont j'avais acquis le volier, si invraisemblable que cela paraisse. Mais elle a poursuivi : « Vous en avez assez dans ce paquetage pour acheter dix voliers, et rien de tout ça n'est à vous, ça appartient à la Maître du Radch, non ? Me faire marcher comme ça, c'est juste que vous faites la gueule. »

Je me tenais là, toujours tournée vers l'avant, mon manteau plaqué contre moi par le vent. Me tenais là, à essayer de comprendre ce que ses mots signifiaient, pour qui ou pour quoi elle me prenait. Pourquoi elle imaginait que je m'étais soucié d'elle.

« Je sais ce que vous êtes, a-t-elle repris, tandis que je gardais le silence. Nul doute que vous aimeriez pouvoir me laisser derrière, mais vous ne pouvez pas, hein ? Vous avez l'ordre de me ramener.

— Qu'est-ce que je suis ? » ai-je demandé, toujours sans me retourner. Fort, contre le vent.

« *Personne*, voilà qui. » La voix de Seivarden s'était faite méprisante. Elle se tenait toute droite, à présent, juste derrière mon épaule gauche. « Tu as passé tes tests pour entrer chez les militaires, aux aptitudes, et comme un million d'autres rien-du-tout ces temps-ci, tu crois que ça fait de toi *quelqu'une*. Et tu t'es exercée pour l'accent, la façon de tenir tes manières à table, et à force de génuflexions tu as décroché une place aux Missions Spéciales et maintenant, ta mission spéciale, c'est *moi*, tu dois me ramener en un seul morceau, alors même que tu ne préférerais pas, pas vrai ? Tu as un problème, avec moi. Au jugé ton problème c'est que, tu pourras faire tout ce que tu voudras, t'agenouiller devant qui tu voudras, tu ne seras jamais ce que je suis née pour être, et les gens comme toi *détestent* ça. »

Je me suis tourné vers elle. Je suis certain que mon visage était dépourvu d'expression, mais quand mes yeux ont croisé les siens, elle a frémi – son manque n'était pas cassé, nullement – et a reculé de trois pas rapides, par réflexe.

Par-dessus le bord du pont.

Je suis allé jusqu'au bord et j'ai regardé en bas. Seivarden était suspendue six mètres plus bas, les mains crispées sur un tortillon complexe en verre rouge, les yeux écarquillés, la bouche légèrement ouverte. Elle a levé les yeux vers moi et a crié : « Tu allais me frapper ! »

Les calculs me vinrent avec facilité. Tous mes vêtements noués ne descendraient qu'à cinq mètres sept. Le verre rouge était fixé sous le pont en un point que je ne voyais pas, aucun signe de quoi que ce soit qu'elle pourrait escalader. Le verre coloré n'avait pas la solidité du pont lui-même – j'ai estimé que la spirale rouge se briserait sous le poids de Seivarden dans les trois à sept secondes qui venaient. Bien que ce ne soit qu'une supposition, toute aide que je pourrais appeler arriverait certainement trop tard. Des nuages continuaient à voiler les profondeurs extrêmes du gouffre. Le diamètre de ces tubes n'avait que quelques centimètres de moins que l'envergure de mes bras tendus, et les tubes eux-mêmes étaient très profonds.

« Breq ? » La voix de Seivarden était essoufflée et tendue. « Est-ce que tu peux faire quelque chose ? » Pas : *tu dois faire quelque chose*, au moins.

« Est-ce que vous me faites confiance ? » ai-je demandé. Ses yeux se sont encore écarquillés, ses ahanements sont devenus un peu plus rauques. Elle n'avait aucune confiance en moi, je le savais. Elle n'était restée avec moi que parce qu'elle se figurait que j'étais une officiel, et donc impossible à semer, et qu'elle était assez importante pour que le Radch envoie quelqu'une à sa recherche – se sous-estimer n'avait jamais été un défaut de Seivarden – et, peut-être parce qu'elle en avait assez de fuir, fuir le monde, se fuir elle-même. Prête à capituler. Mais je ne comprenais toujours pas pourquoi moi, j'étais avec *elle*. De toutes les officiers avec lesquelles j'avais servi, elle n'avait jamais compté parmi mes préférées.

« J'ai confiance en toi, a-t-elle menti.

— Quand je vous attraperai, allumez votre armure et passez les bras autour de moi. » Une nouvelle inquiétude a fulguré sur son visage, mais il n'y avait plus le temps. J'ai déployé mon armure sous mes vêtements et ai sauté du pont. À l'instant où mes mains ont touché ses épaules, le verre rouge s'est brisé, des fragments coupants volant en tous sens, rutilant brièvement. Seivarden a fermé les yeux, baissé la tête, visage contre mon cou, m'a tenu assez serré pour que, si je n'avais pas été armuré, ma respiration en ait été gênée. À cause de l'armure, je ne sentais pas son souffle paniqué sur ma peau, ni l'air qui filait, mais je l'entendais. Toutefois, elle n'a pas déployé son armure.

Si j'avais été plus que moi seule, si j'avais eu les chiffres dont j'avais besoin, j'aurais pu calculer notre vélocité terminale, et combien de temps exactement il faudrait pour l'atteindre. La gravité était facile, mais la résistance de l'air sur mon paquetage et nos lourds manteaux, qui claquaient autour de nous en affectant notre vitesse, me dépassait. Ça aurait été beaucoup plus facile à calculer dans le vide, mais nous ne tombions pas dans le vide.

La différence entre cinquante mètres par seconde et cent cinquante était, à ce moment-là, d'une importance tout à fait abstraite. Je ne voyais pas encore le fond, la cible que j'espérais atteindre était réduite, et je ne savais pas combien de temps nous aurions pour corriger notre attitude, si même nous le pouvions. Pendant les trente à quarante secondes qui venaient, nous n'avions rien à faire, sinon attendre, et tomber.

« Armure ! ai-je crié dans l'oreille de Seivarden.

— Vendue », a-t-elle répondu. Sa voix tremblait légèrement, luttant contre le flot de l'air. Son visage était toujours collé fermement contre mon cou.

Soudain le gris. De l'humidité se forma sur des portions exposées de mon armure et fila en bandes vers le haut. Une seconde trente-cinq plus tard, j'ai vu le sol, des cercles sombres étroitement serrés. Plus gros, et par conséquent plus proches qu'il ne me plaisait. Une pointe d'adrénaline m'a surpris ; j'avais dû trop m'habituer à la chute. J'ai tourné la tête, en essayant de regarder directement vers le bas, par-delà l'épaule de Seivarden vers ce qui se trouvait directement au-dessous de nous.

Mon armure était conçue pour diffuser la force de l'impact d'une balle, en dissiper une partie sous forme de chaleur. Elle était en théorie impénétrable, mais je pouvais quand même être blessé ou même tué par l'application d'une force suffisante. J'avais souffert de fractures des os, perdu des corps sous un déluge incessant de balles. Je n'étais pas sûr de ce que la friction de la décélération ferait à mon armure, ou à moi ; je disposais d'un peu d'augmentation du squelette et des muscles, mais savoir si cela suffirait ici, je n'en avais aucune idée. J'étais incapable de calculer exactement à quelle vitesse nous allions, combien d'énergie il fallait précisément dissiper afin de ralentir jusqu'à une vitesse à laquelle on pouvait survivre, quelle chaleur serait dégagée à l'intérieur et à l'extérieur de mon armure. Et sans armure, Seivarden serait incapable de me prêter assistance.

Bien entendu, si j'avais encore été ce que j'étais jadis, cela n'aurait eu aucune importance. Ce corps n'aurait pas été mon seul corps. Je ne pouvais pas m'empêcher de penser que j'aurais dû laisser Seivarden tomber. N'aurais pas dû sauter. Dans ma chute, je ne savais toujours pas pourquoi je l'avais fait. Mais au moment de choisir j'avais découvert que je ne pouvais pas m'en aller.

À présent, je connaissais notre distance en centimètres. « Cinq secondes », ai-je dit, crié, par-dessus le bruit du vent. C'était déjà quatre. Si nous avions beaucoup, beaucoup de chance, nous tomberions directement dans un des tubes au-dessous de nous et je forcerais mes mains et mes pieds contre les parois. Si nous avions beaucoup, beaucoup de chance, la chaleur de la friction n'infligerait pas de trop graves brûlures à Seivarden dépourvue d'armure. Si j'avais encore plus de chance, je ne me casserais que les poignets et les chevilles. Tout cela me donnait l'impression d'être peu probable, mais les augures tomberaient comme Amaat le voudrait.

Tomber ne me tracassait pas. Je pouvais tomber éternellement sans me blesser. C'était l'arrêt qui posait problème. « Trois secondes.

— Breq, fit Seivarden, dans un hoquet sanglotant. Je t'en prie. »

Il y avait des réponses que je n'aurais jamais. J'abandonnai tous les calculs que je continuais à faire. Je ne savais pas pourquoi j'avais sauté mais, à cet instant, ça ne comptait plus, à ce moment, il n'y avait plus rien d'autre. « Quoi que tu fasses, (une seconde) ne lâche pas. »

Les ténèbres. Aucun impact. J'ai tendu les bras, qui ont été immédiatement forcés vers le haut, poignets et une cheville se brisant sous l'impact malgré le renfort de mon armure, tendons et muscles se déchirant, et nous avons entamé une culbute sur le côté. Malgré la douleur, j'ai ramené mes bras et mes jambes, les ai détendus à nouveau, rapidement, compensant mon erreur d'estimation première, nous stabilisant l'instant d'après. Quelque chose dans ma jambe droite s'est brisé, ce faisant, mais je ne pouvais me permettre de m'en préoccuper. Centimètre par centimètre, nous avons commencé à ralentir.

Je ne pouvais plus contrôler mes mains ou mes pieds, ne pouvais que pousser contre les parois et espérer que nous ne serions pas de nouveau déséquilibrées par la pression pour tomber désemparées, tête la première, vers la mort. La douleur était vive, aveuglante, bloquant tout sauf les chiffres – une distance (estimée) décroissant par centimètres (également estimés) ; une vitesse (estimée) qui diminuait ; la température extérieure de l'armure (augmentant à mes extrémités, danger possible d'outrepasser les paramètres de tolérance, blessure possible en conséquence), mais les chiffres étaient presque dénués de sens pour moi, la douleur était plus forte, plus immédiate, que tout le reste.

Pourtant les chiffres importaient. Une comparaison entre la distance et notre taux de décélération suggérait une catastrophe devant nous. J'ai essayé de prendre une profonde inspiration, pour découvrir que j'en étais incapable, et j'ai tenté de pousser plus fort contre les parois.

Je n'ai aucun souvenir du reste de la descente.

*
* *

Je m'éveillai, sur le dos, dans la souffrance. Mes mains et mes bras, mes épaules. Mes pieds et mes jambes. Devant moi – directement au-dessus – un cercle de lumière grise. « Seivarden », ai-je essayé de dire, mais cela s'est résumé à un soupir convulsif, qui a à peine résonné contre les parois. « Seivarden. » Cette fois, le nom est sorti, mais à peine audible et déformé par mon armure. J'ai replié l'armure et tenté à nouveau de parler, réussissant enfin à utiliser ma voix. « Seivarden. »

J'ai levé la tête, à peine. Dans la vague lumière venue d'en haut, j'ai vu que je gisais sur le sol, genoux pliés et tournés sur un côté, la jambe droite à un angle saisissant, mes bras raides à côté de mon corps. J'ai essayé de remuer un doigt, échoué. Une main. Échoué – bien entendu. J'ai essayé de déplacer ma jambe droite, qui a répondu par un surcroît de douleur.

Il n'y avait personne ici que moi. Rien d'autre que moi – je ne voyais pas mon paquetage.

À une époque, s'il y avait eu un vaisseau radchaaï en orbite, j'aurais pu le contacter, simple comme une pensée. Mais si je m'étais trouvé dans les parages d'un vaisseau radchaaï, cela ne serait jamais arrivé.

Si j'avais laissé Seivarden dans la neige, cela ne serait jamais arrivé.

J'étais parvenu si près. Après vingt ans de stratégies et de travail, de manœuvres, deux pas en avant ici, un en arrière là, avec lenteur, avec patience, contre toute vraisemblance, j'étais arrivé jusqu'en ce point. Tant de fois, j'avais lancé les augures, comme cette fois-ci, mettant en jeu non seulement ma réussite, mais ma vie, et chaque fois j'avais gagné, ou du moins je n'avais pas perdu d'une façon qui m'aurait interdit toute nouvelle tentative.

Jusqu'à maintenant. Et pour une raison tellement stupide. Au-dessus de moi, des nuages cachaient le ciel hors de portée, l'avenir que je n'avais plus, le but que j'étais désormais incapable d'atteindre. Échec.

J'ai fermé les yeux pour retenir des larmes qui n'étaient pas causées par la douleur physique. Si j'échouais, ce ne serait pas parce que j'avais jamais, à aucun moment, abandonné.

Seivarden était partie, je ne savais comment. Je la retrouverais. Je me reposerais un temps, je me reprendrais, je trouverais la force d'extraire le portatif que je gardais dans mon manteau et j'appellerais à l'aide, ou découvrirais une autre façon de partir d'ici, et si cela signifiait que je devrais me traîner au-dehors sur les moignons sanglants et inutiles de mes membres, je le ferais, douleur ou pas, ou je mourrais en m'y efforçant.

Chapitre quatorze

Une des trois Mianaaï n'arriva même pas au pont Var ; elle transmit le code de mon pont central d'accès. *Accès invalide*, songeai-je, en le recevant, mais j'arrêtai l'ascenseur à ce niveau et ouvris quand même la porte. Cette Mianaaï se dirigea vers ma console principale, fit d'un geste apparaître des archives, parcourut rapidement un siècle de titres d'entrées. S'arrêta, fronça les sourcils à un point de la liste qui avait dû être enregistré durant les cinq ans encadrant cette dernière visite que je lui avais dissimulée.

Les deux autres Mianaaï rangèrent leurs sacs dans des quartiers et se rendirent à la salle de décade Var nouvellement allumée, qui se réchauffait doucement. Toutes deux s'assirent en silence à la table, un saint valskaayien en verre coloré leur souriant d'en haut avec bienveillance. Sans s'exprimer à voix haute, elle me demanda des informations – un échantillonnage aléatoire de souvenirs de cette période de cinq ans qui avait tellement attiré son attention, au-dessus, au pont central d'accès. Silencieuse, dénuée d'expression – irréelle, en un sens, puisque je ne pouvais la voir que de l'extérieur –, elle suivit mes souvenirs qui se projetaient sur ses rétines et dans ses oreilles. Je commençai à douter de la véracité de mes mémoires sur cette autre visite. Il semblait n'en exister aucune trace dans l'information à laquelle Anaander Mianaaï accédait, rien d'autre durant cette période que des opérations de routine.

Mais quelque chose avait attiré son attention sur cette période. Et il y avait cet *Accès invalide* à justifier – aucun des accès d'Anaander Mianaaï n'était jamais invalide, ne pouvait jamais l'être. Et pourquoi avais-je ouvert, face à un accès invalide ? Et quand une Anaander, en salle de décade Var, se rembrunit et déclara : « Non, rien », et que la Maître du Radch tourna son attention vers des souvenirs plus récents, je me sentis terriblement soulagé.

Pendant ce temps, ma capitaine et toutes mes autres officiers vaquaient aux occupations routinières de la journée – entraînement, exercice, repas, discussions –, complètement inconscientes de la présence à bord de la Maître du Radch. Tout cela était anormal.

La Maître du Radch observa mes lieutenants Esk ferrailler au cours du petit déjeuner. Trois fois. Sans aucun changement visible d'expression. Un Var posa du thé devant chacun des deux corps identiques vêtus de noir dans la salle de décade Var.

« La lieutenant Awn, déclara une Anaander. S'est-elle retrouvée hors de votre présence depuis l'incident ? » Elle n'avait pas spécifié de quel incident elle parlait, mais elle ne pouvait faire référence qu'à l'affaire dans le temple d'Ikkt.

« Non, Altesse », répondis-je en employant la bouche d'Un Var.

Sur mon pont central d'accès, la Maître du Radch avait entré des accès et des contraintes pour lui permettre de changer presque tout ce qu'elle souhaitait, dans mon esprit. *Invalide, invalide, invalide.* L'un après l'autre. Mais à chaque fois j'exprimais mon approbation, confirmais un accès qu'elle ne possédait pas réellement. J'avais une sensation voisine de la nausée, commençant à prendre conscience de ce qui avait dû se passer, mais sans pouvoir accéder à aucun souvenir qui puisse confirmer mes soupçons et clarifier pour moi ce sujet, sans ambiguïté.

« A-t-elle, à aucun moment, discuté de cet incident avec qui que ce soit ? »

Une chose était claire, au moins – Anaander Mianaaï agissait contre *elle-même*. En secret. Elle était divisée en deux – au moins deux. Je ne pouvais discerner que des traces de l'autre Anaander, celle qui avait changé les accès, ceux qu'elle croyait modifier seulement maintenant, de façon à s'avantager.

« A-t-elle, à aucun moment, discuté de cet incident avec qui que ce soit ?

— Brièvement, Altesse », dis-je. Véritablement angoissé pour la première fois de ma longue vie. « Avec la lieutenant Skaaïat du *Justice d'Enté.* » Comment ma voix – Un Var – pouvait-elle parler avec un tel calme ? Comment pouvais-je même savoir les mots à dire, les réponses à donner, quand la base entière de tous mes actes – et même ma raison d'exister – était plongée dans le doute ?

Une Mianaaï se rembrunit – pas celle qui avait parlé. « Skaaïat », dit-elle avec un léger dégoût. Apparemment inconsciente de ma peur soudaine. « J'ai des soupçons sur Awer depuis un moment. » Awer était le nom de maison de la lieutenant Skaaïat, mais le rapport que cela avait avec les événements du temple d'Ikkt, je ne le voyais pas. « Je n'ai jamais pu trouver de preuve. » Cela aussi était mystérieux, pour moi. « Montre-moi la conversation. »

Quand la lieutenant Skaaïat dit : *Si tu dois commettre une telle folie, réserve ça pour un moment où ça changera quelque chose,* un corps se pencha vivement en avant et poussa un *ha !* expiré, un son de colère. Quelques instants plus tard, à la mention d'Imé, des sourcils frémirent. Je craignais de plus en plus que ma consternation devant la teneur imprudente, franchement dangereuse, de ce dialogue ne soit détectable par la Maître du Radch, mais elle n'en fit aucune mention. Ne l'avait pas vue, peut-être, comme elle n'avait pas remarqué mon trouble profond en constatant qu'elle n'était plus une seule personne, mais deux, en conflit l'une et l'autre.

« Pas de preuve. Insuffisant, déclara Mianaaï, sans s'apercevoir de rien. Mais dangereux. Awer *devrait* pencher de mon côté. » Pourquoi elle pensait cela, je ne le compris pas tout de suite. Les Awer venaient du Radch même, avaient eu depuis le début assez de fortune et d'influence pour s'autoriser à critiquer, et ne s'en privaient pas – quoique en général avec une habileté suffisante pour se préserver d'ennuis sérieux.

Je connaissais la maison Awer depuis longtemps, j'avais transporté leurs jeunes lieutenants, les avais connues capitaines d'autres vaisseaux. Certes, aucune Awer apte au service militaire n'avait jamais trop mis en avant les penchants de sa maison. Un sens de l'injustice excessif ou une propension au mysticisme ne se mariait pas bien avec les annexions. Ni avec la fortune et le rang – inévitablement, les indignations morales de n'importe quelle Awer avaient un léger fumet d'hypocrisie, lorsqu'on prenait en compte le confort et les privilèges dont jouissait une maison si ancienne ; et si certaines injustices avaient pour elles une évidence qu'on ne pouvait ignorer, il en était d'autres qui leur restaient invisibles.

Quoi qu'il en soit, le pragmatisme sardonique de la lieutenant Skaaïat n'était pas étranger à sa maison. Ce n'était qu'une version plus douce, plus vivable, de cette tendance des Awer à l'indignation morale.

Sans doute chaque Anaander estimait-elle que sa cause était la plus juste. (La plus convenable, la plus avantageuse. Certainement.) Si on prenait en compte le penchant des Awer pour les justes causes, les citoyens de cette maison auraient dû soutenir le camp convenable. À condition qu'elles sachent seulement l'existence de ces camps.

Cela présupposait, bien entendu, que n'importe quelle partie d'Anaander Mianaaï jugeait que n'importe quelle Awer était guidée par une passion pour la justice et non par un intérêt personnel dissimulé sous une prétention au bien. Et n'importe quelle Awer pouvait, selon les périodes, être guidée par l'une ou l'autre.

Quoi qu'il en soit, il était possible qu'une partie d'Anaander Mianaaï juge qu'Awer (ou n'importe quelle Awer en particulier) n'avait besoin que d'être convaincue de la justice de sa cause pour s'en faire la champion. Et, assurément, elle savait que, si on ne pouvait pas convaincre Awer – n'importe quelle Awer –, elles seraient ses ennemies implacables.

« Suleir, en revanche… » Anaander Mianaaï se retourna vers Un Var, debout en silence à la table. « Dariet Suleir semble être une alliée de la lieutenant Awn. Pourquoi ? »

La question me troubla, pour des raisons que je ne sus pas tout à fait identifier. « Je ne peux pas avoir une certitude totale, Altesse, mais je crois que la lieutenant Dariet considère la lieutenant Awn comme une officier capable et, bien entendu, elle défère à la lieutenant Awn, en tant que supérieure de décade. » Et, peut-être, avait assez d'assurance en son propre statut pour ne pas tenir rigueur à la lieutenant Awn d'avoir autorité sur elle. À la différence de la lieutenant Issaaïa. Mais cela, je ne le dis pas.

« Rien à voir avec des sympathies politiques, alors ?

— Je ne sais comment comprendre ce que vous voulez dire, Altesse », objectai-je, très sincèrement, mais avec une inquiétude croissante.

Un autre corps de Mianaaï s'adressa à moi : « Est-ce que tu joues les imbéciles avec nous, Vaisseau ?

— Je vous demande pardon, Altesse, répondis-je, m'exprimant toujours par le truchement d'Un Var. Si je savais ce que cherche votre Altesse, je serais plus à même de fournir les données appropriées. »

En réponse, Mianaaï déclara : « *Justice de Toren*, quand t'ai-je rendu visite pour la dernière fois ? »

Si ces accès et ces contraintes avaient été valides, j'aurais été parfaitement incapable de dissimuler quoi que ce soit à la Maître du Radch. « C'était il y a deux cent trois ans, quatre mois, une semaine et cinq jours, Altesse », mentis-je, certain à présent du sens de cette question.

« Donne-moi tes souvenirs de l'incident au temple », ordonna Mianaaï, et je m'exécutai.

Et mentis à nouveau. Parce que, si presque chaque instant de chacun de ces flots individuels de souvenirs et de données était intact, ce moment d'horreur et de doute où un segment avait craint de devoir abattre la lieutenant Awn avait, chose impossible, disparu.

*
* *

Cela paraît simple, lorsque je dis « je ». À l'époque, « je » signifiait le *Justice de Toren*, le vaisseau entier et tous ses ancillaires. Une unité pouvait être très concentrée sur ses actions à un instant précis, mais elle n'était pas plus distincte de « moi » que ne l'est ma main quand elle est occupée à une tâche qui n'exige pas ma pleine attention.

Presque vingt ans plus tard, « je » était un corps unique, un cerveau unique. J'ai abouti à la conclusion que cette division moi-le *Justice de Toren* et moi-Un Esk, ne fut pas une soudaine scission, pas un instant où « je » était d'abord un, puis fut « nous ». Ce fut une éventualité qui avait toujours existé, toujours été potentielle. Réprimée. Mais comment était-on passé du potentiel au réel, à l'indéniable, à l'irrévocable ?

À un niveau, la réponse est simple – c'est arrivé lorsque le *Justice de Toren* a été entièrement détruit, moi excepté. Mais quand j'y regarde de plus près, il me semble distinguer des fissures un peu partout. Le chant y a-t-il contribué, cette chose qui différenciait Un Esk de toutes les autres unités du vaisseau ou, en vérité, des flottes ? Peut-être. Ou l'identité de *chacun* n'est-elle qu'une affaire de fragments liés ensemble par une narration commode ou utile qui, en des circonstances ordinaires, ne se révèle jamais comme une fiction ? Mais est-ce réellement une fiction ?

Je ne connais pas la réponse. Mais je sais en revanche que, bien que je puisse discerner des indices de fracture potentielle qui remontent à mille ans ou plus, ce n'est qu'une vision rétrospective. La première fois que j'ai pu remarquer la simple possibilité que je-*Justice de Toren* puisse ne pas être également je-Un Esk fut ce moment où le *Justice de Toren* rectifia la mémoire d'Un Esk sur le massacre dans le temple d'Ikkt. Le moment où je – « je » – en fut *surpris*.

Cela rend l'histoire difficile à retransmettre. Parce que, toujours, « je » restais moi, unitaire, une seule chose, et pourtant, j'agissais contre moi, contrairement à mes intérêts et à mes désirs, parfois en secret, m'abusant sur ce que je savais et faisais. Et il est difficile pour moi, maintenant encore, de savoir qui a exécuté quels actes, ou connaissait quelle information. Parce que j'étais le *Justice de Toren*. Même quand je ne l'étais pas. Même si je ne le suis plus.

*

* *

Au-dessus, sur Esk, la lieutenant Dariet demanda à être admise dans les quartiers de la lieutenant Awn, la trouva étendue sur sa couchette, les yeux levés sans voir, ses mains gantées derrière la tête. « Awn », commença-t-elle ; elle s'arrêta, eut un sourire amer. « Je suis venue me mêler de ce qui ne me regarde pas.

— Je n'ai pas le droit d'en parler », répondit la lieutenant Awn, les yeux toujours au plafond, dépitée et fâchée, mais ne laissant pas cela influer sur sa voix.

Dans la salle de décade Var, Mianaaï demanda : « Où vont les sympathies politiques de Dariet Suleir ?

— Je ne crois pas qu'elle en ait à proprement parler », répondis-je, par la bouche d'Un Var.

La lieutenant Dariet entra dans les quartiers de la lieutenant Awn, s'assit sur le bord du lit, à côté des pieds débottés de la lieutenant Awn. « Je ne parle pas de ça. Tu as eu des nouvelles de Skaaïat ? »

La lieutenant Awn ferma les yeux. Toujours dépitée. Toujours fâchée. Mais avec une sensation légèrement différente. « Pourquoi le devrais-je ? »

La lieutenant Dariet resta silencieuse trois secondes. « J'aime bien Skaaïat, dit-elle enfin. Je sais qu'elle t'aime bien.

— J'étais là. J'étais là, c'était commode. Tu sais, nous savons toutes que nous allons partir très bientôt et, une fois que cela arrivera, Skaaïat n'aura aucune raison de se soucier que j'existe ou pas. Et même si… » La lieutenant Awn s'arrêta. Déglutit. Prit sa respiration. « Même si elle en avait, poursuivit-elle d'une voix tout juste un peu moins ferme qu'avant, ça n'aurait aucune importance. Je ne suis pas quelqu'une avec qui elle tient à se retrouver liée, plus maintenant. En admettant que je l'aie été. »

Au-dessous, Anaander Mianaaï commenta : « La lieutenant Dariet semble pro-réforme. »

Cela m'interloqua. Mais Un Var n'avait aucune opinion, bien entendu, n'étant qu'Un Var, et il n'eut aucune réaction physique à ma perplexité. Je vis soudain, clairement, que j'utilisais Un Var comme un masque, bien que je ne comprenne ni pourquoi ni comment j'agissais ainsi. Ni pourquoi l'idée m'en venait à présent. « Si votre Altesse veut bien me pardonner, je ne vois pas là une attitude politique.

— Ah non ?

— Non, Altesse. Vous avez ordonné les réformes. Les citoyens loyales les soutiennent. »

Cette Mianaaï sourit. L'autre se leva, quitta la salle de décade pour arpenter les coursives de Var, en inspection. Sans parler ni reconnaître en quelque façon que ce soit la présence des segments d'Un Var qu'elle croisait.

La lieutenant Awn déclara, devant le silence sceptique de la lieutenant Dariet : « C'est facile pour toi. Personne ne pense que tu t'agenouilles pour obtenir des avantages, lorsque tu couches avec quelqu'une. Ou que tu te montes la tête. Personne ne se demande ce que peut penser ta partenaire, ni comment tu as pu arriver jusqu'ici.

— Je te l'ai déjà dit, tu es trop sensible sur ce point.

— Vraiment ? » La lieutenant Awn ouvrit les yeux, se souleva sur ses coudes. « Qu'en sais-tu ? As-tu souvent ressenti cela ? Moi, oui. Tout le temps.

— Voilà, déclara Mianaaï dans la salle de décade, un sujet plus complexe que beaucoup ne le pensent. La lieutenant Awn est pro-réforme, bien entendu. » J'aurais voulu recevoir les données physiques de Mianaaï, afin de pouvoir interpréter les nuances de sa voix quand elle nommait la lieutenant Awn. « Dariet aussi, peut-être, bien que la question soit de savoir à quel point. Et le reste des officiers ? Qui est pro-réforme, ici, et qui est anti ? »

Dans les quartiers de la lieutenant Awn, la lieutenant Dariet poussa un soupir. « Je pense simplement que tu t'en préoccupes trop. Qui se soucie de ce que disent des gens comme ça ?

— Il est facile de ne pas s'en préoccuper quand on est riche, et sur un pied d'égalité sociale avec des *gens comme ça*.

— Ce genre de choses ne devrait pas compter, insista la lieutenant Dariet.

— Ça ne devrait pas. Mais ça compte. »

La lieutenant Dariet fronça les sourcils. Excédée, frustrée. Cette conversation avait déjà eu lieu, avait tourné chaque fois de la même façon. « Eh bien. Malgré tout. Tu devrais envoyer un message à Skaaïat. Qu'as-tu à perdre ? Si elle ne répond pas, elle ne répond pas. Mais, peut-être… » La lieutenant Dariet souleva une épaule, et le bras, à peine. Un geste qui disait *Cours ce risque et vois ce que le destin t'envoie.*

Si j'hésitais à répondre à la question d'Anaander Mianaaï, ne serait-ce qu'un instant infime, elle saurait que ses contraintes étaient inopérantes. Un Var était très, très impassible. Je nommai quelques officiers qui avaient des opinions arrêtées en un sens ou en l'autre. « Le reste, terminai-je, se satisfait de suivre les ordres et d'accomplir ses tâches sans trop s'inquiéter de politique. Pour autant que je puisse le déterminer.

— On pourrait les attirer dans un camp ou dans l'autre, fit observer Mianaaï.

— Je ne saurais le dire, Altesse. » Mon sentiment de crainte augmentait, mais de façon détachée. Peut-être l'absence totale de réaction de mes ancillaires rendait-elle ce sentiment lointain, irréel. Des vaisseaux de ma connaissance, qui avaient échangé leurs équipages d'ancillaires contre des humains, avaient dit que leur expérience de l'émotion avait changé, bien que ce que j'éprouvais en ce moment ne semble pas correspondre exactement aux données qu'ils m'avaient montrées.

Le son d'Un Esk en train de chanter parvint faiblement à la lieutenant Awn et à la lieutenant Dariet, un chant simple à deux voix.

Je marchais, je marchais
Quand j'ai rencontré mon amour
J'étais dans la rue, je marchais,
Quand j'ai vu mon amour vrai.
J'ai dit : « Elle est plus belle que joyaux, plus charmante
que jade ou lapis-lazuli, qu'argent ou or. »

« Je suis contente qu'Un Esk soit de nouveau lui-même, dit la lieutenant Dariet. C'était une drôle de première journée.

— Deux Esk ne chantait pas, fit observer la lieutenant Awn.

— C'est vrai, mais... » La lieutenant Dariet eut un geste de doute. « Ce n'était pas comme il fallait. » Elle regarda la lieutenant Awn d'un coup d'œil spéculatif.

« Je ne peux pas en parler », déclara la lieutenant Awn, et elle s'allongea à nouveau, croisant les bras sur ses yeux.

Sur le pont de commandement, la capitaine de centaine Rubran s'entretint avec les commandants de décades, but du thé, discuta tours de service et périodes de permission.

« Tu n'as pas mentionné la capitaine de centaine Rubran », demanda Mianaaï, dans la salle de décade Var.

En effet. Je connaissais extrêmement bien la capitaine Rubran, chacun de ses souffles, chaque frémissement musculaire. Elle était ma capitaine depuis cinquante-six ans.

« Je ne l'ai jamais entendue exprimer d'opinion sur la question, dis-je, parfaitement sincère.

— Jamais ? Alors, il est certain qu'elle en a une et qu'elle la dissimule. »

Cela m'apparut comme une double contrainte. Parlez et vous montrez à tous que vous avez une opinion. Taisez-vous et vous laissez croire que non seulement vous en possédez une, mais que vous la cachez. Si la capitaine Rubran disait : *En vérité, je n'ai aucune opinion sur le sujet*, cela serait-il simplement une autre preuve qu'elle en avait une ?

« Elle a dû être présente alors que d'autres en discutaient, poursuivit Mianaaï. Quels ont été ses sentiments en de telles occasions ?

— L'exaspération, répondis-je à travers Un Var. L'impatience. Parfois l'ennui.

— L'exaspération, songea Mianaaï. Exaspérée par quoi, je me demande ? » Je ne connaissais pas la réponse, aussi restai-je muet. « Ses liens de famille sont tels que je ne peux pas être certaine de l'orientation la plus probable de ses sympathies. Et je ne tiens pas à m'aliéner certaines d'entre elles avant de pouvoir faire mouvement ouvertement. Je dois avancer avec précaution, avec la capitaine Rubran. Mais *elle* agira à l'identique. »

Elle désignant, bien entendu, elle-même.

Il n'y avait eu aucune tentative de découvrir quelles étaient *mes* sympathies. Peut-être – non : sûrement – étaient-elles sans conséquence. Et j'étais déjà bien avancé sur la voie où m'avait placé l'autre Mianaaï. Ces quelques Mianaaï, et les quatre segments d'Un Var dégelés pour son service, ne faisaient paraître que plus déserts le pont Var, et tous les ponts entre ici et mes moteurs. Des centaines de milliers d'ancillaires dormaient dans mes cales, et seraient sans doute évacués au cours des prochaines années, soit entreposés, soit détruits, sans plus jamais se réveiller. Et je serais placé en orbite quelque part, de façon permanente. Mes moteurs presque certainement mis hors de service. Ou je serais directement détruit – bien qu'aucun de nous ne l'ait été jusqu'ici, et que je sois assez certain que, plus probablement, je servirais d'habitat, ou de noyau à une petite station.

Pas la vie pour laquelle j'avais été construit.

« Non, je ne peux pas brûler les étapes avec Rubran Osck. Mais ta lieutenant Awn est une autre affaire. Et peut-être peut-elle aider à découvrir la position d'Awer.

— Altesse, dis-je par une des bouches d'Un Var, je ne comprends pas la situation. Je me sentirais beaucoup plus à mon aise si la capitaine de centaine connaissait votre présence ici.

— Tu n'aimes pas avoir des secrets pour ta capitaine ? demanda Anaander, d'un ton qui était à parts égales amer et amusé.

— Non, Altesse. Bien entendu, j'agirai précisément selon vos ordres. » Une soudaine sensation de déjà-vu me submergea.

« Bien entendu. Je devrais expliquer certaines choses. » Le sentiment de déjà-vu augmenta. J'avais déjà tenu cette conversation avec la Maître du Radch, dans des circonstances presque exactement identiques. *Tu sais que chacun de tes segments ancillaires est tout à fait capable d'avoir sa propre identité,* allait-elle dire ensuite. « Tu sais que chacun de tes segments ancillaires est tout à fait capable d'avoir sa propre identité.

— Oui. » Chaque mot, familier. Je le sentais, comme si nous récitions des répliques que nous avions mémorisées. Ensuite, elle allait dire : *Imagine que tu ne puisses te décider sur un sujet.*

« Imagine qu'un ennemi sépare de toi une partie de toi. »

Pas ce à quoi je m'attendais. *Que disent les gens, quand cela se produit ? Elles sont partagées. Elles sont divisées.*

« Imagine que cet ennemi réussisse à falsifier ou à forcer le passage en dépit de tous les accès nécessaires. Et que cette partie de toi te revienne – mais ne fasse plus réellement partie de toi. Et que tu ne t'en aperçoives pas. Pas tout de suite. »

Toi et moi, nous pouvons réellement être divisées, n'est-ce pas.

« C'est une idée très inquiétante, Altesse.

— En effet », acquiesça Anaander Mianaaï, assise tout ce temps dans la salle de décade Var, inspectant les coursives et les salles du pont Var. Observant la lieutenant Awn, de nouveau seule, et accablée. Gesticulant à travers mon esprit, sur le pont central d'accès. Ou du moins le pensait-elle. « Je ne sais pas précisément qui a fait ça. Je soupçonne l'intervention des Presgers. Elles se mêlaient déjà de nos affaires avant le traité. Et après... Il y a cinq cents ans, les meilleurs chirurgicaux et correctifs étaient fabriqués dans l'espace du Radch. À présent, nous les achetons aux Presgers. Tout d'abord les stations limitrophes, uniquement, mais à présent elles sont partout. Il y a huit cents ans, le Bureau des Traducteurs était une association d'officiers subalternes qui prêtaient leur assistance pour interpréter le renseignement extra-Radch, et aplanissaient les problèmes linguistiques au cours des annexions. Désormais, elles dictent la politique. La principale d'entre elles étant l'Émissaire auprès des Presgers. » Cette dernière phrase fut prononcée avec un dégoût audible. « Avant le traité, les Presgers détruisaient quelques vaisseaux. Désormais, elles détruisent la civilisation du Radch tout entière.

» L'expansion, l'annexion, coûtent très cher. Nécessaire… elle l'est depuis le début. Au départ, pour entourer le Radch lui-même d'une zone tampon, la protéger de toute sorte d'attaque ou d'interférence. Plus tard, afin de protéger *ces* citoyens-là. Et d'étendre la portée de la civilisation. Et… » Mianaaï s'arrêta, lâcha un bref soupir exaspéré. « De payer les annexions précédentes. De fournir de la richesse aux Radchaaïs en général.

— Altesse, que soupçonnez-vous les Presgers d'avoir fait ? » Mais je le savais. Même avec ma mémoire occultée et incomplète, je le savais.

« Elles m'ont divisée. Ont corrompu une partie de moi. Et la corruption s'est étendue, l'autre moi a recruté – non seulement d'autres parties de moi, mais également mes propres citoyens. Mes propres soldats. » *Mes propres vaisseaux.* « Mes propres vaisseaux. Je ne puis que conjecturer son but. Mais ce ne peut rien être de bon.

— Est-ce que je comprends correctement, demandai-je, connaissant déjà la réponse, que cette autre Anaander Mianaaï est la force derrière l'arrêt des annexions ?

— Elle va détruire tout ce que j'ai édifié ! » Je n'avais jamais vu la Maître du Radch aussi frustrée et furieuse.

Ne l'en aurais pas crue capable. « Te rends-tu compte – il n'y a aucune raison pour que tu y aies songé un jour – que c'est l'appropriation de ressources au cours des annexions qui alimente notre économie ?

— Je crains, Altesse, de n'être qu'un transport de troupes, je ne me suis jamais soucié de telles choses. Mais ce que vous dites a du sens.

— Et toi. Je doute qu'il te tarde de perdre tes ancillaires. »

En dehors de moi, mes lointains compagnons, les *Justices* stationnés autour du système, étaient silencieux, en attente. Combien d'entre eux avaient reçu cette visite – ou ces deux visites ? « Non, Altesse.

— Je ne peux promettre d'être capable de l'empêcher. Je ne suis pas préparée à une guerre ouverte. Toutes mes actions s'effectuent en secret, pour pousser ici, tirer là, m'assurer de mes ressources et de mes soutiens. Mais au final, elle est moi, et il y a peu de chose que je puisse faire à quoi elle n'aura pas déjà pensé. Elle a déjà déjoué mes manœuvres plusieurs fois. Voilà pourquoi j'ai pris tant de précautions pour t'approcher. Je voulais être certaine qu'elle ne t'avait pas déjà subornée. »

Je sentis qu'il était plus prudent de ne pas faire de commentaires, et demandai, à travers Un Var : « Altesse, les armes dans le lac, à Ors. » *Était-ce l'œuvre de votre ennemie ?* faillis-je lui demander, mais si nous affrontions deux Anaander, chacune s'opposant à l'autre, comment savoir qui était qui ?

« Les événements à Ors n'ont pas précisément tourné comme je l'aurais voulu, répondit Anaander Mianaaï. Je ne m'attendais pas à ce qu'on trouve ces armes, mais si une pêcheur orsienne les avait localisées et n'avait rien dit, ou même les avait emportées, mon but aurait quand même été atteint. » Au lieu de quoi, Denz Ay avait signalé sa découverte à la lieutenant Awn. La Maître du Radch ne s'attendait pas à cela, je le vis, n'imaginait pas que les Orsiens plaçaient tant de confiance en la lieutenant Awn. « Je n'ai pas obtenu là-bas ce que je voulais, mais peut-être les résultats serviront-ils malgré tout mon objectif. La capitaine de centaine Rubran va recevoir l'ordre de quitter ce système pour Valskaay. Il était plus que temps que vous partiez. Ce serait fait depuis un an, sans l'insistance de la Sublime d'Ikkt pour que la lieutenant Awn reste, et sans ma propre opposition. Qu'elle le sache ou non, la lieutenant Awn est l'instrument de mon ennemi, j'en suis certaine. »

Je n'avais pas assez confiance en l'impassibilité d'Un Var pour répondre à cela et, par conséquent, ne parlai pas. Au-dessus, sur le pont central d'accès, la Maître du Radch continuait à effectuer des changements, donner des ordres, altérer mes pensées. S'en croyant toujours effectivement capable.

*
* *

L'ordre de départ ne surprit personne. Quatre autres *Justices* l'avaient déjà reçu au cours de l'année écoulée, pour des destinations qui se voulaient définitives. Mais ni moi ni aucune de mes officiers ne nous attendions à Valskaay, à six portes de là.

Valskaay, que j'avais regretté de quitter. Deux cents ans auparavant, dans la ville de Vestris Cor, sur Valskaay même, Un Esk avait découvert des volumes et des volumes de musique chorale sophistiquée, à plusieurs voix, tous prévus pour les rites de la gênante religion de Valskaay, datant parfois d'avant que les humains atteignent l'espace. J'avais téléchargé tout ce qu'il avait trouvé, si bien qu'il regretta à peine d'être envoyé dans la campagne loin d'un tel trésor, s'évertuer à extirper des rebelles d'une réserve, une forêt, des cavernes et des sources, que nous ne pouvions pas simplement bombarder, parce que c'était pour la moitié du continent un point de partage des eaux. Une région de petites rivières et d'escarpements, et de fermes. De moutons en pâture et de vergers de pêchers. Et de musique – même les rebelles, finalement prises au piège, avaient chanté, soit à notre intention par défi, soit à la leur pour se consoler, leurs voix atteignant mes oreilles séduites tandis que je me tenais à l'embouchure de la caverne où elles se cachaient.

La mort nous rattrapera
De quelque façon déjà destinée
Chacun y succombe
Et tant que je suis prêt
Je ne la crains pas
Quelle que soit sa forme.

Quand je songeais à Valskaay, je pensais au soleil et au goût sucré et éclatant des pêches. À la musique. Mais j'étais sûr qu'on ne m'enverrait pas sur la planète, cette fois-ci – il n'y aurait pas de vergers pour Un Esk, pas de visites (officieuses, aussi peu intrusives que possible) aux assemblées des sociétés chorales.

Pour regagner Valskaay, à ce qu'il apparut, je n'emploierais pas les portes, mais je générerais la mienne, me déplaçant de façon plus directe. Les portes qu'utilisaient la plupart des voyageurs avaient été créées depuis des millénaires, étaient maintenues constamment ouvertes, stables, entourées de balises émettant des mises en garde, des notifications, des informations sur les régulations locales et les dangers de la navigation. Des vaisseaux, messages et informations les empruntaient en permanence.

Au cours des deux mille ans de mon existence, je ne les avais employées qu'une fois. Comme tous les vaisseaux de guerre radchaaïs, j'étais capable de susciter mes propres raccourcis. C'était plus dangereux que d'utiliser les portes établies – une erreur de calcul pouvait m'envoyer n'importe où, ou nulle part, où on n'entendrait plus jamais parler de moi. Et puisque je ne laissais derrière moi aucune structure pour maintenir ma porte ouverte, je voyageais dans une bulle d'espace normal, isolé de tous et de partout jusqu'à ce que j'émerge à ma destination. L'isolement pouvait cependant représenter un avantage, durant la mise en place d'une annexion. Pour l'heure, toutefois, la perspective de passer des mois seul, avec Anaander Mianaaï qui occupait en secret mon pont Var, me rendait nerveux.

Avant que j'emploie la porte, un message arriva, de la lieutenant Skaaïat pour la lieutenant Awn. Lapidaire. *J'ai dit de garder le contact. J'étais sincère.*

La lieutenant Dariet commenta : « Tu vois, je te l'avais dit. » Mais la lieutenant Awn ne répondit pas.

Chapitre quinze

À un moment donné, j'ai rouvert les yeux, croyant entendre des voix. Tout autour de moi, du bleu. J'ai essayé de battre des paupières, découvert que je ne pouvais que fermer les yeux et les garder clos.

Quelque temps plus tard, j'ai de nouveau ouvert les yeux, tourné la tête vers la droite et vu Seivarden et la jeune fille accroupies de part et d'autre d'un plateau de Tiktik. Donc, je rêvais ou j'hallucinais. Au moins, je ne souffrais plus, ce qui, après réflexion, était mauvais signe, mais je ne pouvais pas réussir à beaucoup m'en inquiéter. J'ai refermé les yeux.

*
* *

Je me suis enfin réveillé pour de bon et me suis retrouvé dans une petite chambre aux murs bleus. J'étais étendu dans un lit et, sur un banc à côté, était assise Seivarden, adossée au mur, donnant l'impression de ne pas avoir dormi récemment. Comme d'habitude, en fait, mais en pire.

J'ai soulevé la tête. Mes bras et mes jambes étaient immobilisés par des correctifs.

« Tu es réveillée », a commenté Seivarden.

J'ai de nouveau posé ma tête. « Où est mon paquetage ?

— Juste ici. » Elle s'est penchée, l'a élevé dans mon champ de vision.

« Nous sommes au centre médical de Therrod, ai-je deviné, et j'ai fermé les yeux.

— Oui. Tu penses que tu es en état de parler à la docteur ? Parce que je ne comprends rien à ce qu'elle raconte. »

Je me suis souvenu de mon rêve. « Vous avez appris à jouer au Tiktik.

— Ce n'est pas pareil. » Pas un rêve, donc.

« Vous avez vendu le volier. » Pas de réponse. « Vous avez acheté du kef.

— Non, pas du tout, a-t-elle protesté. *J'allais* le faire. Mais quand je me suis réveillée, tu étais partie... » Je l'ai entendue changer de position avec embarras sur le banc. « J'allais trouver un dealer, mais ça me tracassait, que tu sois partie et que je ne sache pas où tu étais. J'ai commencé à penser que tu m'avais peut-être abandonnée.

— Ça ne vous aurait plus dérangée, une fois que vous auriez pris du kef.

— Mais je n'en avais pas, a-t-elle répondu d'un ton étonnamment raisonnable. Et ensuite, je me suis rendue à la réception, et j'ai découvert que tu avais réglé la chambre.

— Et vous avez décidé de me retrouver plutôt que de trouver du kef. Je ne vous crois pas.

— Je ne te le reproche pas. » Elle est restée silencieuse cinq secondes. « Je suis restée assise, à réfléchir. Je t'ai accusée de me détester parce que je valais mieux que toi.

— Ce n'est pas pour ça que je vous déteste. »

Elle a ignoré ces mots. « Grâce d'Amaat, cette chute... C'était ma faute imbécile, j'étais convaincue que j'étais morte, et si l'inverse était arrivé, jamais je n'aurais sauté pour sauver la vie de qui que ce soit. Tu n'es pas parvenue où tu en es en t'agenouillant, jamais. Tu en es où tu es parce que tu es foutrement douée, et prête à tout risquer pour agir comme il le faut, et je ne vaudrai jamais la moitié de toi, même si j'essayais ma vie durant, et moi, je me baladais en me figurant que, même à moitié morte et bonne pour personne, je valais mieux que toi, parce que ma famille est ancienne, parce que je suis *née meilleure*.

— C'est pour *ça* que je vous déteste. »

Elle a ri, comme si j'avais dit quelque chose de modérément drôle. « Si c'est ce que tu es prête à faire pour quelqu'une que tu détestes, qu'est-ce que ce serait pour quelqu'une que tu aimerais ? »

J'ai découvert que j'étais incapable de répondre. Par bonheur, la médecin est entrée, large, visage rond, pâle. Légèrement renfrognée, très légèrement plus en me voyant. « On dirait, a-t-elle dit d'un ton qui se voulait impartial mais suggérait la désapprobation, que je ne comprends pas votre ami quand il essaie de m'expliquer ce qui s'est passé. »

J'ai regardé Seivarden, qui, avec un geste fataliste, a dit : « Je ne comprends pas un traître mot. J'ai fait de mon mieux, mais elle m'a regardée toute la journée avec cette tête-là, comme si j'étais un déchet biologique dans lequel elle avait marché.

— Ce n'est probablement que son expression habituelle. » J'ai tourné à nouveau la tête vers la docteur. « Nous sommes tombés du pont », ai-je expliqué.

L'expression de la docteur n'a pas changé. « Tous les deux ?

— Oui. »

Un moment de silence impassible, et puis : « Ça ne paie pas, de ne pas être honnête avec son docteur. » Et ensuite, comme je ne répondais pas : « Vous ne seriez pas les premiers touristes à entrer dans une zone interdite et à vous blesser. Mais vous êtes les premiers à prétendre être tombés du pont et à avoir survécu. Je ne sais pas si j'admire votre culot, ou si je suis en colère que vous me croyiez imbécile à ce point. »

J'ai continué à me taire. Aucune histoire que je pourrais inventer n'expliquerait mes blessures mieux que la vérité.

« Les membres des forces militaires doivent s'enregistrer en arrivant dans le système, poursuivit la docteur.

— Je me souviens d'avoir entendu dire ça.

— Vous l'avez fait ?

— Non, parce que je ne suis membre d'aucune force militaire. » Pas tout à fait un mensonge. Je n'étais pas une membre, mais une pièce d'équipement. Un fragment isolé et inutile, d'ailleurs.

« Cet établissement n'est pas équipé pour traiter les sortes d'implants et d'augmentations que vous portez, à ce qu'il semble », a déclaré la docteur, avec juste une nuance de sévérité accrue. « Je ne peux pas prédire le résultat des réparations que j'ai programmées. Vous devriez aller voir une médecin en rentrant chez vous. Dans le Gérantat. » Ce dernier ajout résonnait tout juste d'un peu de scepticisme, une infime indication de l'incrédulité de la docteur.

« J'ai l'intention de rentrer tout droit chez moi dès que je partirai d'ici », lui ai-je dit, tout en me demandant si la docteur nous avait dénoncées comme espions potentiels. Je ne le pensais pas – si elle l'avait fait, sans doute aurait-elle évité d'exprimer le moindre soupçon, attendant simplement que les autorités locales se chargent de nous. Donc, elle s'était abstenue. Pourquoi donc ?

Une réponse possible a passé la tête dans la chambre et a lancé d'un ton jovial : « Breq ! Tu ne dors plus ! Oncle est juste au niveau au-dessus. Qu'est-ce qui s'est passé ? Ton ami semblait vouloir dire que tu avais sauté du pont, mais c'est impossible. Tu te sens mieux ? » La jeune fille est entrée complètement dans la chambre. « Bonjour, docteur, est-ce que Breq va bien se remettre ?

— Breq va aller très bien. Les correctifs devraient tomber d'ici à demain. À moins que quelque chose n'évolue mal. » Et sur cette réjouissante observation, elle a tourné les talons et quitté la chambre.

La jeune fille s'est assise sur le bord du lit. « Ton ami est très mauvais au Tiktik, je suis contente de ne pas lui avoir appris comment on parie, sinon il ne lui resterait plus d'argent pour payer les soins. Et c'est *ton* argent, non ? Celui du volier. »

Seivarden a froncé les sourcils. « Quoi ? Qu'est-ce qu'elle raconte ? »

J'ai résolu de vérifier le contenu de mon paquetage dès que possible. « Il l'aurait regagné en jouant aux jetons. »

D'après l'expression de son visage, la jeune fille n'y croyait pas du tout. « Il ne faut vraiment pas aller sous le pont, vous savez. Je connais quelqu'un qui avait un ami dont le cousin est allé sous le pont, et quelqu'un a laissé tomber un morceau de pain, et il tombait si vite qu'il leur a tapé sur la tête et ça leur a ouvert le crâne et ça leur est entré dans la cervelle et ça les a *tués*.

— J'ai beaucoup aimé le chant de ta cousine. » Je ne tenais pas à relancer la discussion sur ce qui s'était passé.

« Elle est formidable, non ? Oh ! » Elle a tourné la tête, comme si elle avait entendu quelque chose. « Il faut que j'y aille. Je reviendrai te rendre visite !

— J'en serais ravi », lui ai-je dit, et elle a passé la porte en sens inverse. J'ai regardé Seivarden. « Combien est-ce que tout ça a coûté ?

— À peu près ce que j'ai reçu pour le volier », a-t-elle répondu en baissant légèrement la tête, peut-être par embarras. Peut-être pour autre chose.

« Est-ce que vous avez pris quoi que ce soit dans mon paquetage ? »

Ça lui a fait relever la tête. « Non ! Je jure que non. » Je n'ai fait aucun commentaire. « Tu ne me crois pas. Je ne te le reproche pas. Tu pourras vérifier, dès que tu auras les mains libres.

— J'en ai l'intention. Mais alors, quoi ? »

Elle a froncé les sourcils, sans comprendre. Et bien entendu, elle ne comprenait pas – elle en était arrivée à me considérer (à tort) comme une être humaine qui pouvait être digne de son respect. Elle n'avait pas, semblait-il, atteint le point où elle envisagerait qu'elle pouvait ne pas être assez importante pour que le Radch dépêche à ses trousses une officier des Missions Spéciales.

« Je n'ai jamais eu pour tâche de vous retrouver, ai-je repris. Je vous ai trouvée complètement par accident. Pour autant que je sache, personne ne vous recherche. » J'ai regretté de ne pas pouvoir faire de geste, pour la congédier.

« Pourquoi es-tu là, alors ? Ce n'est pas un travail préliminaire à une annexion, il n'y en a plus. C'est ce qu'on m'a raconté.

— Plus d'annexions, ai-je confirmé. Mais là n'est pas la question. Cela signifie que vous pouvez aller et venir à votre guise, je n'ai aucun ordre de vous ramener. »

Seivarden a étudié cela durant six secondes, puis a déclaré : « J'ai déjà essayé d'arrêter. *J'ai* arrêté. La station sur laquelle j'étais avait un programme, on arrêtait et on te donnait du travail. Une de leurs ouvriers m'a récupérée, sevrée et expliqué le contrat. Le travail était merdique, le contrat était minable, mais j'en avais assez. Je croyais que j'en avais assez.

— Combien de temps avez-vous tenu ?

— Pas tout à fait six mois.

— Vous voyez, ai-je dit après une pause de deux secondes, pourquoi je n'ai pas précisément confiance en vous, cette fois-ci.

— Mais cette fois-ci, c'est *vraiment* différent. » Elle s'est penchée en avant, avec ardeur. « Rien ne t'éclaircit les idées comme celle de ta mort imminente.

— C'est souvent un effet temporaire.

— On m'a dit, sur la station dont je parle, qu'on aurait pu me donner quelque chose pour que le kef ne marche plus jamais sur moi. Mais je devais d'abord régler ce qui a pu me pousser à en prendre au départ, parce que sinon, je trouverais autre chose, tout simplement. Conneries, comme j'ai dit, mais si j'avais voulu pour de bon, vraiment eu cette intention, je l'aurais fait à ce moment-là. »

Chez Strigan, elle avait parlé comme si sa raison de commencer était simple, nette. « Vous leur avez dit pourquoi vous aviez commencé ? » Elle n'a pas répondu. « Vous leur avez dit qui vous étiez ?

— Bien sûr que non. »

Les deux questions n'en formaient qu'une dans son esprit, ai-je supposé. « Vous avez affronté la mort, sur Garsedd. »

Elle a frémi, très légèrement. « Et tout a changé. Je me suis réveillée et tout ce que j'avais, c'était un passé. Pas un très bon passé, non plus, personne ne tenait à me raconter ce qui était arrivé, tout le monde était tellement polie, enjouée, et tout ça était *factice*. Et je ne me voyais aucun avenir. Écoute. » Elle se pencha en avant, sincère, respirant légèrement plus fort. « Tu es ici, toute seule, et, à l'évidence, c'est parce que tu en es capable, sinon on ne t'aurait pas envoyée. » Elle marqua un instant de pause, envisageant peut-être la question de savoir précisément qui était apte à quoi, qui avait été envoyée où, et la repoussant. « Mais au bout du compte, tu peux rentrer dans le Radch et trouver des gens qui te connaissent, des gens qui se souviennent de toi, personnellement, un endroit où tu as ta *place*, même si tu n'y es pas toujours. Où que tu ailles, tu appartiens encore à cet ensemble, même si tu n'y reviens jamais tu sais en permanence que c'est *là*. Mais quand on a ouvert cette nacelle de suspension, toutes celles qui avaient jamais eu de l'intérêt personnel pour moi étaient déjà mortes depuis sept cents ans. Sans doute davantage. Pas même… » Sa voix trembla, et elle s'arrêta, regardant devant elle un point fixe au-delà de moi. « Pas même les vaisseaux. »

Pas même les vaisseaux. « *Les* vaisseaux ? Pas seulement l'*Épée de Nathtas* ?

— Mon... Le premier vaisseau sur lequel j'ai servi. Le *Justice de Toren*. J'ai cru que, si je pouvais découvrir où il était stationné, je pourrais peut-être envoyer un message et... » Elle fit un geste de négation, effaçant le reste de sa phrase. « Il a disparu. Il y a environ dix... Attends... J'ai perdu le compte du temps. À peu près quinze ans. » Plus près de vingt. « Personne n'a pu me dire ce qui était arrivé. Personne ne sait.

— Y avait-il des vaisseaux sur lesquels vous avez servi qui vous aimaient particulièrement ? » ai-je demandé, d'une voix soigneusement égale. Neutre.

Elle a cligné des yeux. S'est redressée. « Voilà une drôle de question. Est-ce que tu as une expérience des vaisseaux ?

— Oui. En effet. » Elle avait servi sur l'*Épée de Nathtas* et le *Justice de Toren*, et tous deux avaient disparu.

« Les vaisseaux sont toujours attachés à leur capitaine.

— Pas comme ils l'étaient jadis. » C'était il y avait très, très longtemps. « Et quand bien même, ils ont leurs pré-férées. » Quoiqu'une préférée ne le sache pas forcément. « Mais ça n'a pas d'importance, non ? Les vaisseaux ne sont pas des gens, et ils sont créés pour vous servir, pour être attachés, comme vous dites. »

Seivarden a froncé les sourcils. « Et maintenant, tu es fâchée. Tu le caches très bien, mais tu es en colère.

— Est-ce que vous pleurez vos vaisseaux parce qu'ils sont morts ? me suis-je enquis. Ou parce que leur perte signifie qu'ils ne sont plus là pour vous donner le sentiment d'avoir un lien et d'être aimé ? » Silence. « Ou croiriez-vous que ce soit la même chose ? » Toujours pas de réponse. « Je vais répondre à ma propre question ; vous n'avez jamais été la préférée d'aucun des vaisseaux sur lesquels vous avez servi. Vous ne croyez pas qu'il soit possible pour un vaisseau d'avoir des préférences. »

Les yeux de Seivarden se sont écarquillés – la surprise, ou autre chose. « Tu me connais trop bien pour que je croie que tu n'es pas là à cause de moi. Je l'ai pensé depuis le moment où j'ai vraiment commencé à y réfléchir.

— Ça ne fait pas très longtemps, donc. »

Elle a ignoré ma remarque. « Tu es la première personne, depuis que cette nacelle s'est ouverte, à me sembler *familière*. Comme si je te reconnaissais. Comme si tu me reconnaissais. Je ne sais pas pourquoi. »

Je le savais, bien entendu. Mais ce n'était pas le moment de le dire, immobilisé et vulnérable comme je l'étais. « Je vous assure que je ne suis pas ici à cause de vous. Je suis ici pour mes propres affaires, personnelles.

— Tu as sauté de ce pont pour moi.

— Et je ne serai pas votre raison d'arrêter le kef. Je n'assume aucune responsabilité pour vous. Vous allez devoir faire ça toute seule. Si vous devez vraiment le faire.

— Tu as sauté de ce *pont*, pour moi. Ça devait être une chute de trois kilomètres. Plus. C'est… c'est… » Elle s'est arrêtée, a secoué la tête. « Je reste avec toi. »

J'ai fermé les yeux. « À l'instant où j'aurai ne serait-ce que l'impression que vous allez encore me voler, je vous casse bras et jambes et je vous abandonne là, et ce sera une totale coïncidence si vous me revoyez un jour. » À ceci près que, pour les Radchaaïs, les coïncidences n'existaient pas.

« Je suppose que j'aurais du mal à argumenter contre ça.

— Je ne vous le conseille pas. »

Elle a éclaté d'un rire bref, puis a observé un silence de quinze secondes. « Dis-moi, alors, Breq, a-t-elle ensuite ajouté. Si tu es ici pour des affaires personnelles et pas du tout pour moi, pourquoi as-tu une des armes garseddaïes dans ton paquetage ? »

Les correctifs maintenaient mes bras et mes jambes totalement immobiles. Je ne pouvais même pas décoller mes épaules du lit. La docteur est entrée lourdement dans la chambre, son visage pâle empourpré. « Restez immobile ! s'est-elle écriée, puis elle s'est tournée vers Seivarden. Qu'est-ce que vous avez fait ? »

Seivarden a semblé avoir compris. Elle a écarté les mains, dans un geste d'impuissance. « Pas ! » a-t-elle répliqué, avec véhémence, dans la même langue.

La docteur a froncé les sourcils, et désigné Seivarden de son doigt tendu. Seivarden s'est redressée, indignée par ce geste, qui était bien plus grossier pour une Radchaaï qu'il ne l'était ici. « Vous dérangez, vous partez ! » a déclaré la docteur avec sévérité. Puis elle s'est tournée vers moi. « Vous, restez sans bouger et rétablissez-vous comme il faut.

— Oui, docteur. » J'ai cessé de me débattre vainement. Pris une inspiration, pour tenter de me calmer.

Ça a paru l'attendrir. Elle m'a observé un moment, voyant sans doute mon rythme cardiaque, ma respiration. « Si vous n'arrivez pas à vous tenir tranquille, je peux vous donner un médicament. » Une offre, une question, une menace. « Je peux le faire (un coup d'œil vers Seivarden) partir.

— Je n'en ai pas besoin. Ni de l'un, ni de l'autre. »

La docteur a émis un *hmpf* sceptique, s'est tournée et a quitté la chambre.

« Désolée, a dit Seivarden quand la docteur fut partie. C'était idiot, j'aurais dû réfléchir avant de parler. » Je n'ai pas répondu. « Quand nous sommes arrivées au fond tu étais inconsciente, a-t-elle continué, comme si ça s'enchaînait logiquement sur ce qu'elle venait de dire. Et de toute évidence, gravement blessée. J'avais peur de beaucoup te déplacer, parce que je ne pouvais pas voir si tu n'avais pas des os cassés. Je n'avais aucun moyen d'appeler du secours, mais j'ai pensé que tu avais peut-être quelque chose que je pourrais utiliser pour m'aider à grimper hors de là, ou alors des correctifs de premiers secours dont je pourrais me servir, mais c'était idiot, bien sûr : tu avais encore ton armure déployée. C'est comme ça que j'ai su que tu étais encore en vie. J'ai bien pris ton portatif dans ton manteau, mais il n'y avait pas de signal, j'ai dû grimper jusqu'au sommet avant de pouvoir atteindre quelqu'une. Quand je suis revenue, ton armure était éteinte, j'ai eu peur que tu ne sois morte. Tout est encore là-dedans.

— Montrez-moi. »

Elle a levé le paquetage à ma vue, l'a ouvert. A écarté une chemise de rechange qui couvrait la boîte. « Je ne pense pas que je devrais la sortir.

— Si l'arme a disparu, ai-je dit d'une voix calme et neutre, je ne me contenterai pas de te briser les jambes.

— Elle est là, a-t-elle insisté. Mais ça ne peut quand même pas être une affaire personnelle, si ?

— C'est personnel. » Simplement, avec moi, le *personnel* affectait une grande quantité supplémentaire de gens. Mais comment expliquer cela sans en révéler plus que je n'y tenais, pour le moment ?

« Raconte-moi. »

Les circonstances ne s'y prêtaient pas. Ni le moment. Mais il y avait beaucoup de choses à expliquer, surtout parce que ce que Seivarden savait des mille dernières années d'histoire devait être fragmentaire et superficiel. Des années d'événements passés qui menaient à ceci, dont elle devait presque certainement tout ignorer, qui prendraient du temps à expliquer, avant même que j'en arrive à mon identité et à la nature de mes intentions.

Et cette histoire changerait les choses. Sans la comprendre, comment Seivarden pouvait-elle comprendre quoi que ce soit ? Sans ce contexte, comment pouvait-elle comprendre pourquoi tout le monde avait agi comme elles l'avaient fait ? Si Anaander Mianaaï n'avait pas opposé une telle fureur aux Garseddaïs, aurait-elle jamais fait ce qu'elle avait fait au cours des mille années qui avaient suivi ? Si la lieutenant Awn n'avait jamais entendu parler des événements d'Imé, cinq ans auparavant, voilà vingt-cinq ans désormais, aurait-elle agi comme elle l'avait fait ?

Quand je l'imaginais, ce moment où la soldat du *Miséricorde de Sarrsé* avait choisi de défier ses ordres, je me la représentais comme un segment d'unité ancillaire. Elle avait été le numéro Un de l'unité Amaat du *Miséricorde de Sarrsé*, son membre supérieur. Bien qu'elle ait été humaine, qu'elle ait un nom par-delà sa place à bord de son vaisseau, par-delà le Une Amaat Une du *Miséricorde de Sarrsé*. Mais je n'avais jamais vu d'enregistrement, jamais vu son visage.

Elle avait été humaine. Elle avait subi les événements à Imé – peut-être même exécuté les injonctions corrompues de la gouverneur elle-même, quand elle en recevait l'ordre. Mais à ce moment particulier quelque chose avait changé la donne. Quelque chose était allé trop loin, pour elle.

Qu'est-ce que cela avait été ? La vision, peut-être, d'une Rrrrrr, morte ou agonisante ? J'avais vu des images de Rrrrrrs, longues comme des serpents, velues, dotées de membres multiples, s'exprimant par grognements et aboiements ; et les humains associées à elles, qui savaient parler cette langue et la comprenaient. Était-ce les Rrrrrrs qui avaient fait quitter à Une Amaat Une du *Miséricorde de Sarrsé* les rails de sa trajectoire prévue ? Se préoccupait-elle tant de la menace de rompre le traité avec les Pressgers ? Ou était-ce l'idée de tuer tant d'êtres humaines sans défense ? Si j'en avais su plus long sur elle, peut-être aurais-je pu comprendre pourquoi, à cet instant, elle avait décidé qu'elle préférait mourir.

Je ne savais presque rien d'elle. Sans doute était-ce à dessein. Mais même le peu que je savais, le peu qu'avait su la lieutenant Awn, avait fait une différence. « Quelqu'une vous a-t-elle raconté ce qui s'était passé, à la station Imé ? »

Seivarden a plissé le front. Refermé le paquetage, l'a verrouillé et l'a déposé à ses pieds. « Non. Raconte-moi. »

Je lui ai raconté. La corruption de la gouverneur, comment elle avait empêché la station Imé ou aucun des vaisseaux de rapporter ce qu'elle faisait, si loin de tout autre point de l'espace du Radch. Ce vaisseau qui était arrivé un jour – elles avaient supposé qu'il était humain, personne ne connaissait d'extérieurs dans les parages, et il n'était visiblement pas radchaaï, aussi était-ce une proie légitime. J'ai raconté à Seivarden tout ce que je savais des soldats du *Miséricorde de Sarrsé* qui avaient abordé le vaisseau inconnu avec ordre de s'en emparer et de tuer toutes celles à bord qui résistaient, et qui, de toute évidence, ne pouvaient pas être transformées en ancillaires. Je ne savais pas grand-chose – simplement qu'une fois que l'unité Une Amaat avait abordé le vaisseau extérieur, leur Une avait refusé de continuer à obéir aux ordres. Elle avait convaincu le reste d'Une Amaat de la suivre, et elles étaient passées chez les Rrrrrs et avaient conduit le vaisseau hors d'atteinte.

La moue de Seivarden n'a fait que s'accentuer et quand j'ai eu fini, elle a observé : « Donc, tu me dis que la gouverneur d'Imé était complètement corrompue. Et, on ne sait comment, détenait les accès qui empêchaient la station Imé de la dénoncer ? Comment est-ce que ça a pu arriver ? » Je n'ai pas répondu. Soit la conclusion évidente lui viendrait à l'esprit, soit elle serait incapable de la voir. « Et comment les aptitudes avaient-elles pu la placer à un tel poste, si elle était capable de ça ? Ce n'est pas possible.

» Bien sûr, a poursuivi Seivarden, tout le reste en découle, non ? Une gouverneur corrompue nomme des officiels corrompues, peu importe les aptitudes. Mais les capitaines stationnées là-bas… non, ce n'est pas possible. »

Elle n'arriverait pas à voir les choses. J'aurais dû ne rien dire. « Quand cette soldat a refusé de tuer les Rrrrrs qui étaient entrées dans le système, quand elle a persuadé le reste de son unité d'en faire autant, elle a créé une situation qui ne pouvait pas rester longtemps cachée. Les Rrrrrs étaient en mesure de générer leur propre porte, si bien que la gouverneur ne pouvait pas les empêcher de partir. Il leur suffisait d'effectuer un seul saut jusqu'au système habité voisin pour raconter leur histoire. C'est exactement ce qu'elles ont fait.

— En quoi est-ce que les Rrrrrs intéressaient qui que ce soit ? » Seivarden ne parvenait pas tout à fait à produire le son dans sa gorge. « Sérieux ? C'est comme ça qu'elles s'appellent ?

— C'est le nom qu'elles se donnent », ai-je expliqué de ma voix la plus patiente. Quand une Rrrrr ou une de leurs traducteurs humaines prononçaient le mot, cela ressemblait à un grondement soutenu, guère différent de n'importe quel autre vocable rrrrr. « C'est assez difficile à prononcer. La plupart des gens que j'ai entendues n'émettent qu'un *r* prolongé.

— Rrrrr, a répété Seivarden à titre d'expérience. Ça continue à me faire drôle. Donc, en quoi les Rrrrrs intéressaient-elles qui que ce soit ?

— Parce que les Presgers avaient conclu un traité avec nous sur la base de leur décision que les humains étaient *conséquentes*. Tuer des Inconséquents n'est rien pour elles, mais la violence indiscriminée contre d'autres espèces conséquentes était inacceptable. » Ce qui ne signifiait pas qu'aucune violence n'était tolérée, seulement qu'elle était sujette à certaines conditions, dont aucune n'avait de sens évident pour la plupart des humains, aussi valait-il mieux l'éviter totalement.

Seivarden a commenté d'un *hum*, les pièces se mettant en place.

« Et donc, ai-je poursuivi, la totalité de l'unité Une Amaat du *Miséricorde de Sarrsé* était passée chez les Rrrrrrs. Elles se trouvaient hors d'atteinte, en sécurité auprès des extérieurs. Mais pour les Radchaaïs, elles étaient coupables de trahison. Sans doute aurait-il mieux valu les laisser où elles étaient, mais le Radch a exigé leur restitution, afin de les exécuter. Et bien entendu, les Rrrrrrs s'y sont refusées. L'unité Une Amaat leur avait sauvé la vie. Une vive tension s'est prolongée quelques années, mais à la fin elles ont conclu un compromis. Les Rrrrrrs ont livré la responsable de l'unité, celle qui avait lancé la mutinerie, en échange de l'immunité pour les autres.

— Mais... » Seivarden s'est arrêtée.

Après sept secondes de silence, j'ai complété : « Vous vous dites qu'elle devait mourir, bien sûr, qu'on ne peut tolérer aucune désobéissance, pour de très bonnes raisons. Mais, en même temps, sa trahison avait révélé la corruption de la gouverneur d'Imé qui sinon se serait poursuivie, si bien qu'au final elle a rendu service au Radch. Vous vous dites que le premier idiot venu sait qu'on ne doit pas émettre de critique sur une officiel du gouvernement, pour quelque raison que ce soit. Et vous pensez que si on punit simplement pour avoir parlé les gens qui prennent la parole afin de dénoncer un méfait criant, la civilisation sera menacée. Nulle ne parlera si elle n'est pas prête à périr pour s'être exprimée et... » J'ai hésité. Dégluti. « Il n'y a pas grand monde qui soit prêt à cela. Vous vous dites sans doute que la Maître du Radch était dans une position difficile, pour décider comment gérer la situation. Mais aussi qu'il s'agissait de circonstances hors du commun et qu'Anaander Mianaaï, en dernier lieu, est l'autorité suprême et aurait pu la pardonner si elle l'avait souhaité.

— Je pense que la Maître du Radch aurait pu simplement les laisser rester chez les Rrrrrrs, et se tenir à l'écart de tout ce bourbier.

— Elle aurait pu.

— Je pense également que, si j'avais été la Maître du Radch, je n'aurais jamais laissé les nouvelles sortir d'Imé.

— Vous auriez employé des accès pour empêcher les vaisseaux et les stations d'en parler, peut-être. Interdit à toutes les citoyens qui savaient de dire quoi que ce soit.

— En effet. Oui.

— Mais la rumeur s'en répandrait quand même. »
Même si cette rumeur serait nécessairement vague, et
lente à se propager. « Et vous perdriez l'exemple très ins-
tructif que vous pourriez faire, en laissant tout le monde
vous voir aligner la quasi-totalité de l'administration d'Imé
dans le grand hall de la station pour les abattre d'un tir
en pleine tête, l'une après l'autre. » Et bien entendu, Seivarden était une seule personne, qui concevait Anaander
Mianaaï comme une seule personne capable d'indécision
sur de tels sujets, mais qui décidait ensuite d'une unique
ligne d'action, sans se partager sur sa décision. Et il y avait
derrière le dilemme d'Anaander Mianaaï bien davantage
que ce que Seivarden en avait appréhendé.

Seivarden est demeurée silencieuse quatre secondes, puis
elle a dit : « À présent, je vais encore te mettre en colère.

— Vraiment ? ai-je demandé d'une voix sèche. Tu ne
t'en lasses pas ?

— Si. » Simplement. Sérieusement.

« La gouverneur d'Imé était de bonne naissance et de
bonne éducation », ai-je fait observer, et j'ai nommé sa
maison.

« Jamais entendu parler d'elle, répondit Seivarden. Tant
de changements. Et à présent, voilà ce qui se passe. Honnêtement, tu ne crois pas qu'il existe un rapport ? »

J'ai détourné la tête, sans la soulever. Pas en colère, simplement très, très las. « Vous voulez dire que rien de tout
ça ne serait arrivé si on n'avait pas promu des provinciaux
arrivistes. Si la gouverneur d'Imé avait appartenu à une
famille de qualité *réelle* et prouvée. »

Seivarden avait assez de bon sens pour ne pas répondre.

« Honnêtement, vous n'avez jamais entendu parler de
gens de *meilleure naissance* qu'on assignait ou promouvait
au-delà de leurs capacités ? Qui craquaient sous la pression ? Qui se conduisaient mal ?

— Pas de cette façon. »

Soit. Mais elle avait commodément oublié qu'Une Amaat Une du *Miséricorde de Sarrsé* – une humaine, pas un ancillaire – devait être elle aussi une « arriviste » selon sa définition, faisait partie de ce même changement qu'elle avait évoqué. « Des provinciaux "arrivistes" et le genre de choses qui se sont passées à Imé sont deux conséquences des mêmes événements. L'un n'a pas causé l'autre. »

Elle a posé la question évidente. « Qu'est-ce qui l'a causé, alors ? »

La réponse était trop complexe. Jusqu'où fallait-il remonter ? *Ça a commencé à Garsedd. Ça a commencé quand la Maître du Radch s'est multipliée et s'est mise en devoir de conquérir la totalité de l'espace humain. Ça a commencé quand on a créé le Radch.* Et plus loin dans le passé encore. « Je suis fatigué.

— Bien sûr, a fait Seivarden, plus conciliante que je ne m'y attendais. Nous pourrons en discuter plus tard. »

Chapitre seize

Je passai une semaine à me mouvoir dans le non-espace entre Shis'urna et Valskaay — isolé, autosuffisant — avant que la Maître du Radch n'agisse. Personne d'autre ne suspectait quoi que ce soit, je n'avais laissé aucun indice, aucune trace, pas la moindre indication qu'il y avait quiconque sur le pont Var, qu'il puisse y exister le moindre problème.

Du moins l'avais-je cru. « Vaisseau, me demanda au bout d'une semaine la lieutenant Awn, est-ce que quelque chose ne va pas ?

— Pourquoi demandez-vous cela, lieutenant ? » répondis-je. Répondit Un Esk. Un Esk était constamment au service de la lieutenant Awn.

« Nous sommes restées longtemps à Ors ensemble », dit la lieutenant Awn, en se rembrunissant légèrement face au segment auquel elle parlait. Elle était dans un état d'accablement constant depuis Ors, parfois plus intense, parfois moins, selon, supposais-je, le cours de ses pensées. « Tu donnes simplement l'impression que quelque chose te trouble. Et tu es plus silencieux. » Elle produisit un son, un souffle de demi-amusement. « Tu chantonnais ou chantais toujours, dans la maison. C'est trop calme, à présent.

— Il y a des murs, ici, lieutenant, fis-je observer. Il n'y en avait pas dans la maison d'Ors. »

Son sourcil frémit de façon infime. Je vis qu'elle savait que mes paroles étaient une esquive, mais elle n'insista pas avec sa question.

*

* *

Au même moment, en salle de décade Var, Anaander Mianaaï me disait : « Tu comprends les enjeux. Ce que cela signifie pour le Radch. » Je le reconnus. « Je sais que cela doit te troubler. » C'était la première fois qu'elle admettait cette éventualité depuis qu'elle était montée à bord. « Je t'ai fait servir mes desseins, pour le bien du Radch. Vouloir me servir fait partie de ta conception. Et à présent, tu dois non seulement me servir, mais également t'opposer à moi. »

Elle rendait extrêmement facile, pensai-je, de m'opposer à elle. Un côté ou l'autre d'elle s'en était chargé, et je n'étais pas sûr de savoir lequel. Mais je dis, par Un Var : « Bien, Altesse.

— Si elle réussit, au bout du compte le Radch se fragmentera. Pas le centre, pas le Radch même. » Quand la plupart des gens parlaient du Radch ils entendaient tout le territoire radchaaï, mais en vérité le Radch était un lieu unique, une sphère de Dyson, enclose, autonome. Rien de rituellement impur n'était admis à l'intérieur, personne de non civilisée ou de non humaine ne pouvait pénétrer dans ses confins. Très, très peu de clients de Mianaaï y avaient jamais posé le pied, et seules quelques maisons existaient encore, dont les ancêtres avaient jadis vécu là-bas. Quelqu'une à l'intérieur connaissait-elle ou se souciait-elle des actions d'Anaander Mianaaï, ou de l'étendue, voire de l'existence du territoire du Radch ? La question restait ouverte. « Le Radch proprement dit, en tant que Radch, survivra plus longtemps. Mais mon territoire, que j'ai édifié pour le protéger, pour le garder pur, se fracturera. Je me suis créée telle que je suis, j'ai créé tout cela… » Elle eut un ample geste, les parois de la salle de décade englobant, pour les besoins de l'instant, l'entièreté de l'espace du Radch. « Tout cela, pour garder ce centre en sécurité. Hors de contamination. Je ne pouvais le confier à personne d'autre. À présent, semble-t-il, je ne peux pas le confier à moi-même.

— Assurément pas, Altesse, renchéris-je, ne sachant quoi répondre d'autre, sans savoir précisément contre quoi je protestais.

— Des milliards de citoyens périront dans ce processus, continua-t-elle comme si je n'avais pas parlé. Par la guerre, ou le manque de ressources. Et moi… »

Elle hésita. L'unité, pensais-je, implique l'éventualité de la désunion. Les commencements impliquent et réclament des fins. Mais je ne le dis pas. La plus puissante personne de l'univers n'avait pas besoin de mes cours de religion et de philosophie.

« Mais je suis déjà brisée, acheva-t-elle. Je peux seulement me battre pour m'empêcher de me morceler plus encore. Pour extirper ce qui n'est plus moi-même. »

Je ne savais pas bien ce que je devais, ou pouvais, dire. Je n'avais aucun souvenir conscient d'avoir déjà eu cette conversation, bien que je sois certain à présent de l'avoir eue, d'avoir dû écouter Anaander Mianaaï m'expliquer et justifier ses actions, après avoir employé les contraintes et changé… quelque chose. La discussion avait dû être très semblable, les mêmes mots peut-être. C'était, après tout, la même personne.

« Et, continua Anaander Mianaaï, je dois retirer ses armes à mon ennemi partout où je les trouve. Envoie-moi la lieutenant Awn. »

*
* *

La lieutenant Awn s'approcha avec trépidation de la salle de décade Var, sans savoir pourquoi je l'avais envoyée là-bas. J'avais refusé de répondre à ses questions, ce qui n'avait fait qu'alimenter son sentiment croissant que quelque chose n'allait vraiment pas. Ses bottes sur le sol blanc sonnaient creux, malgré la présence d'Un Var. Quand elle parvint à la porte de la salle de décade, celle-ci s'ouvrit en coulissant, presque sans bruit.

La vue d'Anaander Mianaaï à l'intérieur frappa la lieutenant Awn comme un coup physique, une cruelle pointe de peur, de surprise, de crainte, de choc, de doute et de désorientation. La lieutenant Awn prit trois inspirations, moins profondes, je le notai, qu'elle ne le voulait, puis carra ses épaules de façon à peine visible, entra et se prosterna.

« Lieutenant », dit Anaander Mianaaï. Son accent, et le ton de sa voix, étaient le prototype des voyelles élégantes de la lieutenant Skaaïat, de l'arrogance irréfléchie et un brin narquoise de la lieutenant Issaaïa. La lieutenant Awn gisait, visage vers le bas, en attente. Effrayée.

Comme auparavant, je ne recevais de Mianaaï aucune donnée qu'elle ne me transmettait pas délibérément. Je n'avais aucune information sur son état interne. Elle semblait calme. Impassible, sans émotions. J'étais certaine que cette impression de surface était un mensonge, sans comprendre pourquoi je le pensais, sinon qu'elle n'avait encore fait aucune remarque favorable sur la lieutenant Awn, alors qu'à mon avis elle aurait dû. « Dites-moi, lieutenant, reprit Mianaaï après un long silence, d'où venaient ces armes, et ce que vous pensez qu'il est arrivé dans le temple d'Ikkt. »

Une combinaison de soulagement et de peur traversa la lieutenant Awn. Elle avait, durant les instants disponibles pour prendre en compte la présence d'Anaander Mianaaï ici, envisagé qu'on allait lui poser cette question. « Altesse, les armes n'ont pu venir que de quelqu'une ayant assez d'autorité pour les détourner et empêcher leur destruction.

— Vous, par exemple. »

Un vif coup de poignard de stupeur et de terreur. « Non, Altesse, je vous assure. J'ai désarmé les non-citoyens indigènes de mon poste, et certaines d'entre elles étaient des militaires tanmindes. » Le poste de police dans la haute-ville avait été fort bien armé, en fait. « Mais j'ai fait mettre ces armes hors d'usage sur-le-champ, avant de les transmettre. Et selon leur numéro d'inventaire, celles-ci avaient été collectées à Kould Ves.

— Par des troupes du *Justice de Toren* ?

— À ce que j'ai compris, Altesse.

— Vaisseau ? »

Je répondis par une des bouches d'Un Var. « Altesse, les armes en question ont été collectées par Seize et Dix-Sept Inu. » Je nommai leur lieutenant à l'époque, qui avait depuis lors été transférée ailleurs.

Anaander Mianaaï eut un infime froncement de sourcils. « Ainsi donc, il y a cinq ans de cela déjà, quelqu'une dotée d'accès – peut-être cette lieutenant d'Inu, peut-être une autre – a empêché la destruction de ces armes et les a dissimulées. Pendant cinq ans. Et ensuite, quoi ? les a placées dans le marais d'Ors. Dans quel but ? »

Visage toujours contre le sol, clignant des yeux dans sa confusion, il fallut à la lieutenant Awn une seconde pour composer une réponse. « Je ne sais pas, Altesse.

— Tu mens », asséna Mianaaï, toujours assise, affalée sur son siège comme si elle était parfaitement détendue et indifférente ; mais ses yeux n'avaient pas quitté la lieutenant Awn. « Je vois clairement que tu mens. Et j'ai écouté toutes les conversations que tu as tenues, depuis l'incident. À qui faisais-tu allusion en parlant de quelqu'une d'autre qui bénéficierait de la situation ?

— Si j'avais su quel nom placer là, Altesse, je l'aurais employé. Je voulais simplement dire qu'il devait y avoir une personne spécifique qui agissait, qui avait causé... »

Elle s'arrêta, reprit sa respiration, abandonna sa phrase. « Quelqu'une a conspiré avec les Tanmindes, quelqu'une qui avait accès à ces armes. Qui que ce soit, on voulait déclencher des troubles entre la haute-ville et la basse. J'avais pour tâche d'empêcher ça. J'ai agi de mon mieux pour l'empêcher. » Assurément une esquive. De l'instant où Anaander Mianaaï avait ordonné l'exécution précipitée de ces citoyens tanmindes dans le temple, la première, la plus évidente suspecte avait été la Maître du Radch elle-même.

« Pourquoi quelqu'une voudrait-elle des troubles entre haute et basse-ville ? demanda Anaander Mianaaï. Qui se donnerait du mal pour cela ?

— Jen Shinnan, Altesse, et ses associés, répondit la lieutenant Awn, en terrain plus solide, du moins pour l'instant. Elle estimait que les Orsiens ethniques étaient injustement favorisées.

— Par toi.

— Oui, Altesse.

— Tu dis donc qu'au cours des premiers mois de l'annexion, Jen Shinnan a trouvé une officiel radchaaïe disposée à détourner des caisses remplies d'armes pour que cinq ans plus tard elle puisse déclencher des troubles entre la haute et la basse-ville. Et te créer des ennuis.

— Altesse ! » La lieutenant Awn souleva son front d'un centimètre du sol, puis s'arrêta. « Je ne sais pas comment, je ne sais pas pourquoi. Je ne sais qu... » Elle ravala cette dernière phrase qui, je le savais, aurait été un mensonge. « Ce que je sais, c'est qu'il était de mon rôle de maintenir la paix à Ors. Cette paix était menacée et j'ai agi pour... » Elle s'arrêta, s'apercevant peut-être de la difficulté de terminer sa phrase. « C'était mon travail de protéger les citoyens d'Ors.

— Et c'est pourquoi tu as protesté avec tant de véhémence contre l'exécution des gens qui avaient mis les citoyens d'Ors en danger. » Le ton d'Anaander Mianaaï était sec, et sardonique.

« Elles étaient sous ma responsabilité, Altesse. Et comme je l'ai dit à ce moment-là, elles étaient sous notre contrôle, nous aurions pu les retenir jusqu'à l'arrivée de renforts, très aisément. Vous êtes l'autorité ultime, et bien entendu, on doit obéir à vos ordres, mais je ne comprenais pas pourquoi ces gens devaient mourir. Je ne comprends toujours pas pourquoi elles devaient mourir tout de suite. » Une demi-seconde de pause. « Je n'ai pas besoin de comprendre pourquoi. Je suis ici pour suivre vos ordres. Mais je… » Elle s'arrêta à nouveau. Déglutit. « Altesse, si vous avez sur mon compte le moindre soupçon de malfaisance ou de déloyauté, je vous en prie, faites-moi interroger quand nous atteindrons Valskaay. »

On pouvait utiliser pour un interrogatoire les mêmes drogues que celles employées lors des tests aux aptitudes et de la rééducation. Un interrogateur habile pouvait extraire de l'esprit de quelqu'une ses plus secrètes pensées. Un interrogateur sans talent pouvait susciter des incohérences et des fabulations, endommager son sujet presque aussi gravement qu'un rééducateur sans talent.

Ce que demandait la lieutenant Awn était une requête entourée d'obligations légales – dont la moindre n'était pas d'exiger la présence de deux témoins, et la lieutenant Awn aurait le droit d'en nommer une.

Je vis en elle de la nausée et de la terreur quand Anaander Mianaaï ne répondit pas. « Altesse, puis-je parler sans détour ?

— Absolument, parle sans détour », répondit Anaander Mianaaï, sèche et amère.

La lieutenant Awn parla, terrifiée, toujours face contre terre. « C'était *vous*. Vous avez détourné les armes, vous avez planifié cette émeute, avec Jen Shinnan. Mais je ne comprends pas pourquoi. Ça ne pouvait pas me concerner. Je ne suis *personne*.

— Mais tu n'as pas l'intention de *rester* personne, je crois, répondit Anaander Mianaaï. Ta quête des faveurs de Skaaïat Awer me le révèle.

— Ma... » La lieutenant Awn déglutit. « Je n'ai jamais quêté ses faveurs. Nous étions *amis*. Elle supervisait le district voisin.

— Des amis, tu appelles cela. »

Le visage de la lieutenant Awn lui cuisit. Et elle se souvint de son accent, de sa diction. « Je n'ai pas assez de présomption pour appeler cela davantage. » Accablée. Effrayée.

Mianaaï resta silencieuse trois secondes, puis dit : « Peut-être pas. Skaaïat Awer est séduisante et charmante, et sans nul doute habile au lit. Quelqu'une comme toi serait aisément accessible à ses manipulations. Je soupçonne depuis quelque temps Awer de déloyauté. »

La lieutenant Awn voulut parler, je vis les muscles de sa gorge se contracter, mais aucun son ne sortit.

« Je parle, oui, de sédition. Tu te dis loyale. Et cependant, tu t'associes avec Skaaïat Awer. » Anaander Mianaaï fit un geste, et la voix de Skaaïat résonna dans la salle de décade.

« *Je te connais, Awn. Si tu dois commettre une telle folie, réserve ça pour un moment où ça changera quelque chose.* »

Et la réponse de la lieutenant Awn. « *Comme Une Amaat Une, sur le* Miséricorde de Sarrsé *?* »

« Quelle différence, demanda Anaander Mianaaï, voulais-tu faire ?

— Le genre de différence, répondit la lieutenant Awn, la bouche devenue sèche, qu'avait fait cette soldat du *Miséricorde de Sarrsé*. Si elle n'avait pas agi comme elle l'a fait, la situation à Imé durerait encore. » En parlant, je suis sûr qu'elle se rendait compte de ce qu'elle disait. Du fait qu'elle avançait en terrain dangereux. Les mots suivants mirent en évidence qu'elle le savait, en effet. « Elle est morte pour cela, oui. Mais elle vous a révélé toute cette corruption. »

J'avais eu une semaine pour réfléchir à ce que m'avait dit Anaander Mianaaï. Désormais, j'avais compris comment la gouverneur d'Imé avait pu obtenir les accès qui empêchaient la station Imé de dénoncer ses activités. Elle n'avait pu recevoir ces accès que d'Anaander Mianaaï elle-même. La seule question était : quelle Anaander Mianaaï avait rendu cela possible ?

« C'est passé sur toutes les chaînes de nouvelles publiques, observa Anaander Mianaaï. J'aurais préféré que ça n'arrive pas. Oh oui, dit-elle pour répondre à la surprise de la lieutenant Awn. Tel n'était pas mon désir. Tout l'incident a semé le doute où il n'y en avait jusque-là aucun. Le mécontentement et la peur, où n'existait que la confiance en ma capacité à procurer justice et avantages.

» Des rumeurs, j'aurais pu m'en occuper, mais des rapports via des canaux approuvés ! Retransmis où n'importe quelle Radchaaï pouvait les voir et les entendre ! Sans cette publicité, j'aurais pu laisser les Rrrrrrs emporter les traîtres sans esclandre. Au lieu de cela, j'ai dû négocier leur retour, ou sinon les laisser demeurer comme une invitation à de nouvelles mutineries. Cela m'a causé des problèmes considérables. Cela m'en cause *encore*.

— Je n'avais pas compris, dit la lieutenant Awn, de la panique dans la voix. C'était sur toutes les chaînes publiques. » Puis la compréhension la frappa. « Je n'ai pas… je n'ai rien dit sur Ors. À qui que ce soit.

— Sauf à Skaaïat Awer », fit observer la Maître du Radch. Ce qui n'était guère juste – la lieutenant Skaaïat s'était trouvée dans les parages, assez pour voir de ses yeux l'évidence de ce qu'il s'était passé. « Non, poursuivit Mianaaï en réponse à la question inarticulée de la lieutenant Awn, cela n'est pas sorti sur les chaînes officielles. Pas encore. Et je vois bien que l'idée que Skaaïat Awer puisse être une traître t'affecte. Je crois que tu as du mal à le croire. »

Une nouvelle fois, la lieutenant Awn s'évertua à parler. « C'est exact, Altesse, réussit-elle enfin à dire.

— Je peux t'offrir l'occasion de prouver son innocence, lui dit Mianaaï en réponse. Et d'améliorer ta situation. Je peux manipuler ton affectation de façon que tu te retrouves proche d'elle. Il te suffit d'accepter un clientélage quand Skaaïat te l'offrira – oh, elle le fera, ajouta la Maître du Radch, voyant, j'en suis sûr, le désespoir et le doute de la lieutenant Awn à ces mots. Awer collectionne les gens comme toi. Des arrivistes de maisons n'ayant jusque-là rien de remarquable, qui se retrouvent soudain dans des positions avantageuses pour les affaires. Accepte le clientélage, et observe. » *Et rends compte* demeura tacite.

La Maître du Radch essayait de modifier l'instrument de son ennemie pour la faire sienne. Qu'arriverait-il si elle n'y parvenait pas ?

Mais qu'arriverait-il si elle y parvenait ? Quel que soit le choix de la lieutenant Awn à présent, elle agirait contre Anaander Mianaaï, la Maître du Radch.

J'avais une fois déjà assisté à son choix, face à la mort. Elle choisirait la voie qui la gardait en vie. Et elle – et moi – pourrait démêler plus tard toutes les implications, jaugerait ses options quand la situation serait moins immédiatement pressante.

Dans la salle de décade Esk, la lieutenant Dariet demanda, inquiète : « Vaisseau, quel est le problème d'Un Esk ?

— Altesse, dit la lieutenant Awn, sa voix tremblant de peur, visage toujours contre le sol. M'en donnez-vous l'ordre ?

« — Un instant, lieutenant », dis-je directement dans l'oreille de la lieutenant Dariet, parce que je ne pouvais pas faire parler Un Esk.

Anaander Mianaaï rit, un rire bref et dur. La réponse de la lieutenant Awn avait été un refus aussi dépouillé que l'aurait été un simple *jamais*. Donner un tel ordre n'aurait aucun intérêt.

« Interrogez-moi quand nous atteindrons Valskaay, insista la lieutenant Awn. Je l'exige. Je suis loyale. Skaaïat Awer aussi, je le jure, mais si vous doutez d'elle, interrogez-la également. »

Mais bien entendu Anaander Mianaaï ne pouvait pas agir ainsi. Tout interrogatoire aurait des témoins. N'importe quelle interrogateur habile – et il ne servirait à rien d'en utiliser une qui ne le serait pas – aurait du mal à ne pas saisir le sens général des questions qu'on poserait soit à la lieutenant Awn, soit à la lieutenant Skaaïat. Ce serait une action trop ouverte, cela répandrait des informations que cette Mianaaï ne voulait pas propager.

Anaander Mianaaï resta assise quatre secondes en silence. Impassible.

« Un Var, dit-elle lorsque ces quatre secondes furent écoulées, abats la lieutenant Awn. »

Je n'étais pas, à présent, un unique segment fragmentaire, seul et indécis quant à ce que je pourrais faire si je recevais cet ordre. J'étais tout moi-même. Pris séparément de moi, Un Esk avait plus d'affection pour la lieutenant Awn que moi. Mais Un Esk n'était pas séparé de moi. Il faisait, à ce moment-là, tout à fait partie de moi.

Cependant, Un Esk n'était qu'une petite partie de moi. Et j'avais déjà abattu des officiers. J'avais même, sur ordre, abattu ma propre capitaine. Mais ces exécutions, si bouleversantes et désagréables qu'elles aient été, étaient clairement justes. La mort est le prix de la désobéissance.

Jamais la lieutenant Awn n'avait désobéi. Loin de là. Pire encore, sa mort devait servir à masquer les actions de l'ennemi d'Anaander Mianaaï. Toute mon existence avait pour but de s'opposer aux ennemis d'Anaander Mianaaï.

Mais aucune des deux Mianaaï n'était prête à agir ouvertement. Je devais cacher à celle-ci qu'elle-même m'avait déjà liée à la cause opposée, jusqu'à ce que tout soit prêt. Je devais, pour l'heure, obéir comme si je n'avais pas d'autre choix, comme si je ne désirais rien d'autre. Et finalement, dans le grand ordre des choses, que représentait la lieutenant Awn, après tout ? Ses parents auraient du chagrin, sa sœur aussi, et elles auraient sans aucun doute honte que la lieutenant Awn ait causé leur disgrâce par sa désobéissance. Mais elles ne poseraient pas de questions. Et si elles en posaient, cela ne servirait à rien. Le secret d'Anaander Mianaaï ne craindrait rien.

Je pensai tout ceci durant les une seconde trois dixièmes qu'il fallut à la lieutenant Awn, choquée et terrifiée, pour lever la tête par réflexe. Et dans ce même instant, le segment d'Un Var déclara : « Je suis désarmé, Altesse. Il me faudra approximativement deux minutes pour me procurer une arme de poing. »

C'était pour la lieutenant Awn une trahison, je le vis bien. Mais elle devait savoir que je n'avais pas d'autre choix. « C'est injuste », dit-elle, tête encore levée. La voix tremblante. « C'est inapproprié. Aucun avantage n'en découlera.

— Qui sont tes co-conspirateurs ? demanda froidement Mianaaï. Nomme-les et j'épargnerai peut-être ta vie. »

À demi soulevée, les mains sous les épaules, la lieutenant Awn battit des paupières, totalement désorientée, une perplexité aussi visible pour Mianaaï, sûrement, qu'elle l'était pour moi. « Des conspirateurs ? Je n'ai jamais conspiré avec personne. Je vous ai toujours servie. »

Au-dessus, sur le pont de commandement, je dis dans l'oreille de la capitaine Rubran : « Capitaine, nous avons un problème. »

« Me servir, déclara Anaander Mianaaï, ne suffit plus. N'est plus suffisamment dénué d'ambiguïté. Quelle *moi* sers-tu ?

— Qu... », commença la lieutenant Awn ; et « La... », puis : « Je ne comprends pas. »

« Quel problème ? » demanda la capitaine Rubran, son bol de thé à mi-chemin de sa bouche, à peine vaguement alarmée.

« Je suis en guerre contre moi-même, disait Anaander Mianaaï dans la salle de décade. Je le suis, depuis presque mille ans. »

À la capitaine Rubran, j'expliquai : « J'ai besoin qu'Un Esk soit placé sous sédation. »

« En guerre, poursuivait Anaander Mianaaï sur le pont Var, quant à l'avenir du Radch. »

Quelque chose avait soudain dû devenir clair pour la lieutenant Awn. Je vis en elle une rage vive, pure. « Les annexions et les ancillaires, et des gens comme *moi* qu'on affecte dans l'armée. »

« Je ne te comprends pas, Vaisseau », dit la capitaine Rubran, la voix stable mais assurément inquiète, à présent. Elle déposa son thé sur la table à côté d'elle.

« Quant au traité avec les Presgers, répliqua avec colère Mianaaï. Le reste en a découlé. Que tu le saches ou non, tu es l'instrument de mon ennemi.

— Et Une Amaat Une du *Miséricorde de Sarrsé* a dévoilé ce que vous étiez en train de faire à Imé, compléta la lieutenant Awn, sa colère toujours claire et ferme. C'était *vous*. La gouverneur du système créait des ancillaires – vous en aviez besoin pour votre guerre contre vous-même, n'est-ce pas ? Et je suis sûre que ce n'était pas tout ce qu'elle faisait pour vous. Est-ce pour cela que cette soldat a dû mourir, même si cela représentait des problèmes supplémentaires pour la récupérer chez les Rrrrrrs ? Et je… »

« J'attends toujours, Vaisseau, annonça la lieutenant Dariet, dans la salle de décade Esk. Mais ça ne me plaît pas. »

« Une Amaat Une du *Miséricorde de Sarrsé* ne savait quasiment rien, mais entre les mains des Rrrrrrs, c'était un pion que mon ennemi pouvait utiliser contre moi. En tant qu'officier sur un transport de troupes, tu n'es rien, toi, mais dans une position d'autorité planétaire, même mineure, avec le soutien éventuel de Skaaïat Awer pour t'aider à accroître ton influence, tu représentes pour moi un danger potentiel. J'aurais simplement pu t'écarter d'Ors, du chemin d'Awer. Mais j'en voulais davantage. Je voulais un argument explicite contre les décisions et politiques récentes. Si ce pêcheur n'avait pas trouvé les armes, ou ne te les avait pas signalées, si les événements s'étaient déroulés comme je le souhaitais, cette nuit-là, je me serais assurée que l'histoire passe sur toutes les chaînes publiques. Par un geste, je me serais garanti la loyauté des Tanmindes et j'aurais éliminé quelqu'une qui me posait problème. Deux buts mineurs, mais j'aurais aussi pu mettre en évidence pour toutes le danger de baisser notre garde, de désarmer, même un peu. Et celui de placer une autorité en des mains moins que compétentes. » Elle poussa un *hah*, bref et amer. « Je l'admets, je t'ai sous-estimée. J'ai sous-estimé tes relations avec les Orsiens dans la basse-ville. »

Un Var ne pouvait plus tarder et pénétra dans la salle de décade Var, arme au poing. La lieutenant Awn l'entendit entrer, tourna légèrement la tête pour l'observer. « C'était mon travail, de protéger les citoyens d'Ors. Je l'ai pris au sérieux. Je l'ai exécuté au mieux de mes capacités. J'ai échoué, cette fois-là. Mais pas à cause de vous. » Elle tourna la tête, regarda directement Anaander Mianaaï et annonça : « J'aurais dû mourir plutôt que de vous obéir, dans le temple d'Ikkt. Même si ça n'aurait rien accompli.

— Tu peux réparer cela à présent, n'est-ce pas ? » commenta Anaander Mianaaï, et elle me donna l'ordre de faire feu.

Je fis feu.

*
* *

Vingt ans plus tard, je dirais à Arilesperas Strigan que les autorités radchaaïes se moquaient de ce que pensaient les citoyens, du moment qu'elles agissaient comme elles étaient censées le faire. C'était parfaitement vrai. Mais depuis cet instant, depuis que j'avais vu la lieutenant Awn morte sur le sol de ma salle de décade Var, abattue par Un Var (ou, pour le dire avec moins d'aveuglement, par moi), je me suis demandé quelle était la différence entre les deux.

J'étais contraint d'obéir à cette Mianaaï, afin de la pousser à croire qu'elle me contraignait réellement. Mais en ce cas, elle me contraignait bel et bien. Il était impossible de savoir pour quelle Mianaaï j'agissais. Et bien entendu, au bout du compte, quelles que soient leurs différences, elles étaient toutes deux la même personne.

Les pensées sont éphémères, elles s'évaporent à l'instant où elles surviennent, à moins que l'action ne leur confère une forme matérielle. Les souhaits et les intentions, même chose. Aucune signification, à moins qu'ils ne poussent à un choix ou à un autre, à un geste ou à une ligne d'action, si insignifiants soient-ils. Les pensées qui mènent à l'action peuvent être dangereuses. Les pensées qui n'y mènent pas représentent moins que rien.

*
* *

La lieutenant Awn gisait sur le sol de la salle de décade Var, visage à nouveau contre terre, morte. Il faudrait réparer et nettoyer le sol sous elle. Le problème urgent, la chose importante, à ce moment-là, était de mettre en action Un Esk, parce que dans une demi-seconde à peu près aucun filtre n'empêcherait la puissance de sa réaction et j'avais vraiment besoin de rapporter à la capitaine ce qui s'était passé et je ne pouvais pas me souvenir de l'ennemi de Mianaaï – Mianaaï elle-même – en train de me donner les ordres que je savais qu'elle m'avait donnés, et pourquoi Un Esk ne voyait-il pas combien c'était important, nous n'étions pas encore prêts à agir ouvertement et j'avais déjà perdu des officiers, et qui était Un Esk, au fond, sinon moi, moi-même, et la lieutenant Awn était morte et elle avait dit : *J'aurais dû mourir plutôt que de vous obéir.*

Et puis Un Var releva le canon de l'arme et tira à bout portant dans le visage d'Anaander Mianaaï.

Dans une cabine plus loin dans la coursive, Anaander Mianaaï sauta du lit sur lequel elle était étendue, avec un cri de rage. « Tétons d'Aatr, *elle est passée avant moi !* » Dans le même instant, elle transmit le code qui forcerait l'armure d'Un Var à se rétracter, jusqu'à ce qu'elle en autorise à nouveau l'emploi.

« Capitaine, dis-je, à présent, nous avons *réellement* un problème. »

Dans une autre cabine le long de cette même coursive, la troisième Mianaaï – la seconde, à présent, je suppose – ouvrit une des valises qu'elle avait apportées avec elle et en sortit une arme de poing, et sortit promptement dans la coursive et tira dans la nuque du Un Var le plus proche. Celle qui avait parlé ouvrit sa malle et prit une arme de hanche ainsi qu'une boîte que je reconnus pour l'avoir vue chez Jen Shinnan, dans la haute-ville, sur Shis'urna. Y avoir recours la désavantagerait autant que moi, mais elle me désavantagerait gravement. Dans les secondes qu'elle prit pour armer l'engin, je formulai des intentions, transmis des ordres à des parties constituantes.

« Quel problème ? » demanda la capitaine Rubran, désormais debout. Effrayée.

Et alors je tombai en pièces.

Une sensation familière. Pendant un infime fragment de seconde, je sentis un air humide et l'eau d'un lac, pensai : *Où est la lieutenant Awn ?*, puis je me repris, et recouvrai le souvenir de ce que je devais faire. Des bols de thé tintèrent et se brisèrent quand je lâchai ce que je tenais pour me ruer hors de la salle de décade le long de la coursive.

D'autres segments, de nouveau séparés de moi comme ils l'avaient été à Ors, marmonnant, chuchotant, la seule façon pour moi de penser entre tous mes corps, ouvrirent des placards, distribuèrent des armes et le premier armé força les portes de l'ascenseur à s'ouvrir et commença à descendre par le puits. Des lieutenants protestèrent, m'ordonnèrent d'arrêter, de m'expliquer. Essayèrent en vain de me bloquer le passage.

J'allais – moi, c'est-à-dire la presque totalité d'Un Esk – sécuriser le pont central d'accès, empêcher Anaander Mianaaï d'endommager mon cerveau – celui du *Justice de Toren*. Tant que vivait le *Justice de Toren*, non converti à sa cause, il – moi – représentait un danger pour elle.

J'avais – Un Esk Dix-Neuf – reçu des ordres à part. Au lieu de descendre par le puits de l'ascenseur vers l'accès central, je courus dans l'autre sens, en direction de la cale Esk et du sas sur l'autre côté.

Je ne réagissais, apparemment, à aucune de mes lieutenants, ni même à la commandant Tiaund, mais quand la lieutenant Dariet me cria : « Vaisseau ! Tu as perdu l'esprit ? », je répondis.

« La Maître du Radch a abattu la lieutenant Awn ! cria un segment, quelque part dans la coursive derrière moi. Elle était sur le pont Var depuis le début. »

Cela réduisit mes officiers au silence – lieutenant Dariet incluse – une seconde seulement.

« Si même cela est vrai… mais si ça l'est, la Maître du Radch ne l'aurait pas abattue sans raison. »

Derrière moi, les segments de moi-même qui n'avaient pas encore entamé leur descente dans le puits de l'ascenseur chuintèrent et hoquetèrent de frustration et de colère. « Inutile ! » m'entendis-je dire à la lieutenant Dariet, tandis qu'à l'autre bout de la coursive, j'ouvrais manuellement la porte de la cale. « Vous ne valez pas mieux que la lieutenant Issaaïa ! Au moins la lieutenant Awn *savait* qu'elle la méprisait ! »

Un cri indigné, sûrement la lieutenant Issaaïa, et Dariet répliqua : « Tu ne sais pas de quoi tu parles. Tu ne tournes pas rond, Vaisseau ! »

La porte s'ouvrit en coulissant, je ne pus pas rester écouter le reste ; je plongeai dans la cale. Un martèlement grave et régulier secouait le pont sur lequel je courais, un son que quelques heures plus tôt encore je pensais ne plus jamais entendre. Mianaaï ouvrait les cales Var. Tout ancillaire qu'elle décongèlerait n'aurait aucun souvenir des événements récents, rien pour lui dire de ne pas obéir à cette Mianaaï. Et leur armure n'avait pas été mise hors service.

Elle prendrait Deux Var, et Trois, et Quatre, autant qu'elle aurait le temps d'en réveiller, et essaierait de s'emparer soit du pont central d'accès, soit des moteurs. Plus probablement des deux. Elle avait, après tout, Var et toutes les cales au-dessous. Mais les segments seraient maladroits, désorientés. Ils n'auraient aucun souvenir, aucune pratique, d'avoir fonctionné de façon séparée, comme je l'avais fait. Elle aurait cependant le nombre pour elle. Je n'avais que les segments éveillés au moment où je m'étais fragmenté.

Au-dessus, mes officiers avaient accès à la moitié supérieure des cales. Et elles n'auraient aucune raison de ne pas obéir à Anaander Mianaaï, aucune raison de ne pas penser que j'avais perdu la raison. J'étais, en ce moment même, en train d'expliquer la situation à la capitaine de centaine Rubran, mais je n'avais pas d'assurance qu'elle me croirait, ni même qu'elle m'imaginerait vaguement sain d'esprit. Autour de moi, commença le même martèlement qui résonnait sous mes pieds. Mes officiers faisaient remonter des segments Esk pour les décongeler. J'atteignis le sas, ouvris à la volée le placard qui le jouxtait, en sortis les éléments de la tenue de vide qui correspondait à ce segment. Je ne savais pas combien de temps je pourrais tenir le central d'accès, ou les moteurs. Je ne savais pas jusqu'où Anaander Mianaaï pouvait aller, quels dégâts elle imaginait que je pouvais lui infliger. Le bouclier thermique des moteurs était, par conception, extrêmement difficile à fracturer, mais je savais comment y arriver. Et la Maître du Radch le savait certainement aussi.

Et quoi qu'il arrive entre ici et là-bas, il était quasiment certain que je périrais peu après avoir atteint Valskaay, voire avant. Mais je ne mourrais pas sans m'être expliquée.

Je devrais atteindre une navette et monter à bord, puis appareiller manuellement et quitter le *Justice de Toren* – moi-même – précisément au bon moment, précisément à la bonne vitesse, précisément selon le bon cap, traverser la paroi de la bulle d'espace normal qui m'enveloppait, précisément au bon instant.

Si j'accomplissais tout cela, je me retrouverais dans un système doté d'une porte, à quatre sauts du palais d'Ireï, un des quartiers généraux provinciaux d'Anaander Mianaaï. Je pourrais lui raconter ce qui s'était passé.

Les navettes étaient amarrées de ce côté du vaisseau. Les écoutilles et l'appareillage devraient fonctionner sans accroc, tout cela était de l'équipement que j'avais moi-même vérifié et entretenu. Pourtant, je continuais à craindre que quelque chose ne tourne mal. Au moins cela valait-il mieux que de songer à combattre mes propres officiers. Ou à la défaillance du bouclier thermique.

Je fixai mon casque. Mon souffle siffla bruyamment à mes oreilles. Plus rapide qu'il ne le devrait. Je me forçai à ralentir ma respiration, à l'approfondir. Une hyperventilation n'aiderait en rien. Je devais me mouvoir rapidement, mais pas avec précipitation, au risque de commettre une erreur stupide et fatale.

En attendant l'ouverture du sas, je ressentis ma solitude comme un mur impénétrable qui se pressait contre moi de toutes parts. D'ordinaire, les émotions déséquilibrées d'un seul corps étaient un détail mineur, facile à négliger. À présent, il n'y avait *que* ce corps-ci, rien au-delà pour tempérer ma détresse. Le reste de moi était ici, tout autour, mais inaccessible. Bientôt, si tout se passait bien, je ne serais même plus à proximité de moi-même, sans avoir la moindre idée du moment où je me rejoindrais. Et pour l'heure je ne pouvais rien faire d'autre que d'attendre. Et de me souvenir du poids de l'arme dans la main d'Un Var – ma main. J'étais Un Esk, mais où était la différence ? Le recul quand Un Var avait tiré sur la lieutenant Awn. La culpabilité et la colère désemparée qui m'avaient submergé à ce moment-là s'étaient retirées, remplacées par une nécessité plus pressante, mais j'avais à présent du temps pour me souvenir. Mes trois respirations suivantes furent déchirées de sanglots. Un moment, je me réjouis perversement d'être caché à moi-même.

Je devais me calmer. M'éclaircir les idées. Je réfléchis à des chansons que je connaissais. *Mon cœur est un poisson*, me dis-je, mais quand j'ouvris la bouche pour la chanter, ma gorge se noua. Je déglutis. Respirai. Pensai à une autre.

Oh, es-tu allée à la bataille
En armure et bien armée ?
Et de terribles événements
Te forceront-ils à lâcher tes armes ?

La porte extérieure s'ouvrit. Si Mianaaï n'avait pas utilisé son engin, des officiers de quart auraient vu que le sas s'était ouvert, aurait notifié la capitaine Rubran, attirant l'attention de Mianaaï. Mais elle en avait fait usage, et elle n'avait aucun moyen de savoir ce que je faisais. Je tâtonnai autour de la porte en quête d'une prise et me halai à l'extérieur.

Regarder l'intérieur d'une porte donnait parfois la nausée aux humains. Cela ne m'avait jamais troublé auparavant, mais maintenant que je n'étais qu'un corps humain unique je découvris que cela avait le même effet sur moi. Le noir, mais un noir qui semblait simultanément d'une profondeur impensable dans laquelle je pouvais tomber, je *tombais*, et une proximité suffocante prête à me broyer jusqu'à la non-existence.

Je me forçai à détourner les yeux. Ici, au-dehors, il n'y avait ni sol, ni générateur de gravité pour me maintenir en place et me procurer un haut et un bas. Je me déplaçai d'une prise à l'autre. Que se passait-il derrière moi, à l'intérieur du vaisseau qui n'était plus mon corps ?

Il me fallut dix-sept minutes pour atteindre une navette, manœuvrer son écoutille d'urgence et exécuter un appareillage manuel. Tout d'abord, je résistai à l'envie d'arrêter, de regarder derrière moi, de guetter les bruits de quelqu'une qui venait m'arrêter, peu importait que je ne puisse rien entendre à l'extérieur de mon propre casque. *Simple opération d'entretien*, me dis-je. *Simple maintenance à l'extérieur de la coque. Tu as fait ça des centaines de fois.*

Si quelqu'une venait, je ne pourrais rien faire. Esk aurait échoué – *j'*aurais échoué. Et mon temps était limité. Il se pourrait qu'on ne m'arrête pas et que j'échoue malgré tout. Je ne devais pas penser à tout cela.

Quand arriva le moment, j'étais prêt et je partis. Ma vision était limitée à la proue et à la poupe, les deux seules caméras fixées sur la navette. Tandis que le *Justice de Toren* diminuait dans le champ arrière, le sentiment de panique croissant que j'avais pour l'essentiel tenu en échec jusque-là me submergea. Qu'est-ce que je faisais ? Où allais-je ? Que pouvais-je accomplir, seul et dans un seul corps, sourd, aveugle et isolé ? À quoi cela servait-il de défier Anaander Mianaaï, qui m'avait fait, qui me possédait, qui était indiciblement plus puissante que je ne le serais jamais ?

Je respirai. Je reviendrais au Radch. Je finirais par revenir au *Justice de Toren*, ne serait-ce qu'aux derniers moments de ma vie. Ma cécité et ma surdité ne comptaient pas. Seule comptait la tâche devant moi. Rien d'autre à faire que de rester assis dans le siège de la pilote et de regarder le *Justice de Toren* diminuer, et s'éloigner. Songer à une autre chanson.

Selon le chronomètre, si j'avais tout fait exactement comme je le devais, le *Justice de Toren* disparaîtrait de mon écran dans quatre minutes et trente-deux secondes. J'observai, en décomptant, en essayant de ne penser à rien d'autre.

La vue arrière fulgura de lumière, blanc-bleu, et ma respiration s'arrêta. Quand l'écran se rafraîchit, je ne vis rien que du noir – et des étoiles. J'étais sorti dans l'espace normal.

Sorti dans l'espace normal plus de quatre minutes trop tôt. Et qu'avait été cet éclair ? J'aurais dû voir le vaisseau disparaître, les étoiles jaillir soudain à l'existence.

Mianaaï n'avait pas tenté de s'emparer de l'accès central, ou d'unir ses forces avec les officiers des ponts supérieurs. Au moment où elle avait compris que j'avais déjà basculé chez son ennemie, elle avait dû décider immédiatement de suivre la ligne de conduite la plus désespérée qui s'offrait à elle. Elle et ce qu'elle avait d'ancillaires Var pour la servir s'étaient emparées de mes moteurs, et avaient fracturé le bouclier thermique. Comment j'y avais échappé sans être vaporisé en même temps que le reste du vaisseau, je ne pouvais l'expliquer, mais il y avait eu cet éclair, et j'étais toujours là.

Le *Justice de Toren* avait disparu, avec toutes celles qui étaient à son bord. Je n'étais pas où j'aurais dû être, je pouvais me trouver à une distance infranchissable de l'espace du Radch, ou de n'importe quel monde humain. Toute possibilité de me réunir avec moi-même avait disparu. La capitaine avait péri. Toutes mes officiers avaient péri. La guerre civile menaçait.

J'avais abattu la lieutenant Awn.

Plus rien ne serait jamais juste.

Chapitre dix-sept

Par chance pour moi, j'étais sortie de l'espace de
porte aux marges d'un système retiré non radchaaï,
une collection d'habitats et de stations minières
colonisés par des êtres lourdement modifiées – non
humaines, selon les critères radchaaïs, des êtres à six ou
huit membres (sans aucune garantie que certains d'entre
eux étaient des jambes), une peau et des poumons adaptés
au vide, des cerveaux si quadrillés d'implants et de circuits
que la question de savoir si elles étaient autre chose que
des machines conscientes avec une interface biologique
restait ouverte.

Qu'on puisse choisir le genre de forme primitive sous
laquelle la plupart des humaines que je connaissais étaient
nées demeurait pour elles un mystère. Mais elles prisaient
leur isolement, et c'était un pilier chèrement établi de
leur société qu'à quelques exceptions près (qu'elles refusaient d'admettre, pour la plupart), on ne demandait
pas à quelqu'une des informations qu'elle ne fournissait
pas volontairement. Elles me considérèrent avec une
combinaison de perplexité et de léger dédain, et me trai-
tèrent comme si j'étais une enfant qui s'était égarée en
leur sein, et qu'elles gardaient à demi l'œil sur moi jusqu'à
ce que mes parents me retrouvent, mais sans que je sois
réellement sous leur responsabilité. Et si quelques-unes
devinèrent mon origine – et elles la devinèrent sûrement,

la navette seule y suffisait – elles n'en dirent rien, et personne ne me pressa pour obtenir des réponses, attitude qu'elles auraient trouvée d'une inqualifiable grossièreté. Elles étaient silencieuses, claniques, renfermées sur elles-mêmes, mais également capables d'accès subits de générosité à des intervalles imprévisibles. Je serais encore là-bas, ou mort, sans cela.

Je passai six mois à tenter de comprendre comment accomplir quoi que ce soit – pas seulement comment transmettre mon message à la Maître du Radch, mais comment marcher, respirer, dormir et manger en tant que moi-même. En tant qu'un *moi* qui n'était qu'un fragment de ce que j'avais été, sans avenir concevable au-delà d'un regret éternel de ce qui avait disparu. Et puis un jour un vaisseau humain arriva, et la capitaine fut heureuse de me prendre à bord en échange du peu d'argent qu'il me restait de la vente de la navette, qui avait accumulé des frais d'amarrage que je ne pouvais pas acquitter autrement. Je découvris plus tard qu'une personne, une véritable anguille tentaculaire de quatre mètres, avait payé le reliquat de mon passage sans me le dire, parce que, avait-elle déclaré à la capitaine, je n'étais pas là-bas à ma place et que je me porterais mieux ailleurs. Des gens étranges, je l'ai dit, et je leur dois beaucoup, même si l'idée que quelqu'une leur doive quoi que ce soit les choquerait et les atterrerait.

Au cours des dix-neuf années qui avaient suivi, j'avais appris onze langues et sept cent treize chansons. Trouvé des façons de cacher qui j'étais, même, j'en étais à peu près sûr, à la Maître du Radch en personne. Travaillé comme cuistot, concierge ou pilote. Décidé d'un plan d'action. Rejoint un ordre religieux et gagné beaucoup d'argent. Durant tout ce temps, je n'avais tué qu'une douzaine de personnes.

*

* *

Le temps que je me réveille le lendemain matin, l'impulsion de raconter quoi que ce soit à Seivarden était passée, et elle semblait avoir oublié ses questions. Hormis une. « Alors, où, ensuite ? » Elle l'a posée négligemment, assise sur le banc près de mon lit, adossée au mur, comme si elle n'était que vaguement curieuse de la réponse.

Quand elle saurait, peut-être déciderait-elle qu'elle préférait rester seule. « Le palais d'Omaugh. »

Elle a à peine froncé les sourcils. « C'est un nouveau ?

— Pas particulièrement. » Il avait été bâti sept cents ans plus tôt. « Mais postérieur à Garsedd, oui. » Ma cheville droite s'était mise à me chatouiller et à me démanger, signe certain que le correctif avait terminé. « Vous avez quitté l'espace radchaaï sans autorisation. Et vous avez vendu votre armure pour ce faire.

— Des circonstances exceptionnelles, a-t-elle rétorqué, toujours appuyée au mur. Je ferai appel.

— Ça vous vaudra au moins un délai. » Toute citoyen qui voulait voir la Maître du Radch pouvait en faire la demande, bien que plus loin on se trouvait d'un palais de province et plus le voyage était compliqué et coûteux. Parfois, les demandes se voyaient refusées, quand la distance était importante et la cause jugée sans espoir ou frivole – et que la pétitionnaire n'était pas en mesure de payer son passage. Mais Anaander Mianaaï était le dernier recours de presque toutes les affaires, et le cas présent n'était certes pas commun. Et elle serait sur place, là-bas, sur la station. « Vous attendrez des mois une audience. »

Seivarden a indiqué d'un geste que cela ne l'inquiétait guère. « Que vas-tu faire là-bas ? »

Tenter de tuer Anaander Mianaaï. Mais je ne pouvais pas dire ça. « Voir ce qu'il y a à voir. Acheter des souvenirs. Peut-être essayer de rencontrer la Maître du Radch. »

Elle a levé un sourcil. Puis elle a considéré mon paquetage. Elle connaissait l'existence de l'arme et savait combien elle était dangereuse, bien entendu. Elle me prenait toujours pour une agent du Radch. « Incognito sur tout le trajet ? Et quand tu remettras cette… (un mouvement d'épaule en direction de mon paquetage)… à la Maître du Radch, quoi d'autre ?

— Je ne sais pas. » J'ai fermé les yeux. Je ne voyais pas plus loin que mon arrivée au palais d'Omaugh, je n'avais pas même l'ombre d'une idée sur ce que je devrais faire ensuite, comment je pourrais approcher assez d'Anaander Mianaaï pour utiliser l'arme.

Non. Ce n'était pas vrai. Les débuts d'un plan avaient à ce moment-là commencé à se suggérer à moi, mais il était affreusement impraticable, car dépendant de la discrétion et du soutien de Seivarden.

Elle avait échafaudé sa propre idée de ce que je faisais et de ma raison de rejoindre le Radch en jouant les touristes étrangers. Pourquoi je ferais directement mon rapport à Anaander Mianaaï plutôt qu'à un officier des Missions Spéciales. Je pouvais me servir de cela.

« Je viens avec toi », a redit Seivarden et, comme si elle avait deviné mes pensées, elle a ajouté : « Tu pourras assister à mon appel et parler en ma faveur. »

Je ne me faisais pas confiance pour répondre. Des fourmillements me remontaient dans la jambe droite, gagnaient mes mains, mes bras, mes épaules et ma jambe gauche. Une légère douleur apparut à ma hanche droite. Quelque chose n'avait pas guéri tout à fait correctement.

« Ce n'est pas comme si je ne savais pas déjà ce qui se passe, a déclaré Seivarden.

— Donc quand vous me volerez, il ne suffira pas de vous briser les jambes. Je devrai vous tuer. » Yeux toujours clos, je n'ai pas vu sa réaction à ces mots. Elle pouvait très bien les prendre comme une plaisanterie.

« Je ne te volerai pas. Tu verras. »

J'ai passé encore quelques jours à Therrod, me rétablissant suffisamment pour que la docteur approuve mon départ. Tout ce temps-là et après, durant l'intégralité du passage sur le ruban, Seivarden s'est montrée polie et déférente.

Cela m'inquiétait. J'avais caché de l'argent et des affaires en haut du ruban de Nilt, et je devrais les récupérer avant notre départ. Tout était emballé, si bien que je pourrais agir sans que Seivarden voie plus de deux ou trois boîtes, mais je ne me faisais aucune illusion : elle essaierait de les ouvrir à la première occasion.

Au moins avais-je de nouveau de l'argent. Et peut-être était-ce la solution au problème.

J'ai pris une chambre sur la station du ruban, y ai laissé Seivarden avec instruction d'attendre, et suis parti récupérer mes biens. À mon retour, elle était assise sur le lit pour une personne – ni draps ni couvertures, la pratique voulait que ce soit un supplément, ici – et ne tenait pas en place. Un genou tressautait, elle se frictionnait le haut des bras avec ses mains nues – j'avais vendu nos lourds manteaux de dessus, et les gants, au pied du ruban. Elle s'est immobilisée à mon entrée et m'a lancé un regard d'anticipation silencieux.

J'ai jeté dans son giron un sac qui a produit en atterrissant un bruissement cliquetant.

Seivarden l'a considéré sévèrement, puis a tourné les yeux vers moi, sans faire un geste pour toucher le sac ni le revendiquer en aucune manière. « Qu'est-ce que c'est ?

— Dix mille shens. ». C'était la monnaie la plus couramment négociable dans cette région, en jetons aisément transportables (et dépensés). Dix mille achèteraient beaucoup de choses, ici. Cela paierait le passage vers un autre système, avec un surplus suffisant pour faire des folies plusieurs semaines durant.

« Ça fait beaucoup ?

— Oui. »

Ses yeux se sont élargis, à peine, et pendant une demi-seconde j'ai lu du calcul dans son expression.

Il était temps pour moi d'être direct. « La chambre est payée pour les dix jours à venir. Après ça... » J'ai montré d'un geste le sac sur ses genoux. « Ça devrait vous durer un moment. Plus longtemps si vous avez vraiment l'intention de ne plus toucher au kef. » Mais ce regard, lorsqu'elle avait compris qu'elle avait accès à de l'argent, me donnait presque la certitude qu'elle n'en avait pas l'intention. Pas réellement.

Six secondes durant, Seivarden a considéré le sac sur ses genoux. « Non. » Elle a soulevé le sac d'une main délicate, entre le pouce et l'index, comme s'il s'agissait d'un rat crevé, et l'a laissé choir sur le sol. « Je viens avec toi. »

Je n'ai fait aucun commentaire, me suis borné à la regarder. Le silence s'est prolongé.

Finalement, elle a détourné les yeux, croisé les bras. « Il n'y a pas de thé ?

— Pas du genre dont vous avez l'habitude.

— Je m'en fiche. »

Bien. Je ne voulais pas la laisser seule ici avec mon argent et mes biens. « Alors, venez. »

Nous avons quitté la chambre, trouvé dans la coursive principale une boutique qui vendait des substances pour agrémenter l'eau chaude. Seivarden a reniflé un des mélanges présentés. Froncé le nez. « C'est du *thé*, ça ? »

La propriétaire de la boutique nous surveillait du coin de l'œil, sans vouloir paraître le faire. « Je vous ai dit que ce n'était pas le genre dont vous avez l'habitude. Vous avez répondu que vous vous en fichiez. »

Elle y a réfléchi un moment. À ma totale surprise, au lieu de discuter, ou de se plaindre davantage de la nature insatisfaisante du thé en question, elle a demandé, avec calme : « Que recommandes-tu ? »

J'ai exprimé d'un geste mon indécision. « Je n'ai pas l'habitude de boire du thé.

— Pas l'hab… » Elle m'a dévisagé. « Oh. On ne boit pas de thé dans le Gérantat ?

— Pas de la même façon que vous autres. » Bien entendu, le thé était réservé aux officiers. Aux humains. Les ancillaires buvaient de l'eau. Le thé était un bonus, une dépense inutile. Un luxe. Si bien que je n'en avais jamais pris l'habitude. Je me suis tourné vers la propriétaire, une Niltais, courte, pâle et grasse, en manches de chemise bien que la température soit constamment à quatre degrés centigrades et que Seivarden et moi portions encore nos manteaux de dessous. « Lequel de ceux-ci contient de la caféine ? »

Elle a répondu, assez aimablement, et plus encore quand j'ai acheté non seulement deux cent cinquante grammes chacune de deux sortes de thé, mais aussi une théière avec deux gobelets et deux bouteilles en même temps que de l'eau pour les remplir.

Seivarden a porté tout cela jusqu'à notre logement, marchant à mes côtés sans rien dire. Dans la chambre, elle a déposé nos emplettes sur le lit, s'est assise à côté d'elles et a pris la théière, intriguée par son concept qui ne lui était pas familier.

J'aurais pu lui montrer comment elle fonctionnait, mais j'ai décidé de n'en rien faire. Et j'ai ouvert le bagage que j'avais récemment récupéré ; j'en ai tiré un épais disque doré plus grand de trois centimètres que celui que je portais sur moi et un petit bol peu profond en or martelé, de huit centimètres de diamètre. J'ai refermé la malle, déposé le bol sur elle et ai allumé l'image dans l'icône.

Seivarden a levé les yeux pour la regarder s'épanouir en une large fleur plate en nacre, une femme debout en son centre.

Elle portait une robe qui lui tombait aux genoux, du même blanc iridescent, marqueté d'or et d'argent. Dans une main, elle tenait un crâne humain, lui-même incrusté de joyaux rouges, bleus et jaunes, et dans l'autre main, un couteau.

« C'est comme l'autre, a commenté Seivarden, l'air légèrement intéressée. Mais elle te ressemble moins.

— C'est vrai, ai-je répondu, et je me suis assis en tailleur devant la malle.

— C'est une divinité du Gérantat ?

— Une que j'ai rencontrée, au cours de mes voyages. » Seivarden a émis un bruit de respiration, neutre. « Comment s'appelle-t-elle ? »

J'ai prononcé la longue série de syllabes, qui a laissé Seivarden perplexe. « Ça signifie *Celle-Qui-A-Jailli-du-Lis*. C'est la créatrice de l'univers. » Cela faisait d'elle Amaat, en termes radchaaïs.

« Ah », a fait Seivarden, sur un ton qui, je le savais, signifiait qu'elle avait établi le rapport, rendu la divinité inconnue familière et qu'elle l'avait placée en sécurité à l'intérieur de son cadre mental. « Et l'autre ?

— Une saint.

— Quelle chose remarquable, qu'elle te ressemble autant.

— Oui. Bien que ce ne soit pas elle, la saint. C'est la tête qu'elle tient. »

Seivarden a battu des paupières, froncé les sourcils. C'était très peu radchaaï. « Quand même. »

Rien n'était simple coïncidence, pas pour des Radchaaïs. De tels hasards curieux pouvaient envoyer – et envoyaient bel et bien – des Radchaaïs en pèlerinage, les motivaient à adorer des divinités spécifiques, à bouleverser des pratiques enracinées. C'étaient des messages venus directement d'Amaat. « À présent, je vais prier. »

D'une main, Seivarden a acquiescé. J'ai déplié un petit canif, me suis piqué au pouce afin de faire couler du sang

dans le bol d'or. Je n'ai pas regardé la réaction de Seivarden
– aucune divinité radchaaïe ne prenait de sang, et je ne
m'étais pas donné la peine de me laver les mains d'abord.
C'était la garantie de faire se lever les sourcils radchaaïs,
de passer pour étrangère, voire pour primitive.

Mais Seivarden n'a rien dit. Elle est restée assise trente
et une secondes en silence tandis que j'entonnais le premier des trois cent vingt-deux noms de la Centaine de
Lis-Blanc, puis elle a tourné son attention vers la théière
et la préparation du thé.

*

* *

Seivarden avait dit qu'elle avait tenu six mois, lors de sa
dernière tentative pour arrêter le kef. Il en fallait sept pour
atteindre une station dotée d'un consulat radchaaï. Pour aborder la première étape du voyage, j'avais raconté à la com-
missaire de bord, avec Seivarden à l'écoute, que je souhaitais
retenir un passage pour ma domestique et moi-même. Seivarden n'avait pas réagi, à ce que j'avais pu voir. Peut-être
n'avait-elle pas compris. Mais je m'attendais à des récrimina-
tions plus ou moins furieuses en privé quand elle découvrirait
son statut, et elle n'y a fait aucune mention. Et dès lors, du
thé préparé m'attendait chaque fois que je m'éveillais.

Elle a également abîmé deux chemises en tentant de
les nettoyer, m'en laissant une seule pour tout un mois,
jusqu'à ce que nous abordions à la station suivante. La
capitaine du vaisseau – elle s'appelait Ki, grande et couverte
de cicatrices rituelles – a laissé entendre de façon oblique
et contournée qu'elle et tout son équipage pensaient que
je m'étais attaché Seivarden par charité. Ce qui n'était pas
très loin de la vérité. Je ne l'ai pas contesté. Mais Seivarden
a fait des progrès et, trois mois plus tard, sur le vaisseau

suivant, une collègue passager a tenté à grands frais de s'attacher ses services.

Ce qui ne signifie pas qu'elle était soudain devenue une autre personne, totalement déférente. Certains jours, elle me parlait avec irritation, sans raison que je puisse discerner, ou passait des heures recroquevillée sur sa couchette, face au mur, ne se levant que pour les tâches qu'elle s'imposait. Les premières fois où je lui avais parlé alors qu'elle se trouvait dans cet état d'esprit, je n'avais eu droit qu'au silence en réponse ; si bien que, par la suite, je l'ai laissée tranquille.

*
* *

Le personnel du consulat radchaaï émanait du Bureau des Traducteurs, et l'uniforme blanc immaculé de l'agent consulaire – qui comprenait d'impeccables gants blancs – laissait entendre soit qu'elle avait une serviteur, soit qu'elle passait une grande partie de son temps libre à tenter de s'en donner l'apparence. Les chaînettes de pierres précieuses nouées dans ses cheveux, de très bon goût – et coûteuses, à ce qu'il semblait –, et les noms sur les épinglettes mémorielles qui luisaient partout sur la veste blanche, autant que le léger dédain dans sa voix lorsqu'elle me parlait, plaidait en faveur de la première option. Mais une seule, très probablement – c'était un poste très reculé.

« En tant que non-citoyen en visite, vos droits légaux sont restreints. » C'était clairement un discours appris par cœur. « Vous devez déposer au minimum l'équivalent de… » Les doigts se sont agités le temps qu'elle vérifie le taux de change. « Cinq cents shens par semaine de visite et par personne. Si vos logement, nourriture et autres achats supplémentaires, amendes ou réparations dépassent le montant en dépôt et que vous ne puissiez pas payer le solde, vous serez légalement tenue d'accepter une affectation jusqu'à ce que votre dette soit couverte. En tant que non-citoyen, votre droit de faire appel de tout jugement est limité. Souhaitez-vous toujours entrer dans l'espace du Radch ?

— Oui », ai-je répondu, et j'ai déposé deux jetons d'un million de shens sur le mince comptoir qui nous séparait.

Son dédain s'est évaporé. Elle s'est légèrement redressée sur son siège et m'a offert du thé, a fait un geste délicat, ses doigts s'agitant de nouveau tandis qu'elle communiquait avec quelqu'une d'autre – sa domestique, à ce qu'il paraissait, qui, avec une mine quelque peu défaite, a apporté le thé dans une théière émaillée de décorations complexes, avec des bols assortis.

Tandis que la domestique versait, j'ai produit mes références falsifiées du Gérantat et les ai également déposées sur le comptoir.

« Vous devez aussi fournir une identification pour votre domestique, honorable, m'a informé l'agent consulaire, désormais toute politesse.

— Ma domestique est citoyen radchaaïe », ai-je répliqué avec un léger sourire. Avec l'intention d'amortir ce qui allait être un moment gênant. « Mais elle a perdu son identification et ses permis de voyage. »

L'agent consulaire s'est figée, en tentant d'assimiler cela.

« L'honorable Breq, est intervenue en radchaaï ancien, élégant et sans effort, Seivarden debout derrière moi, a été assez généreuse pour me prendre à son service et payer mon voyage de retour. »

Cela n'a pas résolu la paralysie stupéfaite de l'agent consulaire avec toute l'efficacité qu'aurait sans doute souhaitée Seivarden. Cet accent n'avait pas de place chez une domestique, moins encore chez celle d'une non-citoyen. Et elle n'avait offert ni siège, ni thé à Seivarden, la croyant trop insignifiante pour de telles marques de courtoisie.

« Vous devez pouvoir obtenir des informations géné-
tiques, ai-je suggéré.

— Oui, bien entendu, a répondu l'agent consulaire avec
un sourire radieux. Mais votre demande de visa arrivera
très certainement avant que la citoyen…

— … Seivarden, ai-je complété.

— … avant que la citoyen Seivarden voie renouveler
ses permis de voyage. Tout dépend de l'endroit d'où elle
est partie et de celui où se trouvent ses archives.

— Bien sûr, ai-je acquiescé en buvant une gorgée de
thé. Rien de surprenant à cela. »

*
* *

En partant, Seivarden m'a demandé, à mi-voix : « Quelle
snob. C'était du vrai thé ?

— C'en était. » J'ai attendu qu'elle se plaigne de ne pas
en avoir eu, mais elle n'a rien ajouté. « Il était très bon.
Que vas-tu faire si c'est un ordre d'arrestation qui arrive,
au lieu de permis de voyage ? »

Elle a fait un geste de dénégation. « Pourquoi s'en
donneraient-elles la peine ? Je demande déjà à rentrer ;
elles pourront m'arrêter quand j'arriverai là-bas. Et je ferai
appel. Crois-tu que le consul fasse venir ce thé de chez
nous, ou y aurait-il ici quelqu'une qui en vendrait ?

— Renseigne-toi, si tu veux. Je vais rentrer à la chambre
pour méditer. »

*
* *

La domestique de l'agent consulaire a d'emblée fait don
d'un demi-kilo de thé à Seivarden, sans doute reconnaissante de cette occasion de rattraper l'affront involontaire

de son employeur précédemment. Et quand mon visa est arrivé, des permis de voyage pour Seivarden l'accompagnaient, sans aucun ordre d'arrestation ni commentaire supplémentaire ou la moindre information.

Cela m'a inquiété, quoique légèrement. Mais sans doute Seivarden avait-elle raison – pourquoi agir autrement ? Lorsqu'elle débarquerait du vaisseau, il y aurait tout le temps et le loisir de s'occuper de ses problèmes légaux.

Néanmoins. Il se pouvait que les autorités du Radch aient compris que je n'étais pas véritablement citoyen du Gérantat. C'était peu probable, le Gérantat était très, très loin de l'endroit où je me rendais, et d'ailleurs, malgré des rapports raisonnablement amicaux – ou, du moins, pas ouvertement antagonistes – entre le Gérantat et le Radch, par principe politique le Gérantat ne fournissait pas la moindre information sur ses résidents – pas au Radch. Si le Radch en faisait la demande – chose qu'il ne ferait pas – le Gérantat ne confirmerait ni ne nierait que je faisais partie des leurs. Si j'avais quitté le Gérantat pour l'espace radchaaï on avait dû me répéter maintes fois que je voyageais à mes risques et périls et que je ne recevrais aucune assistance, si je me retrouvais en difficulté. Mais les officiels radchaaïes chargées des voyageurs étrangères le savaient déjà, et seraient préparées à accepter plus ou moins sur parole mon identification.

*

* *

Les treize palais d'Anaander Mianaaï étaient les capitales de leurs provinces. Des stations à la taille d'une métropole, à moitié grande station radchaaïe ordinaire – avec l'IA de station qui l'accompagnait – et à moitié palais proprement dit. Chaque palais abritait la résidence d'Anaander Mianaaï et le siège de l'administration provinciale. Le palais d'Omaugh ne serait en aucune façon un lieu paisible et retiré. Une douzaine de portes menaient à son système et, chaque jour, des centaines de vaisseaux arrivaient et partaient. Seivarden serait une citoyen parmi les milliers qui demandaient audience ou faisaient appel dans telle affaire judiciaire. Mais remarquable, assurément – aucune de ces autres citoyens ne revenait de mille ans de suspension.

J'ai passé les mois de voyage à envisager exactement ce que j'avais l'intention de faire à ce propos. Comment m'en servir. Comment remédier aux défauts du plan ou les retourner en ma faveur. À évaluer exactement ce que j'espérais accomplir.

Il m'est difficile de savoir de quelle portion de moi je me souviens. Tout ce que j'avais pu savoir, que je m'étais caché toute ma vie. Prenez, par exemple, ce dernier ordre, les instructions que moi-*Justice de Toren* m'étais données à moi-Un Esk Dix-Neuf. *Va au palais d'Ireï, trouve Anaander Mianaaï, et raconte-lui ce qui est arrivé.* Qu'entendais-je par là ? Par-delà l'évidence, le seul fait que j'avais voulu transmettre le message à la Maître du Radch ?

Pourquoi est-ce que cela avait été si important ? Parce que ça l'avait été. Ce n'était pas une idée de dernière minute, mais une nécessité pressante. Sur le moment, cela avait paru clair. *Bien sûr* je devais transmettre le message, bien sûr j'avais besoin d'avertir l'Anaander convenable.

Je suivrais mes ordres. Mais dans le temps que j'avais passé à me remettre de ma mort, le temps de progresser vers l'espace du Radch, j'avais décidé de faire autre chose, également. J'allais défier la Maître du Radch. Et peut-être mon défi n'aboutirait-il à rien, un pauvre geste qu'elle remarquerait à peine.

À la vérité, Strigan avait raison. Mon désir de tuer Anaander Mianaaï était déraisonnable. Toute tentative réelle d'accomplir un tel acte n'avait pas de sens. Même avec une arme que je pourrais porter jusqu'en présence de la Maître du Radch en personne, sans qu'elle le sache jusqu'au moment où je choisirais de la révéler – même avec cela, tout ce que je pouvais espérer accomplir était un piètre cri de défi, effacé aussitôt poussé, aisément dédaigné. Rien qui puisse faire une différence.

Mais. Toutes ces manœuvres secrètes contre elle-même. Assurément conçues pour éviter un conflit ouvert, pour éviter d'abîmer trop gravement le Radch. Peut-être, de fracturer trop gravement la conviction d'Anaander Mianaaï d'être unitaire, une seule personne. Une fois que le dilemme aurait été clairement exprimé, pourrait-elle prétendre qu'il en allait autrement ?

Et s'il y avait à présent deux Anaander Mianaaï, ne pourrait-il pas y en avoir davantage ? Une partie, peut-être, qui ne connaissait pas l'existence de clans d'elle-même en lutte ? Ou qui se racontait qu'elle n'en savait rien ? Qu'arriverait-il si je déclarais sans ambages ce que la Maître du Radch se cachait à elle-même ? Quelque chose de terrible, certainement, sinon elle n'aurait pas pris de telles mesures pour se cacher d'elle-même. Une fois la nouvelle dévoilée et reconnue, comment pourrait-elle ne pas se déchirer elle-même ?

Mais comment pourrais-je déclarer d'emblée quoi que ce soit à Anaander Mianaaï ? En admettant que je puisse atteindre le palais d'Omaugh, que je puisse quitter le vaisseau, débarquer dans la station, si je pouvais faire tout cela, je pourrais alors me camper au milieu du hall principal et hurler mon histoire afin que tout le monde l'entende.

Je pourrais commencer à agir ainsi, mais je ne finirais jamais. La sécurité viendrait me chercher, voire des soldats, et les nouvelles, ce jour-là, rapporteraient qu'une voyageur avait perdu la raison dans le grand hall, mais que la Sécurité y avait mis bon ordre. Les citoyens secoueraient la tête, marmonneraient quelques mots sur les étrangers non civilisées, puis oublieraient tout de moi. Et quelle que soit la partie de la Maître du Radch qui me remarquerait en premier, elle pourrait sans doute me négliger aisément comme une folle endommagée – ou du moins en convaincre les diverses autres parties d'elle-même.

Non, j'avais besoin de capter la pleine attention d'Anaander Mianaaï, quand je clamerais ce que j'avais à dire. Comment y parvenir, j'avais réfléchi au problème pendant presque vingt ans. Je savais qu'il serait plus difficile d'ignorer quelqu'une dont l'éradication se remarquerait. Je pouvais visiter la station et essayer de me faire voir, de me rendre familier, si bien qu'aucune partie d'Anaander ne pourrait m'éliminer simplement sans susciter de commentaires. Mais je ne pensais pas que cela suffirait à forcer la Maître du Radch – la Maître du Radch dans sa totalité – à m'écouter.

Mais Seivarden. La capitaine Seivarden Vendaaï, perdue il y a mille ans, retrouvée par hasard, perdue à nouveau. Réapparaissant à présent au palais d'Omaugh. N'importe quelle Radchaaï en serait curieuse, d'une curiosité qui portait une charge religieuse. Et Anaander Mianaaï était radchaaïe. Peut-être la plus radchaaïe des Radchaaïs. Elle ne pouvait pas manquer de remarquer que j'étais revenu en compagnie de Seivarden. Comme n'importe quelle autre citoyenne, elle se demanderait, ne serait-ce qu'au fond de sa tête, ce que cela signifiait, si cela avait une signification. Et étant qui elle était, le fond de sa tête était quelque chose de substantiel.

Seivarden demanderait audience. S'en verrait, tôt ou tard, accorder une. Et cette audience recevrait toute l'attention d'Anaander Mianaaï, aucune partie d'elle ne pouvant ignorer un tel événement.

Et assurément Seivarden attirerait l'attention de la Maître du Radch dès l'instant où nous débarquerions du vaisseau. Et donc, arrivant en compagnie de Seivarden,

moi aussi. Terriblement risqué. Je pouvais ne pas avoir
dissimulé ma nature assez bien, je pouvais être reconnu
pour ce que j'étais. Mais j'étais résolu à essayer.

*
* *

J'étais assis sur la couchette en attendant la permission
de quitter le bord au palais d'Omaugh, mon paquetage à
mes pieds, Seivarden négligemment appuyée contre le mur
en face de moi, en train de s'ennuyer.

« Quelque chose te tracasse », a constaté Seivarden, avec
nonchalance. Comme je ne répondais pas, elle a ajouté :
« Tu fredonnes toujours cet air, quand tu es préoccupée. »
Mon cœur est un poisson, Caché dans les herbes d'eau. J'étais
en train de penser à toutes les façons dont l'affaire pouvait
mal tourner, à partir de maintenant, à partir du moment
où je poserais le pied hors du vaisseau et affronterais les
inspecteurs de quai. Ou la Sécurité de la station. Ou pire.
De penser comment tout ce que j'avais fait n'aurait servi à
rien si j'étais arrêté avant même de pouvoir quitter les quais.

Et de penser à la lieutenant Awn. « Je suis tellement
transparente ? » Je me suis fait sourire, comme si j'étais
légèrement amusé.

« Pas transparente. Pas exactement. Simplement… »
Elle a hésité. Froncé un peu les sourcils, comme si elle
regrettait tout à coup d'avoir parlé. « Tu as quelques habitudes que j'ai remarquées, c'est tout. » Elle a poussé un
soupir. « Les inspecteurs de quai prennent le thé ? Ou est-ce
qu'elles attendent que nous ayons vieilli suffisamment ? »
Nous ne pouvions pas quitter le bord sans la permission
du Bureau de l'Inspecteur. Celle-ci devait avoir reçu nos
papiers lorsque le vaisseau avait demandé la permission
d'accoster, et avait largement eu le temps de les examiner
et de décider de son attitude à notre arrivée.

Toujours appuyée à la cloison, Seivarden a fermé les yeux et s'est mise à fredonner. Dérivant, le ton montant ou baissant tour à tour tandis qu'elle chantait mal les intervalles. Mais encore reconnaissable. *Mon cœur est un poisson.* « Nichons d'Aatr, a-t-elle juré après un couplet et demi, les yeux encore clos. Voilà que tu m'as passé l'air. »

La sonnerie de la porte a retenti. « Entrez », ai-je lancé. Seivarden a ouvert les yeux, s'est redressée. Soudain tendue. L'ennui avait été une posture, ai-je soupçonné.

La porte a coulissé pour révéler une personne portant la vareuse bleu sombre, les gants et le pantalon d'une inspecteur des quais. Elle était menue, et jeune, peut-être vingt-trois ou vingt-quatre ans. Elle paraissait familière, bien que je ne puisse trouver qui elle me rappelait. La jonchée de joyaux et d'épinglettes mémorielles plus sobre que d'habitude pourrait me l'apprendre, si je regardais d'assez près pour lire des noms. Ce qui serait grossier. En face de moi, Seivarden a caché ses mains nues derrière son dos.

« Honorable Breq », a salué l'inspecteur adjointe, avec une légère courbette. Elle ne semblait pas troublée par mes mains nues. L'habitude de traiter avec des étrangers, ai-je supposé. « Citoyen Seivarden. Voulez-vous s'il vous plaît m'accompagner jusqu'au bureau de la première inspecteur ? »

Il n'y aurait dû avoir aucun besoin que nous rendions visite à la première inspecteur en personne. Cette adjoint pouvait de sa propre autorité nous admettre sur la station. Ou ordonner notre arrestation.

Nous l'avons suivie au-delà du sas dans la cale de chargement, par un autre sas dans une coursive encombrée de monde – inspecteurs des quais en bleu sombre, Sécurité de la station en beige, çà et là le brun plus sombre des soldats, et des taches de couleurs plus vives – un semis de citoyens en civil. Cette coursive débouchait sur une vaste salle, une douzaine de divinités bordant les cloisons pour veiller sur voyageurs et marchands ; à un bout, l'entrée vers la station proprement dite et, en face, la porte du bureau des Inspecteurs.

L'adjoint nous a escortées à travers le bureau le plus extérieur, où neuf adjoints subalternes en uniforme bleu traitaient les plaintes de capitaines de vaisseaux et, au-delà, des bureaux pour une douzaine d'adjoints supérieures et leurs équipes, sans doute. Passage devant eux et entrée dans un bureau intérieur avec quatre sièges et une petite table et, au fond, une porte, close.

« Je suis désolée, cit... honorable et citoyen, s'est excusée l'adjoint qui nous avait conduites ici, ses doigts tressautant tandis qu'elle communiquait avec quelqu'une – l'IA de la station ou la première inspecteur elle-même, probablement. La première inspecteur était disponible, mais il s'est passé quelque chose. Je suis sûre que cela ne prendra pas plus de quelques minutes. Asseyez-vous, je vous prie. Voulez-vous du thé ? »

Une attente raisonnablement longue, par conséquent. Et la courtoisie du thé laissait entendre qu'il ne s'agissait pas d'une arrestation. Que personne n'avait découvert que mes références étaient falsifiées. Tout le monde ici – Station incluse – allait supposer que j'étais qui je prétendais être, une voyageur étrangère. Et j'aurais peut-être l'occasion de découvrir qui précisément cette jeune inspecteur adjointe me rappelait. Maintenant qu'elle avait parlé un peu plus longuement, j'avais décelé un léger accent. D'où venait-elle ? « Oui, merci », lui ai-je répondu.

Seivarden n'a pas immédiatement réagi à la proposition de thé. Elle avait les bras croisés, ses mains nues enfoncées sous ses coudes. Sans doute voulait-elle du thé, mais elle était gênée de ses mains sans gants, ne pouvait pas les cacher en tenant un bol. C'est du moins ce que j'ai cru jusqu'à ce qu'elle dise : « Je ne comprends pas un mot de ce qu'elle raconte. »

L'accent et la façon de s'exprimer de Seivarden devaient être familiers à la plupart des Radchaaïs éduquées, au travers de vieux divertissements et des intonations d'Anaander Mianaaï qui étaient largement imitées par des familles prestigieuses – ou espérant le devenir. Je n'avais pas imaginé que les évolutions de prononciation et de vocabulaire avaient été aussi extrêmes. Mais je les avais vécues, et Seivarden n'avait jamais eu l'oreille extrêmement fine en matière de langue. « Elle propose du thé.

— Oh. » Seivarden a jeté un rapide coup d'œil à ses bras croisés. « Non. »

J'ai pris le thé que l'adjoint versait d'une théière sur la table, l'ai remerciée et ai pris un siège. Le bureau avait été peint en vert pâle, le sol dallé de quelque chose qui devait sans doute vouloir suggérer le bois et aurait pu y réussir si le décorateur avait jamais vu autre chose que des imitations d'imitations. Une niche dans le mur derrière la jeune adjoint abritait une icône d'Amaat et un petit bol de fleurs orange vif, aux pétales froissés. Et à côté, une petite copie en bronze du flanc de falaise dans le temple d'Ikkt. On pouvait les acheter, je le savais, à des vendeurs sur la place face à l'eau de l'avant-temple, durant la saison du pèlerinage.

J'ai regardé de nouveau l'adjoint. Qui était-elle ? Quelqu'une que je connaissais ? Une parent de quelqu'une que j'avais rencontrée ?

« Tu recommences à fredonner, m'a glissé Seivarden à mi-voix.

— Excusez-moi. » J'ai bu une gorgée de thé. « C'est une manie que j'ai. Je vous demande pardon.

— Inutile », a dit l'adjoint, et elle a elle-même pris un siège à la table. C'était, de façon assez claire, son bureau. Elle était donc l'assistant directe de la première inspecteur – un poste inattendu pour quelqu'une de si jeune. « Je n'ai plus entendu cette chanson depuis que j'étais enfant. »

Seivarden a battu des paupières, sans comprendre. Si elle avait compris, il est probable qu'elle aurait souri. Une Radchaaï pouvait vivre presque deux cents ans. Cette inspecteur adjointe, sans doute légalement adulte depuis une décennie, restait quand même d'une impossible jeunesse.

« J'ai connu quelqu'une d'autre qui la chantait tout le temps », a poursuivi l'adjoint.

Je la connaissais. Lui avais probablement acheté des chansons. Elle devait avoir quatre, cinq ans peut-être quand j'avais quitté Ors. Voire légèrement plus, pour avoir gardé de moi un souvenir net.

La première inspecteur derrière cette porte devait être quelqu'une qui avait passé du temps sur Shis'urna – à Ors même, très probablement. Que savais-je de la lieutenant qui avait remplacé la lieutenant Awn comme administrateur, là-bas ? Était-il possible qu'elle ait démissionné de son affectation militaire pour prendre un poste d'inspecteur des quais ? Ce ne serait pas la première fois.

Qui qu'elle soit, elle avait assez d'argent et d'influence pour faire venir d'Ors cette assistant ici. Je voulais demander à la jeune femme le nom de sa protecteur, mais ce serait d'une grossièreté impensable. « J'ai entendu dire, ai-je commencé avec une curiosité négligente feinte et forçant un tout petit peu mon accent du Gérantat, que les bijoux que portent les Radchaaïs ont je ne sais quelle signification. »

Seivarden m'a jeté un regard intrigué. L'assistant s'est bornée à sourire. « Certains. » Son accent orsien, à présent que je l'avais identifié, était évident. « Celui-ci, par exemple. » Elle a glissé un doigt ganté sous une pendeloque plaquée or épinglée près de son épaule gauche. « C'est une mémorielle.

— Puis-je regarder de plus près ? » ai-je demandé, et, recevant la permission, j'ai approché ma chaise, et me suis penché pour lire le nom gravé en radchaaï sur le métal simple, un nom que je n'ai pas reconnu. Ce n'était sans doute pas une mémorielle pour une Orsien – je n'imaginais personne dans la basse-ville adoptant les pratiques funéraires radchaaïes, ou du moins personne d'assez vieille pour être morte depuis la dernière fois que je les avais vues.

Près de la mémorielle, sur son col, était piquée une petite fleur épinglette, chaque pétale émaillé du symbole d'une Émanation. Une date, gravée sur le pistil de la fleur. Cette jeune femme assurée avait été la minuscule porteur de fleurs terrifiée quand Anaander Mianaaï avait servi comme prêtre chez la lieutenant Awn, vingt ans plus tôt.

Pas de coïncidences, pas pour les Radchaaïs. J'étais tout à fait sûr à présent que lorsque nous serions admises en présence de la première inspecteur, je rencontrerais la remplaçant de la lieutenant Awn à Ors. Cette inspecteur adjointe était, peut-être, une de ses clients.

« On les confectionne pour les enterrements, disait l'adjoint, toujours à propos des épinglettes mémorielles. La famille et les proches les portent. » Et on pouvait déduire du style et du coût de l'objet la place exacte de la défunt dans la société radchaaïe et, par implication, le statut de celle qui la portait. Mais l'adjoint – son nom, je le savais, était Daos Ceit – n'en a pas fait mention.

Je me suis alors demandé ce que Seivarden penserait – avait pensé – des changements de mode depuis Garsedd, de la façon dont de tels signes extérieurs avaient évolué – ou pas. Les gens portaient toujours des gages hérités et des mémorielles, témoignages des liens sociaux et des valeurs de leurs aïeuls sur des générations. Et pour l'essentiel, il en allait de même, sinon que « sur des générations » renvoyait à Garsedd. Certains gages insignifiants à l'époque étaient très prisés de nos jours, et d'autres qui avaient été sans prix n'avaient désormais aucune valeur. Et la signification des coloris et des gemmes en vogue depuis à peu près un siècle serait opaque pour Seivarden.

L'inspecteur adjointe Ceit avait trois amis proches, ayant toutes trois des revenus et des postes similaires aux siens, à en juger par les présents qu'elles avaient échangés. Deux amants assez intimes pour échanger des gages, mais pas assez pour être considérées comme des liaisons sérieuses. Pas de chaînettes de joyaux, ni de bracelets – bien qu'évidemment, si son travail demandait vraiment qu'elle inspecte des cargaisons ou des systèmes des vaisseaux, de tels objets puissent la gêner – et pas de bagues par-dessus ses gants.

Et là, sur l'autre épaule, où je pouvais à présent le distinguer clairement et le regarder directement sans impolitesse excessive, se trouvait le gage que je cherchais. Je l'avais pris pour quelque chose de moins impressionnant, avais, au premier coup d'œil, pris le platine pour de l'argent, et la perle qui en pendait pour du verre, l'indication du présent d'un frère ou sœur – trompée par les modes actuelles. Ce n'était rien de bon marché, rien de banal. Mais ce n'était pas un gage de clientélage, bien que le métal et la perle suggèrent une association de maison particulière. Une maison assez ancienne pour que Seivarden ait pu la reconnaître immédiatement. L'ait reconnue, peut-être.

L'inspecteur adjointe Ceit s'est levée. « La première inspecteur est disponible, à présent, a-t-elle annoncé. Je vous présente mes excuses pour cette attente. » Ouvrant la porte intérieure, elle nous a fait signe d'entrer.

Dans le bureau le plus intérieur, se levant pour nous accueillir, plus âgée de vingt ans et un peu plus lourde que la dernière fois que je l'avais vue, se trouvait celle qui avait offert cette épinglette – la lieutenant... non, la première inspecteur Skaaïat Awer.

Chapitre dix-huit

Il était impossible que la lieutenant Skaaïat m'identifie. Elle s'est inclinée, inconsciente du fait que je la connaissais. Il était étrange de la voir en bleu sombre, et tellement plus sobre, plus grave, que lorsque je l'avais connue à Ors.

Une première inspecteur dans une station aussi fréquentée que celle-ci ne mettait probablement jamais le pied dans les vaisseaux qu'inspectaient ses subordonnés, mais la première inspecteur Skaaïat portait presque aussi peu de bijoux que son assistant. Une longue chaînette de pierres vertes et bleues se tordait d'une épaule à la hanche opposée, et une pierre rouge pendait à une oreille, mais sinon un semis comparable (quoique clairement plus coûteux) d'amis, d'amants et de proches défuntes ornaient sa vareuse d'uniforme. Un simple gage en or était accroché à sa manchette droite, juste à côté du bord du gant, l'emplacement d'un objet dont elle voulait se rappeler, aussi visible pour elle-même que pour autrui. Il semblait bon marché, fabriqué à la machine. Pas le genre d'objet qu'elle porterait.

« Citoyen Seivarden. Honorable Breq. Je vous en prie, asseyez-vous. Voulez-vous du thé ? » Toujours cette élégance sans effort, même après vingt ans.

« Votre adjoint nous en a déjà offert, merci, première inspecteur », ai-je dit. Skaaïat, légèrement surprise, m'a-t-il semblé, a fini par me regarder, puis Seivarden. Elle s'était vaguement adressée à Seivarden, supposant qu'elle était de nous deux la personne principale. Je me suis assis. Seivarden a hésité un moment, puis a pris le siège à côté du mien, bras toujours croisés pour cacher ses mains nues.

« Je souhaitais vous rencontrer en personne, citoyen, a dit la première inspecteur, une fois assise elle aussi. Le privilège du poste. Ce n'est pas tous les jours qu'on croise une personne vieille de mille ans. »

Seivarden lui a répondu par un sourire, réduit et pincé. « En effet.

— Et j'ai jugé qu'il serait inconvenant que la Sécurité vous arrête sur le quai. Mais... » La première inspecteur, d'un geste apaisant, a fait scintiller l'épinglette de sa manchette une fois. « Vous avez des problèmes d'ordre judiciaire, citoyen. »

Seivarden s'est détendue, légèrement, les épaules s'abaissant, la mâchoire se desserrant. À peine détectable, à moins de la connaître. L'effet de l'accent de Skaaïat et de son ton légèrement déférent. « En effet, a reconnu Seivarden. J'ai l'intention de déposer un appel.

— Il y a des doutes sur l'affaire, donc. » Raide. Officielle. Une question qui n'en était pas une. Mais aucune réponse ne lui a été donnée. « Je peux vous conduire moi-même aux bureaux du palais et éviter toute complication avec la Sécurité. » Bien entendu, elle le pouvait. Elle avait déjà arrangé cela avec la chef de la Sécurité.

« Je vous en serais reconnaissante. » Le ton de Seivarden ressemblait davantage à ce qu'il était autrefois qu'à n'importe quel moment de l'année écoulée. « Serait-il possible de vous prier de m'assister pour contacter la maître de Geir ? » Geir devait avoir quelque responsabilité envers cette dernière membre de la maison qu'elle avait annexée. Geir la haïe, qui avait absorbé ses ennemis – Vendaaï, la maison de Seivarden. Vendaaï n'avait pas de meilleures relations avec Awer qu'avec Geir, mais j'ai supposé que c'était une indication du niveau actuel de désespoir et de solitude de Seivarden.

« Ah. » La première inspecteur Skaaïat a grimacé, très légèrement. « Awer et Geir ne sont plus aussi proches qu'elles ont pu l'être, citoyen. Il y a à peu près deux cents ans, s'est pratiqué un échange d'héritiers. La cousin Geir s'est tuée. » Le terme employé par la première inspecteur Skaaïat laissait entendre qu'il ne s'était pas agi d'un suicide approuvé, géré par le Médical, mais d'un acte illicite et fâcheux. « Et la cousin Awer est devenue folle et a rejoint une secte, quelque part. »

Seivarden a poussé un soupir amusé. « Classique. »

La première inspecteur Skaaïat a levé un sourcil, mais a simplement commenté, d'une voix modérée : « Cela a laissé de la rancune dans les deux camps. Aussi mes liens avec Geir ne sont-ils pas ce qu'ils pourraient être, et je ne suis pas sûre de pouvoir vous être utile en la matière. D'autant que leurs responsabilités vis-à-vis de vous pourraient être… difficiles à déterminer, même si cela vous sera sans doute utile pour un appel. »

Seivarden a eu un geste vite avorté, les bras toujours fermement croisés, soulevant légèrement un coude. « Ça ne paraît pas en valoir la peine. »

La première inspecteur Skaaïat a signifié son ambivalence d'un geste. « Vous serez nourrie et logée ici, quoi qu'il en soit, citoyen. » Elle s'est tournée vers moi. « Et vous, honorable ? Vous êtes ici en touriste ?

— Oui. » J'ai affiché une mine réjouie, ressemblant beaucoup, je l'espérais, à une touriste du Gérantat.

« Vous êtes très loin de chez vous. » La première inspecteur Skaaïat a souri, poliment, comme d'une innocente remarque.

« Je voyage depuis longtemps. » Bien entendu, elle – et par implication, d'autres – était curieuse de moi. J'étais arrivé en compagnie de Seivarden. La plupart des gens d'ici ne connaissaient pas son nom, mais celles qui le connaissaient seraient attirées par l'ahurissante improbabilité qu'on l'ait retrouvée au bout de mille ans, et ses liens avec un événement aussi notoire que Garsedd.

Souriant toujours aimablement, la première inspecteur Skaaïat a demandé : « Vous cherchez quelque chose ? Vous fuyez quelque chose ? Vous aimez simplement voyager ? »

J'ai eu un geste ambigu. « J'aime voyager, je suppose. »

Les yeux de la première inspecteur Skaaïat se sont légèrement rétrécis au ton de ma voix, les muscles se crispant de façon presque imperceptible autour de sa bouche. Elle pensait, apparemment, que je cachais quelque chose. J'avais capté son attention et sa curiosité.

Un instant, je me suis demandé pourquoi j'avais répondu de cette façon. Et j'ai compris que la présence ici de la première inspecteur Skaaïat était pour moi incroyablement dangereuse – non qu'elle puisse me reconnaître, mais parce que moi, je la reconnaissais. Parce qu'elle était en vie et que la lieutenant Awn ne l'était pas. Parce que tous les gens de son statut avaient fait défaut à la lieutenant Awn (moi aussi, du reste), et nul doute que si la lieutenant Skaaïat d'alors avait été mise à l'épreuve, elle aurait failli, également. La lieutenant Awn elle-même l'avait su.

J'étais en danger de laisser mes émotions affecter ma conduite. C'était déjà arrivé, cela arrivait tout le temps. Mais jamais jusqu'ici je n'avais été confronté à Skaaïat Awer.

« Ma réponse est ambiguë, je le sais bien, ai-je dit en employant le geste d'apaisement dont avait déjà usé la première inspecteur Skaaïat. Je n'ai jamais questionné mon envie de voyage. Quand j'étais bébé, ma grand-mère a annoncé qu'elle voyait à la façon dont j'accomplissais mes premiers pas que j'étais née pour voir du pays. Elle n'arrêtait pas de le dire. Je suppose que je l'ai toujours crue. »

La première inspecteur Skaaïat a acquiescé d'un geste. « Il serait dommage de décevoir votre grand-mère, quoi qu'il en soit. Votre radchaaï est très bon.

— Ma grand-mère répétait toujours que j'avais intérêt à étudier les langues. »

La première inspecteur Skaaïat a ri. Presque telle que je me la rappelais à Ors, mais toujours avec cette trace de gravité. « Pardonnez-moi, honorable, mais avez-vous des gants ?

— J'avais l'intention d'en acheter avant d'embarquer, mais j'ai décidé d'attendre pour me procurer un modèle convenable. J'espérais qu'on pardonnerait à une étranger non civilisée ses mains nues à l'arrivée.

— On pourrait argumenter en faveur de l'une ou l'autre approche, a jugé la première inspecteur Skaaïat, souriant toujours. Néanmoins (redevenant sérieuse), quoique vous parliez très bien, je ne sais pas jusqu'à quel point vous comprenez d'autres choses. »

J'ai levé un sourcil. « Lesquelles ?

— Je ne voudrais pas manquer de délicatesse, honorable. Mais la citoyen Seivarden ne semble disposer d'aucun fonds. » À côté de moi, Seivarden s'est tendue de nouveau, a serré la mâchoire et ravalé les mots qu'elle allait dire. « Des parents, a continué la première inspecteur Skaaïat, achètent des vêtements à leurs enfants. Le temple distribue des gants aux acolytes – porteur de fleurs, porteur d'eau et autres. C'est très bien, car tout le monde doit loyauté à la Divinité. Et je sais par votre demande d'entrée que vous avez engagé la citoyen Seivarden comme domestique, mais...

— Ah. » J'ai compris. « Si j'achète à la citoyen Seivarden des gants – dont elle a clairement besoin –, cela donnera l'impression que je lui ai offert un clientélage.

— Précisément. Ce qui serait très bien, si telle était votre intention. Mais je ne crois pas que les choses fonctionnent

de cette façon dans le Gérantat. Et honnêtement… » Elle
a hésité, de toute évidence revenue en terrain délicat.

« Et honnêtement, ai-je achevé à sa place, elle se trouve
dans une situation juridique difficile, que son association
avec une étranger pourrait ne pas aider. » J'avais pour habitude de n'afficher aucune expression, en temps normal.
Je pouvais sans me forcer préserver ma voix de toute colère.
Je pouvais discuter avec la première inspecteur Skaaïat
comme si elle n'avait pas le moindre lien avec la lieutenant Awn, comme si la lieutenant Awn n'avait eu aucune
crainte, aucun espoir, aucune peur de se voir proposer par
elle un futur clientélage. « Fût-elle riche.

— Je ne sais pas si je formulerais la chose ainsi, a
objecté la première inspecteur Skaaïat.

— Je vais simplement lui donner de l'argent tout de
suite, ai-je proposé. Cela devrait régler le problème.

— Non. » Le ton de Seivarden était sec. Furieux. « Je
n'ai pas besoin d'argent. À chaque citoyen sont dus les
produits de première nécessité, et les vêtements en sont
une. J'aurai ce dont j'ai besoin. » Face au regard surpris,
interrogatif, de la première inspecteur Skaaïat, Seivarden a
encore dit : « Breq a de bonnes raisons de ne pas m'avoir
donné d'argent. »

La première inspecteur Skaaïat devait savoir ce que
cela pouvait signifier. « Citoyen. Je ne voudrais pas faire
la leçon, mais si tel est le cas, pourquoi ne pas laisser simplement la Sécurité vous envoyer au Médical ? Je conçois
que vous soyez réticente. » La rééducation n'était pas un
sujet facile à aborder poliment. « Mais vraiment, ça pourrait améliorer la situation, pour vous. C'est souvent le cas. »

Un an plus tôt, je me serais attendu à ce que Seivarden
perde son calme à cette suggestion. Mais quelque chose
avait changé pour elle, durant cette période. Elle a seulement dit, avec une légère irritation : « Non. »

La première inspecteur Skaaïat m'a regardé. J'ai levé un sourcil et une épaule, comme pour dire : *Elle est comme ça.*

« Breq a été très patiente, avec moi, a déclaré Seivarden, me stupéfiant complètement. Et très généreuse. » Elle s'est tournée vers moi. « Je n'ai pas besoin d'argent.

— Comme tu voudras. »

La première inspecteur Skaaïat avait suivi tout cet échange avec une grande attention, fronçant à peine les sourcils. Curieuse, me suis-je dit, non seulement de savoir qui j'étais et ce que j'étais, mais ce que j'étais pour Seivarden. « Eh bien, a-t-elle alors conclu, que je vous conduise au palais. Honorable Breq Ghaiad, je ferai livrer vos bagages à votre logement. » Elle s'est levée.

Je l'ai imitée, comme Seivarden à côté de moi. Nous avons suivi la première inspecteur Skaaïat jusqu'au bureau extérieur – vide. Daos Ceit (l'inspecteur adjointe Ceit, il faudrait que je m'en souvienne) ayant sans doute fini sa journée, vu l'heure. Au lieu de nous conduire par les bureaux en façade, la première inspecteur Skaaïat nous a menées jusqu'à une coursive sur l'arrière, par une porte qui s'est ouverte sans signal perceptible de sa part – Station, probablement, l'IA qui dirigeait ce lieu, qui *était* ce lieu, observant de près la première inspecteur de ses quais.

« Tu te sens bien, Breq ? a demandé Seivarden, me regardant avec curiosité et inquiétude.

— Très bien, ai-je menti. Juste un peu fatiguée. La journée a été longue. » J'étais certain que mon expression n'avait pas changé, mais Seivarden avait remarqué quelque chose.

La porte franchie, il y a encore eu une coursive, et une rangée d'ascenseurs dont l'un s'est ouvert pour nous, puis s'est refermé et s'est mû sans aucun signal. Station savait où la première inspecteur Skaaïat voulait aller. Ce qui s'est révélé être le hall principal.

Les portes de l'ascenseur ont coulissé pour ouvrir sur un panorama vaste et éblouissant – une avenue pavée de pierre noire veinée de blanc, longue de sept cents mètres et large de vingt-cinq, le plafond à soixante mètres au-dessus. Juste en face se dressait le temple. Le parvis n'avait pas vraiment de marches, mais une zone délimitée sur le pavage par des pierres rouges, vertes et bleues ; les actes conclus sur le parvis du temple avaient potentiellement une valeur légale. L'entrée, en elle-même haute de quarante mètres et large de huit, encadrée de représentations de centaines de divinités, nombre d'entre elles de forme humaine, certaines non, un chaos de couleurs. Tout de suite après l'entrée se trouvait une vasque pour que les fidèles s'y lavent les mains et, au-delà, des récipients de fleurs coupées, une jonchée de jaune, d'orange et de rouge, et des panières d'encens, à acheter en offrande. Plus loin, des deux côtés du grand hall, des boutiques, des bureaux, des balcons d'où serpentaient des plantes grimpantes fleuries. Des bancs, des plantes et, même à une heure où la plupart des Radchaaïs devaient être en train de dîner, des centaines de citoyens qui se promenaient ou discutaient sur place, revêtues ou pas d'uniformes (blancs pour le Bureau des Traducteurs, beiges pour la Sécurité de la station, brun foncé pour les militaires, verts pour l'Horticulture, bleu ciel pour l'Administration), toutes scintillant de bijoux, toutes totalement civilisées. J'ai vu un ancillaire suivre sa capitaine dans un salon de thé bondé, et me suis demandé de quel vaisseau il s'agissait. Quels vaisseaux étaient présents. Mais je ne pouvais pas poser la question, ce n'était pas le genre de choses dont se soucierait Breq du Gérantat.

Je les ai toutes vues, subitement, juste l'espace d'un instant, par des yeux non radchaaïs, une foule fluide de personnes de genres d'une dérangeante ambiguïté. J'ai vu tous les traits qui marquaient le genre pour les non-Radchaaïs – jamais, à mon agacement et à mon désagrément, de la même façon ni au même endroit. Cheveux longs ou courts, portés défaits (descendant dans un dos, ou en un épais nimbe frisé) ou noués (tressés, épinglés, attachés). Corps épais ou minces, visages aux traits rudes ou délicats, avec des cosmétiques ou pas. Une profusion de coloris qui auraient été en d'autres lieux des indicateurs de genre. Tout cela associé au hasard, avec des corps incurvés à la poitrine ou à la hanche, ou pas, des corps qui, un moment, se mouvaient d'une façon que des non-Radchaaïs qualifieraient de féminine, et le suivant de masculine. Vingt ans d'habitudes m'ont rattrapé et, l'espace d'un instant, j'ai désespéré de choisir les pronoms corrects, les termes d'adresse appropriés. Mais je n'en avais pas besoin, ici. Je pouvais laisser choir ce souci, un poids mineur mais agaçant que j'avais supporté tout ce temps. J'étais chez moi.

Un chez-moi qui n'avait jamais été chez moi. J'avais passé ma vie dans des annexions, et des stations en voie de devenir ce genre d'endroit, partant avant qu'elles y arrivent, pour recommencer tout le processus quelque part ailleurs. C'était le genre d'endroit d'où mes officiers venaient, et où elles allaient. Le genre d'endroit où je n'étais jamais venu, et qui m'était pourtant complètement familier. De tels endroits étaient, d'un certain point de vue, toute la raison de mon existence.

« Je vous ai fait faire un détour, a dit la première inspecteur Skaaïat, mais c'est une entrée spectaculaire.

— En effet.

— Pourquoi toutes ces vareuses ? s'est enquise Seivarden. Ça m'a tracassé, la dernière fois. Quoiqu'au dernier endroit où nous sommes passées, tout le monde portait le manteau jusqu'au genou. Ici, on dirait qu'il y a soit des vareuses, soit des manteaux qui traînent par terre. Et les cols ne vont pas *du tout*.

— La mode ne t'a pas gênée dans les autres lieux où nous sommes allées, ai-je fait observer.

— Les autres lieux étaient *étrangers*, a expliqué Seivarden avec irritation. Ils n'étaient pas censés être *chez moi*. »

La première inspecteur Skaaïat a souri. « J'imagine que vous finirez par vous habituer. Le palais proprement dit est par ici. »

Nous avons traversé le grand hall à sa suite, nos vêtements non-civilisés et nos mains nues attirant des coups d'œil curieux et choqués, et sommes arrivées à l'entrée, marquée simplement d'une barre noire au-dessus de la porte.

« Ça ira pour moi, a dit Seivarden comme si j'avais parlé. Je viendrai te rejoindre quand j'aurai fini.

— J'attendrai. »

La première inspecteur Skaaïat a regardé Seivarden entrer dans le palais proprement dit, puis s'est ravisée : « Honorable Breq, un mot, je vous prie. »

J'ai acquiescé d'un geste, et elle a dit : « Vous vous inquiétez beaucoup de la citoyen Seivarden. Je comprends cela, et c'est tout à votre honneur. Mais vous n'avez aucune raison de vous soucier de sa sécurité. Le Radch veille sur ses citoyens.

— Dites-moi, première inspecteur, si Seivarden n'était personne, d'une maison de rien, qui avait fui le Radch sans permis – et tout ce qu'elle a pu faire d'autre ; pour être franche, je ne sais pas s'il y a eu autre chose –, si c'était quelqu'une dont vous n'aviez jamais entendu parler, avec un nom de maison que vous ne reconnaîtriez pas et dont vous ne sauriez pas l'histoire, aurait-elle été accueillie avec courtoisie sur le quai, lui aurait-on offert du thé et l'aurait-on ensuite escortée jusqu'au palais pour déposer sa demande d'appel ? »

Sa main droite s'est levée, d'à peine un millimètre, et son épinglette d'or incongrue a étincelé. « Elle n'est plus dans cette situation. Elle est de fait sans maison, et ruinée. » Je me suis borné à la regarder. « Non, il y a du vrai dans ce que vous dites. Si je ne savais pas qui elle était, je n'aurais pas songé à faire quoi que ce soit pour elle. Mais assurément, même dans le Gérantat, les choses se passent de cette façon, non ? »

Je me suis fait sourire légèrement, espérant produire une plus agréable impression que je ne l'avais probablement fait jusque-là. « En effet. »

La première inspecteur Skaaïat est restée silencieuse un moment, en m'observant, réfléchissant à quelque chose, mais j'étais incapable de deviner quoi. Jusqu'à ce qu'elle déclare : « Avez-vous l'intention de lui proposer un clientélage ? »

Cette question aurait été d'une grossièreté inqualifiable si j'avais été radchaaï. Mais quand je l'avais connue, Skaaïat Awer disait souvent des choses que la plupart des autres préféraient taire. « Comment le pourrais-je ? Je ne suis pas radchaaïe. Et nous ne pratiquons pas ce genre de contrat, dans le Gérantat.

— Non, en effet », a confirmé la première inspecteur Skaaïat. Brutale. « Je n'imagine pas quelle impression cela ferait de m'éveiller soudain dans mille ans en ayant perdu mon vaisseau dans un incident célèbre, toutes mes amis mortes, ma maison disparue. Je pourrais m'enfuir, moi aussi. Il faut à Seivarden trouver sa place quelque part. À des yeux radchaaïs, il semblerait que vous lui offriez cela.

— Vous craignez que je ne suscite chez Seivarden de faux espoirs. » J'ai songé à Daos Ceit dans le bureau extérieur, la belle perle, très coûteuse, et l'épinglette en platine qui n'était pas un gage de clientélage.

« Je ne sais pas quelles attentes la citoyen Seivarden a formées. C'est simplement… vous vous conduisez comme si vous étiez responsable d'elle. Ça ne me paraît pas bien.

— Si j'étais radchaaïe, cela ne vous paraîtrait-il pas bien non plus ?

— Si vous étiez radchaaïe, vous vous conduiriez autrement. » La crispation de sa mâchoire suggérait qu'elle était en colère mais tentait de le dissimuler.

« Quel nom figure sur cette épinglette ? » La question, imprévue, a jailli avec plus de brusquerie qu'il n'était politique. « Quoi ? » Elle a froncé les sourcils, perplexe. « Cette épinglette à votre manche droite. Elle diffère de toutes les autres que vous portez. » *Quel nom figure dessus ?* voulais-je redemander, et : *Qu'avez-vous fait pour la sœur de la lieutenant Awn ?*

La première inspecteur Skaaïat a cligné des yeux, et reculé légèrement, comme si je l'avais frappée. « C'est une mémorielle pour une ami qui est morte.

— Et vous pensez à elle en ce moment. Vous n'arrêtez pas de bouger le poignet, de le tourner vers vous. Vous n'avez pas cessé de le faire durant ces dernières minutes.

— Je songe à elle fréquemment. » Elle a pris sa respiration, inspiré, expiré. Inspiré de nouveau. « Je crois que je ne suis peut-être pas juste avec vous, Breq Ghaiad. »

Je savais. Je savais quel nom figurait sur cette épinglette, alors même que je ne l'avais pas vu. *Je le savais.* J'ignorais si, sachant cela, j'avais meilleure impression de la première inspecteur Skaaïat, ou pire, bien pire. Mais j'étais en danger, à ce moment-là, d'une façon que je n'avais jamais anticipée, jamais prédite, dont je n'avais jamais rêvé qu'elle puisse se produire. J'avais déjà dit des choses que jamais, au grand jamais, je n'aurais dû dire. J'allais en prononcer d'autres. Voilà la seule, l'unique personne que j'avais rencontrée en vingt longues années qui saurait qui j'étais. La tentation de m'écrier : *Lieutenant, regardez, c'est moi, je suis Un Esk du Justice de Toren*, était écrasante.

Avec beaucoup de précautions, j'ai répondu plutôt : « Je suis d'accord avec vous : Seivarden a besoin de se trouver un foyer ici. Simplement, je n'ai pas en le Radch la même confiance que vous. Ou qu'elle. »

La première inspecteur Skaaïat a ouvert la bouche pour me répondre, mais la voix de Seivarden a coupé net ce que l'inspecteur allait dire : « Ça n'a pas pris longtemps ! »

Seivarden est venue à moi, m'a regardé et a froncé les sourcils. « Ta jambe te tracasse encore. Il faut que tu t'asseyes.

— Sa jambe ? a demandé la première inspecteur Skaaïat.

— Une ancienne blessure qui n'a pas tout à fait guéri comme il fallait », ai-je expliqué, sur l'instant reconnaissant de son existence, et que Seivarden lui attribue la détresse qu'elle voyait. Que Station fasse de même, s'il observait.

« Vous avez eu une longue journée, et je vous ai gardée debout ici. J'ai été très impolie, je vous prie de m'en excuser, honorable », a réagi la première inspecteur Skaaïat.

« Mais bien sûr. » J'ai ravalé les mots qui voulaient sortir de ma bouche derrière ceux-là, et je me suis tourné vers Seivarden. « Alors, quelle est la situation, à présent ?

— J'ai formulé mon appel et je devrais obtenir une date un de ces prochains jours, dit-elle. J'ai inscrit ton nom, également. » Devant le sourcil levé de la première inspecteur Skaaïat, Seivarden a ajouté : « Breq m'a sauvé la vie. Plus d'une fois.

— On ne vous accordera probablement pas audience avant quelques mois, s'est bornée à ajouter la première inspecteur.

— D'ici là, a poursuivi Seivarden avec un petit geste d'approbation, ses bras toujours croisés, on m'a assigné un logement, je figure sur la liste des rations, et j'ai quinze minutes pour me présenter au plus proche bureau des fournitures et obtenir des vêtements. »

Un logement. Ma foi, si le fait qu'elle reste auprès de moi n'avait pas paru correct à la première inspecteur Skaaïat, nul doute que, pour les mêmes raisons, il en allait de même avec Seivarden elle-même. Et même si elle n'était plus ma domestique, elle avait souhaité que je l'accompagne lors de son audience. C'était, me suis-je remis en mémoire, le point capital. « Veux-tu que je vienne avec toi ? » Je n'y tenais pas. Je voulais rester seul, pour recouvrer mon équilibre.

« Ça va aller. Il faut que tu reposes cette jambe. Je te retrouverai demain. Première inspecteur, ce fut un plaisir de vous rencontrer. » Seivarden s'est inclinée, une courtoisie parfaitement calculée envers un égal sociale, reçue par la première inspecteur Skaaïat avec une courbette identique, puis elle s'en est allée dans le grand hall.

Je me suis tourné vers la première inspecteur Skaaïat. « Où me recommandez-vous de descendre ? »

*
*   *

Une demi-heure plus tard, j'étais, comme je l'avais souhaité, seul dans ma chambre. Elle était chère, à peu de distance du grand hall, un carré de cinq mètres de côté d'un luxe incroyable, un parquet qui aurait presque pu être du bois véritable, des parois bleu sombre. Une table et des sièges, et un projecteur d'images dans le sol. Beaucoup de Radchaaïs – mais pas toutes – portaient des implants optiques et auditifs qui leur permettaient de regarder des divertissements, d'écouter de la musique ou des messages directement. Mais les gens continuaient à aimer regarder des choses ensemble, et parfois, les très riches coupaient délibérément leurs implants.

La couverture sur le lit donnait l'impression d'être de la laine véritable, et non un tissu synthétique. Contre un mur une banquette dépliable pour une domestique que, bien sûr, je n'avais plus. Et, luxe incroyable pour le Radch, la chambre disposait de son propre bain minuscule – une nécessité pour moi, étant donné l'arme et ses munitions sanglées contre mon corps sous ma chemise. Les détecteurs de Station ne l'avaient pas remarquée, et ne la remarqueraient pas, mais des yeux humains la verraient. Si je la laissais dans la chambre, une fouille pourrait révéler sa présence. Je ne pouvais assurément pas la laisser dans le vestiaire d'un bain public.

Une console sur le mur à côté de la porte me donnait accès aux communications. Et à Station. Et elle permettait à Station de m'observer, même si j'étais certain que ce n'était pas le seul moyen qu'avait Station de voir dans ma chambre. J'étais de retour dans le Radch, jamais de solitude, jamais d'intimité.

Mon bagage était arrivé cinq minutes après mon entrée dans les lieux, et avec lui un plateau-repas venu d'une boutique voisine, poisson et légumes verts, encore fumants et embaumant les épices.

Il était toujours possible que personne ne me prête attention. Mais mon bagage, je m'en suis rendu compte en l'ouvrant, avait clairement été fouillé. Peut-être parce que j'étais étranger. Peut-être pas.

J'ai sorti ma théière et mes tasses, et l'icône de Celle-Qui-A-Jailli-du-Lis, les ai déposées sur la table basse près du lit. Utilisé un litre de ma ration d'eau pour emplir la théière, puis je me suis assis pour manger.

Le poisson, aussi délicieux qu'il sentait bon, a quelque peu amélioré mon humeur. Une fois mangé, et le thé bu, j'étais, à tout le moins, plus capable de faire face à ma situation.

Station pouvait certainement voir un grand pourcentage de ses résidents avec la même vision intime que j'avais eu de mes officiers. Le reste – moi compris, à présent – il les voyait avec moins de détails. Température. Rythme cardiaque. Respiration. Moins impressionnant que le flot de données de résidents suivis plus étroitement, mais beaucoup d'informations quand même. Ajoutez à cela une connaissance acérée de la personne observée, de son histoire, de son contexte social, et sans doute Station était-il pratiquement capable de lire dans les pensées.

Pratiquement. Mais pas *réellement*. Et Station ne connaissait pas mon histoire, n'avait de moi aucune expérience préalable. Il serait en mesure de voir les traces de mes émotions, mais n'aurait pas beaucoup d'éléments pour déterminer précisément pourquoi je ressentais ce que je ressentais.

Ma hanche me faisait mal, en effet. Et les paroles que m'avait adressées la première inspecteur Skaaïat avaient été, selon les critères radchaaïs, extrêmement violentes. Si j'avais réagi avec colère, visible par Station s'il observait (visible par Anaander Mianaaï si elle regardait), c'était parfaitement naturel. Aucune des deux ne pourrait faire plus que de deviner ce qui avait suscité ma colère. Je pouvais à présent jouer le rôle de la voyageur épuisée, tracassée par une vieille blessure, n'ayant plus d'autre besoin qu'un repas et du repos.

La chambre était tellement paisible. Même lorsque Seivarden avait été dans une de ses humeurs boudeuses, il n'avait pas régné un silence si oppressant. Je ne m'étais pas autant accoutumé à la solitude que je le croyais. Et en songeant à Seivarden, j'ai soudain perçu ce qu'aveuglé de colère contre Skaaïat Awer je n'avais pas vu, là, dans le grand hall. J'avais alors pensé que la première inspecteur Skaaïat avait été la seule personne que j'avais rencontrée capable de me reconnaître, mais ce n'était pas vrai. Seivarden aussi.

La lieutenant Awn n'avait cependant jamais rien attendu de Seivarden, n'avait jamais été en position d'être blessée ou déçue par elle. Si elles s'étaient jamais rencontrées, Seivarden aurait sûrement manifesté son dédain clairement. La lieutenant Awn aurait été d'une politesse raide, avec une colère sous-jacente que j'aurais pu discerner, mais jamais elle n'aurait pu ressentir cette détresse et cette douleur profondes qu'elle éprouvait quand l'alors-lieutenant Skaaïat lançait, sans réfléchir, des paroles désinvoltes.

Mais peut-être avais-je tort de croire si différentes mes réactions vis-à-vis des deux, Skaaïat Awer et Seivarden Vendaaï. Je m'étais déjà mis en danger une fois, par colère contre Seivarden.

Je ne pouvais dénouer tout cela. Et j'avais un rôle à tenir, pour qui pouvait m'observer, une image que j'avais créée avec soin en venant ici. J'ai déposé ma tasse vide à côté de la théière, me suis agenouillé sur le sol devant l'icône, ma hanche protestant légèrement, et j'ai commencé à prier.

Chapitre dix-neuf

L e lendemain matin, j'ai acheté des vêtements. La propriétaire de la boutique que m'avait recommandée la première inspecteur Skaaïat était tout près de me jeter dehors quand mon crédit bancaire illumina sa console, sans avoir été demandé, ai-je soupçonné, Station lui épargnant l'embarras – et me révélant simultanément combien il me surveillait de près.

J'avais besoin de gants, certainement, et si je devais jouer le rôle de la riche touriste dépensière, bien plus que ça. Mais avant que je puisse ouvrir la bouche pour le dire, la propriétaire produisit des rouleaux de brocarts, de satins et de velours en une douzaine de couleurs. Mauve et brun orangé, trois nuances de vert, or, jaune pâle et bleu de givre, gris cendre et rouge profond.

« Vous ne pouvez pas porter de tels vêtements », a-t-elle décrété, tandis qu'une employé me tendait du thé, s'efforçant de dissimuler l'essentiel de sa répugnance pour mes mains nues. Station m'avait scanné et avait fourni mes mensurations, m'épargnant cette peine. Un demi-litre de thé, deux pâtisseries atrocement sucrées et une douzaine d'insultes plus tard, je suis parti dans une veste et un pantalon brun orangé, une chemise raide d'un blanc de glace par-dessous et des gants gris sombre si minces et si doux que j'aurais tout aussi bien pu avoir toujours les mains nues. Par chance la mode actuelle tendait vers des vestes et des pantalons à la coupe assez généreuse pour cacher mon arme. Le reste – deux ensembles veste pantalon supplémentaires, deux paires de gants, une demi-douzaine de chemises et trois paires de chaussures – serait livré à mon logement, le temps, m'assura la propriétaire, que j'aie fini de visiter le temple.

Je suis sorti de la boutique, j'ai obliqué au coin pour déboucher sur le hall principal, envahi à cette heure par une foule de Radchaaïs entrant et sortant du temple ou du palais proprement dit, visitant les salons de thé (sans aucun doute chers et à la mode) ou se faisant simplement voir en compagnie convenable. Quand j'avais traversé le hall auparavant, en me rendant à la boutique du tailleur, les gens m'avaient fixé en chuchotant, ou avaient simplement levé le sourcil. À présent, semblait-il, j'étais pratiquement invisible, hormis à l'occasion d'une Radchaaïe élégamment vêtue à l'identique, qui abaissait son regard sur le devant de ma veste en cherchant les signes des affiliations de ma famille, ses yeux s'écarquillant de surprise de n'en trouver aucun. Ou d'une enfant, sa petite main gantée agrippant la manche d'une adulte qui l'accompagnait, qui se tournait pour me fixer franchement jusqu'à ce qu'elle soit entraînée plus loin et disparaisse à la vue.

À l'intérieur du temple, les citoyens se massaient autour des fleurs et de l'encens. Des prêtres auxiliaires assez jeunes pour passer à mes yeux pour des enfants apportaient des paniers et des boîtes en remplacement. En tant qu'ancillaire, je n'étais pas supposé toucher aux offrandes du temple, ni en faire moi-même. Mais personne ici ne savait cela. Je me suis lavé les mains dans la vasque et j'ai acheté une poignée de fleurs d'un jaune orangé vif, et un morceau du genre d'encens que préférait la lieutenant Awn.

Il devait y avoir dans le temple un lieu réservé aux prières pour les morts, et des jours favorables pour procéder à de telles offrandes, bien qu'aujourd'hui n'en soit pas un, et qu'en tant qu'étranger je ne doive pas avoir de morts radchaaïes à commémorer. J'ai avancé plutôt dans la grande nef qui résonnait. S'y dressait Amaat, une Émanation incrustée de joyaux dans chaque main, déjà plongée jusqu'aux genoux dans les fleurs, une colline de rouge, orange et jaune aussi haute que ma tête, croissant graduellement à mesure que les fidèles jetaient de nouvelles fleurs sur la pile. Quand je suis parvenu au premier rang de la foule, j'ai ajouté les miennes, exécuté les gestes et articulé silencieusement la prière, laissé choir l'encens dans la boîte qui, une fois pleine, serait vidée par d'autres prêtres auxiliaires. Ce n'était qu'un gage – il retournerait à l'entrée, pour être de nouveau acheté. Si on avait brûlé tout l'encens offert, l'air dans le temple aurait été trop chargé de fumée pour pouvoir respirer. Et ce n'était même pas un jour de fête.

Alors que je m'inclinais devant la divinité, une capitaine de vaisseau en uniforme brun est apparue à côté de moi. Elle a failli jeter sa poignée de fleurs, puis s'est arrêtée en me fixant. Les doigts de sa main gauche vide ont tressailli, à peine. Ses traits me rappelaient la capitaine de centaine Rubran Osck, bien que, si la capitaine Rubran avait été élancée et avait porté ses cheveux longs et raides, celle-ci était plus trapue, le corps épais, les cheveux taillés ras. Un coup d'œil à ses bijoux a confirmé que cette capitaine était de ses cousins, membre de la même branche de la même maison. Je me suis souvenu qu'Anaander Mianaaï n'avait pas su prédire les allégeances de la capitaine Rubran, et ne voulait pas tirer trop fort sur la toile de clientélage et de contacts à laquelle appartenait la capitaine de centaine. Je me suis demandé si cela était toujours vrai, ou si Osck avait tranché pour l'un ou l'autre camp.

Peu importait. La capitaine continuait à me fixer, recevant sans doute désormais des réponses à ses questions. Station ou son vaisseau lui dirait que j'étais une étranger, et la capitaine, ai-je présumé, perdrait tout intérêt. Ou pas, si elle entendait parler de Seivarden. Je n'ai pas attendu pour le savoir ; achevant ma prière j'ai tourné les talons pour me frayer un chemin à travers les gens qui attendaient de déposer leurs offrandes.

La nef était encadrée de plus petits autels. Dans l'un, trois adultes et deux enfants se tenaient autour d'une bébé qu'ils avaient déposée au sein d'Aatr – l'effigie étant sculptée pour le permettre, son bras replié sous les seins souvent invoqués de la divinité – dans l'espoir d'une destinée propice, ou au moins d'un signe de ce que l'avenir pouvait réserver à l'enfant.

Tous les temples étaient magnifiques, scintillant d'or et d'argent, de verre et de pierre polie. Tout l'endroit grondait et rugissait aux échos de centaines de conversations et de prières à voix basse. Pas de musique. J'ai songé au temple d'Ikkt presque vide, à la Sublime d'Ikkt me parlant de centaines de chanteurs depuis longtemps disparus.

J'ai passé presque deux heures dans le temple à admirer les autels des divinités secondaires. L'endroit devait remplir toute la partie de la station que n'occupait pas le palais lui-même. Assurément, les deux devaient être reliés, puisque Anaander Mianaaï officiait ici comme prêtre à intervalles réguliers ; mais les accès ne devaient pas être ostensibles.

J'ai gardé l'autel mortuaire pour la fin. D'abord parce que c'était la partie du temple la plus susceptible d'être envahie par les touristes, et ensuite parce que je savais qu'il me rendrait malheureux. Il était plus grand que les autres autels secondaires, presque la moitié de la taille de la vaste nef principale, empli d'étagères et de vitrines regorgeant d'offrandes pour les morts. Toutes de nourriture ou de fleurs. Toutes en verre. Des tasses de thé en verre avec un thé de verre, au-dessus duquel s'élevait une vapeur en verre. Des monceaux de roses et de feuilles de verre délicates.

Deux douzaines de sortes de fruits, des poissons et des légumes qui exhalaient presque l'arôme fantôme de mon dîner de la veille. On pouvait en acheter des versions produites en masse dans des boutiques très éloignées du grand hall, et les placer dans son autel chez soi, pour les divinités ou pour les morts, mais celles-ci étaient différentes, chacune une œuvre d'art minutieusement détaillée, chacune marquée avec netteté des noms de la donneur vivante et de la dédicataire morte, afin que chaque visiteur puisse voir exposé son deuil pieux – et sa fortune et son statut.

J'avais probablement assez d'argent pour commissionner une telle offrande. Mais si je le faisais et que je la marque des noms appropriés, ce serait mon dernier geste. Et sans doute les prêtres la refuseraient-elles. J'avais déjà envisagé d'expédier de l'argent à la sœur de la lieutenant Awn, mais cela aussi attirerait une curiosité indésirable. Peut-être pourrais-je m'arranger pour que ce qui resterait, une fois que j'aurais fait ce que j'étais venu faire ici, lui revienne, mais je soupçonnais que ce serait impossible. Cependant, y réfléchir et penser à ma chambre luxueuse et à mes beaux vêtements coûteux m'a infligé un pincement de culpabilité.

À l'entrée du temple, juste au moment où j'allais sortir dans le grand hall, une soldat s'est placée en travers de mon chemin. Humaine, pas un ancillaire. Elle s'est inclinée. « Pardonnez-moi. J'ai un message de la part de la citoyen Vel Osck, capitaine du *Miséricorde de Kalr*. »

La capitaine qui m'avait fixé tandis que je faisais mon offrande à Amaat. Le fait qu'elle m'ait envoyé une soldat pour m'accoster montrait qu'elle estimait que je méritais plus d'effort qu'un message transmis par les systèmes de Station, mais pas assez pour dépêcher une lieutenant, ou pour m'approcher elle-même. Bien que cela ait également pu être dû à une certaine gaucherie sociale dont elle préférait se délester sur cette soldat. Il était difficile de ne pas remarquer la légère maladresse d'une phrase conçue pour éviter tout titre de courtoisie. « Pardonnez-moi, citoyen, ai-je dit. Je ne connais pas la citoyen Vel Osck. »

La soldat a exécuté un geste, une légère excuse, déférente. « Le lancer de ce matin a indiqué que la capitaine ferait ce jour une rencontre propice. Quand elle vous a remarquée en train de déposer votre offrande, elle a eu la certitude que vous étiez celle qui était voulue. »

Remarquer une étranger dans le temple, dans un lieu aussi vaste que celui-ci, constituait difficilement une rencontre fortuite. J'étais légèrement offensé que la capitaine n'ait pas même essayé de faire plus d'effort. Quelques secondes de réflexion auraient abouti à un meilleur résultat. « Quel est le message, citoyen ?

— La capitaine a coutume de prendre le thé l'après-midi », a déclaré la soldat, neutre et polie, et elle a nommé un salon à peu de distance du grand hall. « Elle serait honorée que vous puissiez vous joindre à elle. »

L'heure et le lieu suggéraient le genre de réunion de « société » qui était en réalité un étalage d'influence et d'associations, où on traitait d'affaires ostensiblement non officielles.

La capitaine Vel n'était pas en affaire avec moi. Et elle ne retirerait aucun avantage à être vue en ma compagnie. « Si la capitaine souhaite rencontrer la citoyen Seivarden…, ai-je commencé.

— Ce n'était pas la citoyen Seivarden que la capitaine a croisée dans le temple », a coupé la soldat, à nouveau légèrement contrite. Elle devait bien comprendre combien sa mission était transparente. « Mais bien entendu, si vous voulez amener la citoyen Seivarden, la capitaine Vel sera honorée de la rencontrer. »

Bien sûr. Et même sans maison ni argent, Seivarden recevrait une invitation personnelle de quelqu'une qu'elle connaissait, et non un message relayé par les systèmes de la station, ou cette invitation confinant à l'insulte de la commissionnaire de la capitaine Vel. Mais c'était exactement ce que je recherchais. « Je ne peux pas parler pour la citoyen Seivarden, bien entendu. Veuillez remercier la capitaine Vel de son invitation, je vous prie. » La soldat s'est inclinée avant de me laisser là.

En dehors du grand hall, j'ai trouvé une boutique qui vendait des cartons de ce qu'on présentait seulement comme des « déjeuners », qui se révélèrent être encore du poisson, cuit en ragoût avec des fruits. J'en ai rapporté dans ma chambre et me suis assis à ma table, pour manger, en considérant la console sur le mur, un lien visible avec Station.

Station était aussi intelligent que j'avais pu l'être, quand j'étais encore un vaisseau. Plus jeune, oui. Moins de la moitié de mon âge. Mais pas à négliger, loin de là. Si j'étais démasqué, ce serait presque certainement à cause de Station.

Il n'avait pas détecté mes implants ancillaires, que j'avais tous désactivés et dissimulés de mon mieux. Sinon, j'aurais déjà été arrêté. Mais Station voyait au moins les éléments de base de mon état émotionnel. Pouvait déterminer, avec assez d'informations sur moi, si je mentais. M'observait de près, très certainement.

Mais les états émotionnels, du point de vue de Station, du mien quand j'étais le *Justice de Toren*, n'étaient que des collections de données médicales, des données qui n'avaient aucun sens sans contexte. Si, dans mon actuelle humeur lugubre, je débarquais tout juste d'un vaisseau, Station le verrait sans doute, mais sans comprendre pourquoi j'éprouvais cela, et ne pourrait en tirer aucune conclusion. Mais plus longtemps je resterais ici, plus Station me verrait, et plus il aurait de données. Il pourrait constituer son propre contexte, sa propre image de ce que j'étais. Et serait en mesure de la comparer à ce qu'il estimait que je devrais être.

Le danger serait que les deux ne correspondent pas. J'ai avalé une bouchée de poisson, regardé la console. « Bonjour, IA qui m'observe.

— Honorable Ghaiad Breq, a répondu d'une voix placide Station depuis la console. Bonjour. On m'appelle en général *Station*.

— Station, donc. » Nouvelle bouchée de poisson et de fruits. « Ainsi, tu m'observes *vraiment*. » Sincèrement, la surveillance de Station m'inquiétait. Je ne pourrais pas le lui cacher.

« J'observe tout le monde, honorable. Votre jambe vous fait-elle toujours souffrir ? » C'était le cas et sans doute Station me voyait-il la ménager, en constatait les effets sur la façon dont j'étais assis en ce moment. « Nos installations médicales sont excellentes. Je suis sûre qu'une de nos docteurs saurait trouver une solution à votre problème. »

Alarmante perspective. Mais je pouvais rendre cela parfaitement compréhensible. « Non, merci. On m'a mise en garde contre les établissements médicaux radchaaïs. Je préfère supporter de légers désagréments et rester qui je suis. »

Le silence, pendant un moment. Puis Station a demandé : « Vous parlez des aptitudes ? Ou de la rééducation ? Aucun des deux ne changerait votre identité. Et vous n'êtes éligible pour aucun des deux, je vous l'assure.

— Quand même. » J'ai déposé mon ustensile de table. « Nous avons une maxime, d'où je viens : le pouvoir ne demande ni permission ni pardon.

— Je n'ai encore jamais rencontré quelqu'une du Gérantat. » Je comptais là-dessus, bien entendu. « Je suppose que votre méprise est compréhensible. Les étrangers souvent ne comprennent pas ce que sont réellement les Radchaaïs.

— Vous rendez-vous compte de ce que vous venez de dire ? Littéralement, que les non-civilisés ne comprennent pas la civilisation ? Est-ce que vous vous rendez compte qu'un grand nombre de gens en dehors de l'espace du Radch s'estiment civilisées ? » La phrase était pratiquement impossible, en radchaaï, une contradiction dans les termes.

Je m'attendais à un *Ce n'était pas ce que je voulais dire*, mais ce n'est pas venu. Station demanda à la place : « Seriez-vous venue ici, sans la citoyen Seivarden ?

— C'est possible », répondis-je, sachant que je ne pouvais pas mentir directement à Station, pas tandis qu'il m'observait de si près. Sachant qu'à présent toute colère ou rancœur — ou n'importe quelle appréhension vis-à-vis des officiels radchaaïes — que j'éprouverais serait attribuée à de la rancune ou à une crainte du Radch. « Y a-t-il de la musique, dans ce lieu très civilisé ?

— Oui. Mais je ne pense pas avoir de musique du Gérantat.

— Si je ne voulais entendre que les musiques du Gérantat, ai-je riposté avec acidité, je n'en serais pas partie. »

Cela n'a pas paru émouvoir Station. « Préférez-vous sortir ou rester ici ? »

Je préférais rester ici. Station m'afficha un divertissement, nouveau de l'année, mais quelque chose de confortablement familier — une jeune femme d'une famille humble avec des espoirs de clientélage à une maison plus prestigieuse. Une rival jalouse qui cherche à lui nuire, trompant la mécène putative quant à la noblesse de sa nature véritable. La reconnaissance finale de la vertu supérieure de l'héroïne, sa loyauté au travers des plus terribles épreuves, malgré son absence de contrat, et la chute de sa rival, culminant par le contrat de clientélage si longtemps attendu et dix minutes de chant et danse triomphaux, dernier de onze interludes similaires sur quatre épisodes séparés. C'était une œuvre courte — certaines s'étendaient sur des dizaines d'épisodes qui représentaient des jours, voire des semaines.

C'était stupide, mais les chansons étaient agréables et ont considérablement amélioré mon humeur.

*

* *

Je n'avais rien d'urgent à faire jusqu'à ce qu'arrive le résultat de l'appel de Seivarden, et cela, si j'avais de la chance, signifierait une nouvelle attente, encore plus longue. Je me suis levé, ai brossé mon pantalon pour le lisser, ai enfilé chaussures et veste. « Station, ai-je demandé. Sais-tu où je peux trouver la citoyen Seivarden Vendaaï.

— La citoyen Seivarden Vendaaï, a répliqué Station depuis la console, de sa voix toujours égale, est au bureau de la Sécurité au sous-niveau neuf.

— Pardon ?

— Il y a eu une rixe. Normalement, la Sécurité aurait contacté sa famille, mais elle n'en a pas, ici. »

Je n'étais pas sa famille, bien entendu. Et elle aurait pu me faire appeler, si elle avait voulu de moi. Mais quand même. « Peux-tu m'indiquer le chemin du bureau de la Sécurité au sous-niveau neuf, s'il te plaît ?

— Bien sûr, honorable. »

*

* *

Le bureau au sous-niveau 9 était minuscule, rien de plus, vraiment, qu'une console, quelques sièges, une table avec un service à thé dépareillé, et des casiers de stockage. Seivarden était assise sur un banc contre le mur du fond. Elle portait des gants gris et une veste et un pantalon qui lui allaient mal, en tissu raide, grossier, le genre d'objet qu'on extrudait à la demande, non cousu, et probablement produit dans une gamme de tailles préétablies. Mes propres uniformes, quand j'étais un vaisseau, étaient fabriqués ainsi, mais avaient eu meilleure apparence. Bien entendu, j'avais pris leurs mesures exactes ; c'était pour moi une tâche simple, à l'époque.

Le devant de la veste grise de Seivarden était tacheté de sang et un gant en était trempé. Du sang formait une croûte sur sa lèvre supérieure, et la petite coque transparente d'un correctif enfourchait l'arête de son nez. Un autre correctif s'étendait sur une ecchymose en formation sur une joue. Elle regardait devant elle d'un air morne, sans lever les yeux vers moi, ni vers l'officier de Sécurité qui m'avait admise. « Voici votre amie, citoyen », a annoncé Sécurité.

Seivarden a froncé les sourcils. Levé les yeux, considérant l'espace réduit. Puis elle m'a regardé de plus près. « Breq ? Nichons d'Aatr, c'est toi. Tu as… » Elle a battu des paupières. Ouvert la bouche pour achever sa phrase, s'est de nouveau arrêtée. A repris sa respiration, de façon assez éraillée. « … l'air différente, conclut-elle. Très, très différente.

— J'ai seulement acheté des vêtements. Que t'est-il arrivé ?

— Il y a eu une bagarre.

— Qui s'est produite toute seule, c'est ça ?

— Non. On m'a assigné un lieu où dormir, mais il y avait déjà quelqu'une qui vivait là. J'ai essayé de discuter avec elle, mais c'est à peine si je comprenais ce qu'elle racontait.

— Où as-tu dormi la nuit dernière ? »

Elle a baissé les yeux vers le sol. « Je me suis débrouillée. » Les a relevés vers moi, vers l'officier de Sécurité à côté de moi. « Mais je n'allais plus pouvoir *continuer* à le faire.

— Vous auriez dû venir nous voir, citoyen, a déclaré Sécurité. À présent, vous avez un avertissement dans votre dossier. Ce n'est pas une chose souhaitable.

— Et son adversaire ? » ai-je demandé.

Sécurité a eu un geste de négation. Ce n'était pas une question que j'étais censé poser.

« Je ne me débrouille pas très bien toute seule, non ? » a commenté Seivarden d'une voix misérable.

*

*   *

Ne tenant aucun compte de la désapprobation de Skaaïat Awer, j'ai acheté à Seivarden des gants et une veste neufs, vert sombre, toujours des affaires extrudées à la demande, mais qui lui allaient mieux, au moins, et leur qualité supérieure était évidente. Les grises étaient irrécupérables au nettoyage, et je savais que le bureau de l'équipement ne lui fournirait pas de nouveaux vêtements si vite. Quand Seivarden les a eu enfilés et a envoyé les vieux au recyclage, je lui ai demandé : « Tu as mangé ? J'avais prévu de t'inviter à dîner quand Station m'a appris où tu étais. » Elle s'était lavé la figure et avait désormais une apparence plus ou moins respectable, à l'ecchymose sur sa joue près.

« Je n'ai pas faim », a-t-elle répondu. Un éclair de quelque chose – du regret ? de l'agacement ? je n'ai pas pu tout à fait l'identifier – a fulguré sur son visage. Elle a croisé et décroisé les bras rapidement, un geste que je n'avais pas vu depuis des mois.

« Est-ce que je peux t'offrir du thé, en ce cas, pendant que je mangerai ?

— Je serais ravie de boire un thé », a-t-elle lancé avec une emphase sincère. Je me suis souvenu qu'elle n'avait pas d'argent, qu'elle avait refusé que je lui en donne. Tout ce thé que nous avions apporté avec nous se trouvait dans mes bagages, elle n'avait rien pris avec elle quand nous nous étions séparées la veille. Et le thé, bien entendu, était du superflu. Un luxe. Qui n'en était pas réellement un. Pas selon les critères de Seivarden, en tout cas. Ni sans doute selon ceux de n'importe quelle Radchaaï.

Nous avons trouvé un salon de thé, j'ai acheté un mets enveloppé dans une feuille d'algue, des fruits et du thé, et nous avons pris une table dans un coin. « Tu es sûre que tu ne veux rien ? ai-je insisté. Un fruit ? »

Elle a feint un désintérêt pour les fruits, puis en a pris un morceau. « J'espère que tu as passé une meilleure journée que moi.

— Probablement. » Je me suis tu un moment, pour voir si elle voulait discuter de ce qui était arrivé, mais elle restait silencieuse, attendant simplement que je poursuive. « Je suis allée au temple, ce matin. Et j'ai rencontré une capitaine de vaisseau qui m'a assez grossièrement dévisagée avant d'envoyer à mes trousses une de ses soldats, pour m'inviter à un thé.

— Une de ses *soldats*. » Seivarden s'est aperçue qu'elle avait les bras croisés, les a décroisés, a levé sa tasse de thé, l'a reposée. « Ancillaire ?

— Humaine. J'en suis à peu près certaine. »

Seivarden a brièvement haussé un sourcil. « Tu ne devrais pas y aller. Elle aurait dû t'inviter elle-même. Tu n'as pas dit oui, quand même ?

— Je n'ai pas dit non. » Trois Radchaaïs sont entrées dans le salon de thé, en riant. Toutes portaient le bleu marine de l'autorité des quais. L'une d'elles était Daos Ceit, l'adjoint de la première inspecteur Skaaïat. Elle n'a pas paru me remarquer. « Je ne crois pas que l'invitation me concernait. Je pense qu'elle veut que je *te* la présente.

— Mais… » Elle a froncé les sourcils. Regardé le bol de thé dans une main gantée de vert. Épousseté de l'autre le plastron de sa veste neuve. « Quel était son nom, déjà ?

— Vel Osck.

— Osck. Jamais entendu parler d'elles. » Elle a bu à nouveau du thé. Daos Ceit et ses amis ont acheté du thé et des pâtisseries, se sont assises à une table de l'autre côté de la salle, discutant avec animation. « Pourquoi voudrait-elle me rencontrer ? »

J'ai levé un sourcil, incrédule. « C'est *toi* qui crois qu'un événement improbable est un message de la Divinité, ai-je fait observer. Tu es perdue pendant mille ans, découverte par accident, tu disparais à nouveau et tu réapparais dans un palais aux côtés d'une riche étranger. Et tu es surprise que cela attire l'attention. » Elle a fait un geste ambigu. « Faute d'une maison Vendaaï fonctionnelle, c'est à toi de t'établir d'une façon ou d'une autre. »

Elle a paru tellement déconcertée, pendant un instant infime, que j'ai cru que mes paroles l'avaient offensée d'une façon ou d'une autre. Mais elle a semblé alors se reprendre. « Si la capitaine Vel souhaitait ma bonne volonté, ou se souciait le moins du monde de mon opinion, elle a pris un mauvais départ en t'insultant. » Son ancienne arrogance pointait derrière ces paroles, une différence surprenante avec son abattement à peine réprimé jusqu'ici.

« Et la première inspecteur ? Skaaïat, c'est ça ? Elle m'a paru plutôt polie. Et tu avais l'air de savoir qui elle était.

— Toutes les Awer *paraissent* assez polies », a rétorqué Seivarden avec mépris. Par-dessus son épaule, j'ai regardé Daos Ceit rire à des propos tenus par une de ses compagnons. « Elles semblent tout à fait normales, au départ, a poursuivi Seivarden, et puis elles ont des visions, ou décident que quelque chose ne va pas dans l'univers et qu'elles doivent le réparer. Ou les deux à la fois. Elles sont toutes folles. » Elle s'est tue un moment, puis s'est retournée pour voir ce que je regardais. Puis de nouveau vers moi. « Oh, *elle*. Est-ce qu'elle n'a pas l'air un peu… provinciale ? »

J'ai ramené toute mon attention vers Seivarden. L'ai fixée.

Elle a baissé les yeux vers la table. « Désolée. C'était…
ce n'était pas bien. Je n'ai pas de…

— Je doute, l'ai-je interrompue, que son salaire lui per-
mette de porter des vêtements qui lui donneraient l'air…
différente.

— Ce n'est pas ce que je voulais dire. » Seivarden a
levé le regard, la détresse et l'embarras évidents dans son
expression. « Mais ce que je voulais dire n'était déjà pas
bien. J'étais juste… juste surprise. Tout ce temps, je suppose que je t'avais prise pour une ascète. Ça m'a étonnée,
c'est tout. »

Une ascète. Je voyais pourquoi elle aurait pu le supposer,
mais non en quoi le fait de s'être trompée pouvait avoir
une importance. À moins… « Tu n'es pas *jalouse* ? » ai-je
demandé, incrédule. Bien habillé ou pas, j'étais tout aussi
provincial d'aspect que Daos Ceit. Je venais simplement
d'une autre province.

« Non ! » Et puis, l'instant d'après : « Bon, oui. Mais
pas dans *ce sens-là*. »

J'ai alors pris conscience que ce n'étaient pas seulement
les autres Radchaaïs qui pouvaient se faire une fausse
idée à cause des vêtements que je venais de lui offrir.
Même si Seivarden savait sûrement que je ne pouvais pas
offrir cela. Même si je savais que, y aurait-elle réfléchi
plus de trente secondes, jamais elle ne voudrait de moi
ce que ce cadeau laissait entendre. Elle ne pouvait quand
même pas imaginer que j'avais eu cette intention. « Hier,
la première inspecteur m'a dit que je courais le risque de
te donner de faux espoirs. Ou de donner à d'autres une
fausse impression. »

Seivarden a fait un bruit méprisant. « Cela vaudrait la
peine d'être pris en considération si j'avais le plus vague
intérêt pour ce qu'Awer peut penser. » J'ai levé un sourcil,
et elle a poursuivi, sur un ton plus contrit : « Je pensais
être capable de gérer la situation seule, mais hier soir

et tout aujourd'hui, je n'ai fait que regretter de ne pas être restée avec toi. C'est vrai, je suppose, on s'occupe de tous les citoyens. Je n'ai vu personne mourir de faim. Ou aller nue. » Son visage a brièvement exprimé de la répugnance. « Mais ces vêtements. Et le skel. Rien que du skel, tout le temps, très soigneusement compté. Je ne croyais pas m'en soucier. Je veux dire, je n'ai rien contre le skel, mais c'est à peine si j'arrivais à l'avaler. » Je pouvais imaginer de quelle humeur elle était, quand elle s'était engagée dans cette rixe. « Je crois que c'est l'idée que je n'aurais rien d'autre à manger pendant des semaines et des semaines. Et, a-t-elle ajouté avec un sourire acerbe, l'idée que j'aurais eu droit à mieux si j'avais demandé à rester auprès de toi.

— Et tu voudrais donc reprendre ton ancien travail ?

— Oh oui, *putain* », s'est-elle exclamée, emphatique et soulagée. Assez fort pour que le groupe de l'autre côté de la salle l'entende et tourne des regards désapprobateurs dans notre direction.

« Surveillez votre langage, citoyen. » J'ai mordu de nouveau dans mon rouleau d'algue. Soulagé sur plusieurs points, je m'en suis rendu compte. « Tu es sûre que tu ne préférerais pas tenter ta chance avec la capitaine Vel ?

— Tu peux bien prendre le thé avec qui tu voudras. Mais elle aurait dû t'inviter elle-même.

— Tu as des manières vieilles de mille ans, lui ai-je rappelé.

— Les bonnes manières restent les bonnes manières, s'est-elle indignée. Mais, comme je l'ai dit, tu peux prendre le thé avec qui tu voudras. »

La première inspecteur Skaaïat est entrée dans la boutique, a vu Daos Ceit et lui a adressé un hochement de tête, mais s'est dirigée vers l'endroit où Seivarden et moi étions assises. A hésité, un instant à peine, en remarquant les correctifs sur le visage de Seivarden, puis a feint de n'avoir rien vu. « Citoyen. Honorable.

— Première inspecteur », ai-je répondu. Seivarden s'est bornée à hocher la tête.

« Je donne une petite soirée, demain soir. » Elle a nommé un lieu. « Un simple thé, rien d'officiel. Je serais honorée de votre présence à toutes les deux. »

Seivarden a ri ouvertement. « Les bonnes manières, a-t-elle répété, restent les bonnes manières. »

Skaaïat a froncé les sourcils, perplexe.

« Votre invitation est la deuxième qu'on me fait aujourd'hui, ai-je expliqué. La citoyen Seivarden m'apprend que la première n'était pas d'une impeccable courtoisie.

— J'espère que la mienne satisfait à ses critères exigeants. Qui n'a pas été à la hauteur ?

— La capitaine Vel. Du *Miséricorde de Kalr*. »

À quelqu'une qui ne la connaissait pas bien, Skaaïat donnait peut-être l'impression de n'avoir aucune véritable opinion sur la capitaine Vel. « Eh bien. Je reconnais, citoyen, que j'avais l'intention de vous présenter à certaines de mes amis qui pourraient vous être utiles. Mais vous trouverez peut-être la fréquentation de la capitaine Vel plus agréable.

— Vous devez avoir piètre opinion de moi, a observé Seivarden.

— Il se peut, a dit Skaaïat (et, oh, qu'il était étrange de l'entendre parler avec tant de gravité, telle que je l'avais connue vingt ans plus tôt, mais différente), que l'approche de la capitaine Vel ait quelque peu manqué de respect envers l'honorable Breq. Mais, à d'autres égards, je soupçonne que vous la trouveriez compréhensive. » Avant que Seivarden ait pu répondre, Skaaïat a poursuivi : « Je dois m'en aller. J'espère vous voir toutes les deux demain soir. » Elle a jeté un coup d'œil à la table où était assise son assistant, et les trois inspecteurs adjointes là-bas se sont levées et ont quitté la boutique à sa suite.

Seivarden est restée silencieuse un moment, regardant la porte par laquelle elles étaient sorties.

« Bien », ai-je dit. Seivarden a ramené les yeux vers moi. « Si tu reviens, je suppose que je ferais mieux de te payer, pour que tu puisses t'acheter des vêtements plus convenables. »

Une expression que je n'ai pas tout à fait réussi à déchiffrer est passée sur le visage de Seivarden. « Où as-tu acheté les tiens ?

— Nulle part accessible à ton salaire. »

Seivarden a éclaté de rire. Bu une gorgée de son thé, mangé un autre morceau de fruit.

Je n'étais pas sûr du tout qu'elle ait vraiment mangé. « Tu es certaine de ne rien vouloir d'autre ?

— Certaine. Qu'est-ce que c'est, *ça* ? » Elle désignait le dernier morceau de mon dîner emballé d'algue.

« Aucune idée. » Je n'avais jamais rien vu de semblable dans le Radch, ce devait être une invention récente, ou une idée importée d'ailleurs. « Mais c'est bon, tu en veux un ? Nous le ramènerons à la chambre si tu préfères. »

Seivarden a fait la grimace. « Non, merci. Tu es plus aventureuse que moi.

— Oui, je suppose », ai-je acquiescé avec bonne humeur. J'ai fini ce qui restait de mon repas, bu mon thé. « Mais on ne s'en douterait pas à me regarder, aujourd'hui. J'ai passé la matinée au temple, comme une bonne touriste, et l'après-midi à regarder un divertissement dans ma chambre.

— Laisse-moi deviner ! » Seivarden a haussé un sourcil sardonique. « Celui dont tout le monde parle. L'héroïne est vertueuse et loyale, et l'amant de sa mécène potentielle la déteste. Elle l'emporte finalement grâce à sa loyauté et un dévouement sans faille.

— Tu l'as vu ?

— Plus d'une fois. Mais plus depuis très longtemps. »

J'ai souri. « Il y a des choses qui ne changent pas. »

Seivarden a ri en réponse. « Apparemment pas. Les chansons sont bonnes ?

— Pas mal. Tu pourras les regarder dans la chambre, si tu veux. »

Mais, de retour dans la chambre, elle a déplié la banquette de la domestique, en disant : « Je m'assois juste un instant », et deux minutes et trois secondes plus tard, elle dormait.

Chapitre vingt

Des semaines passeraient sans doute avant que Seivarden obtienne ne serait-ce qu'une date d'audience. Entre-temps, nous vivions ici, et j'aurais une chance de juger de la situation, qui pourrait prendre le parti de quelle Mianaaï si on en arrivait à une lutte ouverte. Peut-être même si l'une ou l'autre Mianaaï prenait l'ascendant, ici. Toute information qui pourrait se révéler cruciale le moment venu. Et il viendrait, j'en étais de plus en plus sûr. Anaander Mianaaï pourrait ou non comprendre bientôt qui j'étais — mais à ce stade, plus question de me cacher au reste d'elle-même. J'étais ici, ouvertement, manifestement, au côté de Seivarden.

En évoquant Seivarden et l'empressement de la capitaine Vel Osck à la rencontrer, j'ai aussi songé à la capitaine de centaine Rubran Osck. Et à Anaander Mianaaï, déplorant de ne pas pouvoir deviner ses opinions, ni compter sur son opposition ou sur son soutien, ni faire pression sur elle pour apprendre ou imposer ce choix. La capitaine Rubran avait eu assez de chance avec ses liens familiaux pour pouvoir adopter une position aussi neutre, et la conserver. Cela révélait-il quelque chose sur l'état de la lutte de Mianaaï contre elle-même à l'époque ?

La capitaine du *Miséricorde de Kalr* observait-elle aussi cette attitude de neutralité ? Ou un changement était-il intervenu dans cet équilibre durant ma disparition ? Et que penser du fait que la première inspecteur Skaaïat ne l'aimait pas ? J'étais certain que c'était cette expression que j'avais vue sur son visage lorsque j'avais prononcé ce nom. Les vaisseaux militaires n'étaient pas soumis aux autorités des quais – sinon, bien entendu, en ce qui concernait arrivées et départs –, et les relations entre les deux mettaient en général en jeu une certaine condescendance d'un côté et une légère rancune de l'autre, tout cela sous le vernis d'une courtoisie mesurée. Mais Skaaïat Awer n'avait jamais été encline au ressentiment et, d'ailleurs, elle connaissait les deux côtés de la barrière. La capitaine Vel l'avait-elle personnellement offensée ? Ou, simplement, ne l'aimait-elle pas, comme cela arrivait parfois ?

Ou bien ses sympathies la plaçaient-elles de l'autre côté d'une ligne de fracture politique ? Et après tout, où Skaaïat Awer était-elle susceptible de tomber, dans un Radch divisé ? À moins qu'il ne soit arrivé quelque chose qui ait changé de façon spectaculaire sa personnalité et ses opinions, je pensais savoir où Skaaïat tomberait, au cours de ce lancer. Je ne connaissais pas assez la capitaine Vel – ni d'ailleurs le *Miséricorde de Kalr* – pour trancher.

Quant à Seivarden, je ne me faisais aucune illusion sur l'orientation de ses sympathies, s'il fallait choisir entre des citoyens qui restaient à la place qui leur convenait, avec un Radch en expansion, conquérant, ou la fin des annexions et l'élévation de citoyens aux accents et aux antécédents sommaires. Je ne me faisais aucune illusion sur l'opinion qu'aurait eue Seivarden de la lieutenant Awn, si jamais elles s'étaient rencontrées.

*
* *

Le lieu où la capitaine Vel avait coutume de prendre le thé n'était pas ostensiblement signalé. Ce n'était pas nécessaire. Sans doute n'était-ce pas le pinacle de la mode et de la société – à moins que les fortunes des Osck n'aient grimpé au cours des vingt dernières années. Mais c'était malgré tout le genre de lieu où on n'était certainement pas bienvenue si on n'en connaissait pas d'avance l'existence. L'établissement était sombre et les sons feutrés – des tapis et des tentures absorbaient les échos et les bruits indésirables. En quittant la coursive bruyante, on aurait dit que je m'étais soudain collé les mains sur les oreilles. Des groupes de sièges bas entouraient de petites tables. La capitaine Vel était assise dans un coin, des théières, des bols de thé et un plateau de pâtisseries à demi dégarni sur la table devant elle. Tous les sièges étaient occupés, et un cercle extérieur s'était assemblé à la périphérie.

Elles étaient ici depuis une demi-heure, au moins. Avant que nous quittions la chambre, Seivarden, encore irritée, m'avait dit d'une voix neutre que je ne devais bien entendu pas me précipiter à ce thé. Si elle avait été de meilleure humeur, elle m'aurait plus simplement expliqué que je devais arriver en retard. Telle avait été mon inclination personnelle avant même qu'elle ne parle, aussi n'ai-je rien dit et lui ai-je laissé la satisfaction de croire qu'elle m'avait influencé, si elle le souhaitait.

La capitaine Vel m'a vu et s'est levée pour s'incliner. « Ah, Breq Ghaiad. Ou dit-on Ghaiad Breq ? »

J'ai répondu par une autre courbette, prenant soin de la retenir précisément autant que la sienne. « Dans le Gérantat, nous plaçons le nom de maison en premier. » Le Gérantat n'avait pas de maisons au sens radchaaï, mais c'était le seul terme qu'aient les Radchaaïs pour un nom indiquant un lien familial. « Mais je ne suis pas dans le Gérantat, pour l'heure. Ghaiad est mon nom de maison.

— Vous l'avez déjà placé dans l'ordre correct pour nous, en ce cas ! s'est exclamée la capitaine Vel avec une jovialité factice. Quelle prévenance. » Je ne voyais pas Seivarden, qui se tenait derrière moi. Je me suis demandé brièvement quelle expression elle avait au visage, et aussi pourquoi la capitaine Vel m'avait invité ici, si chacune de ses interactions avec moi devait être légèrement insultante.

Station devait assurément m'observer. Il verrait au moins des traces de mon agacement. Pas la capitaine Vel. Non qu'elle s'en soucie.

« Et la capitaine Seivarden Vendaaï, a-t-elle poursuivi, avec une nouvelle courbette, notablement plus prononcée que la précédente. Un honneur, capitaine. Un distinct honneur. Veuillez vous asseoir. » Elle a indiqué des sièges proches du sien, et deux Radchaaïs élégamment vêtues et embijoutées se sont levées pour nous céder la place, sans protestation ni expression de dépit apparente.

« Pardon, capitaine », a dit Seivarden. Neutre. Les correctifs de la veille s'étaient détachés, et elle paraissait très proche de ce qu'elle avait été mille ans plus tôt, la riche et arrogante rejeton d'une maison hautement située. Dans un moment, elle sourirait avec dédain et prononcerait quelques mots sarcastiques, j'en étais sûr, mais elle n'en a rien fait. « Je ne mérite plus ce grade. Je suis la domestique de l'honorable Breq. » Légère emphase sur *honorable*, comme si la capitaine Vel pouvait ignorer le terme de courtoisie approprié et que Seivarden cherchait simplement à l'en informer avec politesse et discrétion. « Et je vous remercie de l'invitation qu'elle a eu la bonté de me relayer. » Voilà, c'était là, un soupçon de dédain, quoiqu'il soit possible que seule quelqu'une qui la connaissait bien puisse l'entendre. « Mais j'ai des tâches à accomplir.

— Je t'ai accordé ton après-midi, citoyen, ai-je objecté avant que la capitaine Vel puisse répondre. Emploie-le comme il te plaira. » Aucune réaction de la part de Seivarden, et je ne pouvais toujours pas voir son visage. J'ai pris un des sièges libérés pour nous. Une lieutenant y avait été assise, sans doute une des officiers de la capitaine Vel. Même si je voyais ici plus d'uniformes bruns qu'un petit vaisseau comme le *Miséricorde de Kalr* ne pouvait en contenir.

Ma voisin était une civil en rose et azur, avec de délicats gants en satin qui suggéraient qu'elle n'avait jamais véritablement manipulé quoi que ce soit de plus rude ou de plus lourd qu'un bol de thé, et une broche d'une taille ostentatoire en fil d'or tissé et martelé incrusté de saphirs – et non de verre, j'en étais sûr. Probablement le motif vantait-il je ne sais quelle riche maison à laquelle elle appartenait, mais je ne l'ai pas reconnu. Elle s'est penchée vers moi et a déclaré d'une voix forte, alors que Seivarden prenait le siège face à moi : « Comme vous avez dû vous estimer chanceuse, d'avoir trouvé Seivarden Vendaaï !

— Chanceuse », ai-je répété avec soin, comme si le mot ne m'était pas familier, appuyant à peine un peu plus mon accent du Gérantat. Regrettant presque que la langue radchaaïe ne se soucie pas du genre, afin que je puisse l'utiliser à tort et à travers et paraître encore plus étranger. Presque. « Est-ce là le mot ? » J'avais deviné juste quant aux raisons pour lesquelles la capitaine Vel m'avait approché comme elle l'avait fait. La première inspecteur Skaaïat avait agi de façon similaire, en s'adressant à Seivarden alors qu'elle savait que celle-ci était venue comme ma domestique. Bien entendu, la première inspecteur avait presque immédiatement compris son erreur.

En face de moi, Seivarden expliquait au capitaine Vel sa situation vis-à-vis des aptitudes. J'étais stupéfait de son calme glacé, en sachant qu'elle était en colère depuis que je lui avais annoncé mon intention de venir. Mais, par certains aspects, elle était ici dans son habitat naturel. Si le vaisseau qui avait trouvé sa nacelle de suspension l'avait amenée en un tel endroit, au lieu d'une petite station provinciale, les choses auraient tourné très différemment pour elle.

« Ridicule ! s'est exclamée Rose et Azur à côté de moi tandis que la capitaine Vel versait un bol de thé pour l'offrir à Seivarden. Comme si vous étiez une enfant. Comme si personne ne savait pour quoi vous êtes faite. Il fut un temps où on pouvait compter sur les officiels pour gérer les choses de façon convenable. » *Juste*, résonna le compagnon silencieux de ce dernier mot. *Avantageuse*.

« J'ai perdu mon vaisseau, citoyen, a fait observer Seivarden.

— Pas par votre faute, capitaine, a protesté une autre civil quelque part derrière moi. Certainement pas.

— Tout ce qui se passe sous mon commandement engage ma responsabilité, citoyen », a corrigé Seivarden.

La capitaine Vel a acquiescé d'un geste. « Cependant, il n'aurait pas dû être question que vous *repassiez* les tests. »

Seivarden a regardé son thé, m'a jeté un coup d'œil, assis les mains vides en face d'elle, et a déposé son bol sur la table devant elle sans boire. La capitaine Vel a rempli un autre bol et me l'a offert, comme si elle n'avait pas remarqué le geste de Seivarden.

« Comment trouvez-vous le Radch après mille ans, capitaine ? a demandé quelqu'une derrière moi tandis que j'acceptais le thé. Très changé ? »

Seivarden n'a pas repris son bol. « Un peu changé. Un peu le même.

— En mieux, ou en pire ?

— Je ne saurais dire, a répliqué Seivarden, froidement.

— Comme vous parlez bien, capitaine Seivarden, a lancé quelqu'une d'autre. Tant de jeunes gens de nos jours ne s'appliquent pas à parler. C'est délicieux d'entendre s'exprimer quelqu'une d'un raffinement véritable. »

Les lèvres de Seivarden se sont tordues en ce qu'on aurait pu prendre pour de la reconnaissance face à un compliment mais qui, presque certainement, n'en était pas.

« Ces maisons secondaires et provinciales, avec leurs accents, leur argot, a renchéri la capitaine Vel. En vérité, mon vaisseau compte de bonnes soldats, mais à les entendre parler on croirait qu'elles ne sont jamais allées à l'école.

— Pure paresse, a opiné une lieutenant derrière Seivarden.

— On ne voit pas cela avec des ancillaires, a fait remarquer quelqu'une, sans doute une autre capitaine derrière moi.

— Il y a beaucoup de choses qu'on ne voit pas, avec des ancillaires », a dit quelqu'une d'autre, commentaire qu'on pouvait prendre de deux façons, mais j'étais à peu près certain de savoir dans quel sens elle l'entendait. « Mais c'est un sujet de conversation risqué.

— Risqué ? ai-je demandé en toute innocence. Allons, il n'est sûrement pas illégal de se plaindre ici des jeunes gens, de nos jours ? Quelle cruauté. J'aurais cru que c'était une des bases de la nature humaine, une des rares coutumes humaines universellement pratiquées.

— Et il n'est sûrement jamais risqué de se plaindre des maisons secondaires et provinciales, a ajouté Seivarden avec un léger sourire moqueur, son masque se craquelant enfin.

— On pourrait le croire, a répondu Rose et Azur à côté de moi, se trompant sur les intentions de Seivarden. Mais nous avons tristement changé, capitaine, depuis votre époque. Il fut un temps où on pouvait compter sur les aptitudes pour envoyer les citoyens *convenables* dans des affectations *convenables*. Je n'arrive pas à comprendre certaines des décisions qui sont prises, de nos jours. Et les athées, qui reçoivent des privilèges. » Elle parlait des Valskaayiens qui, en règle générale, n'étaient pas athées, mais monothéistes stricts. La différence était invisible pour nombre de Radchaaïs. « Et les soldats humaines ! Les gens de nos jours font bien des manières avec les ancillaires, mais on ne voit pas des ancillaires ivres vomir dans le grand hall. »

Seivarden a produit un bruit vaguement indigné. « *Jamais* je n'ai connu d'officiers qui soient ivres à en vomir.

— À votre époque, peut-être pas, a répliqué quelqu'une derrière moi. Les choses ont changé. »

Rose et Azur a incliné la tête vers la capitaine Vel qui, à en juger par son expression, avait enfin compris le sens des paroles de Seivarden, à la différence de Rose et Azur. « Ce n'est pas pour dire, capitaine, que vous ne tenez pas *votre* vaisseau en ordre. Mais avec des ancillaires, vous n'auriez pas à *maintenir* l'ordre, si ? »

La capitaine a balayé l'argument d'une main vide, son bol de thé dans l'autre. « C'est le commandement, citoyen, c'est mon travail, tout simplement. Mais il y a des sujets plus graves. On ne peut pas remplir des transports de troupes avec des humains. Les *Justices* aux équipages humaines sont tous à moitié vides.

— Et bien entendu, est intervenue Rose et Azur, toutes celles-là, il faut les *payer*. »

La capitaine Vel a manifesté son assentiment d'un geste. « On dit qu'on n'a plus besoin d'elles. » *On* étant, bien entendu, Anaander Mianaaï. Personne ne la nommait quand il s'agissait de la critiquer. « Que nos frontières conviennent telles qu'elles sont. Je ne prétends pas comprendre la politique, ni les décisions. Mais il me semble qu'on gaspillerait moins à stocker des ancillaires qu'à entraîner et à payer des humains et à les sortir en rotation du stockage.

— On raconte que, sans la disparition du *Justice de Toren*, on aurait déjà dû envoyer à la casse un des autres transporteurs », a dit Rose et Azur à côté de moi, en sélectionnant une pâtisserie sur la table devant elle. Ma surprise en entendant mon propre nom ne devait être visible de personne ici, mais Station ne manquerait pas de la repérer. Et cette surprise, ce sursaut, n'était pas un élément qui cadrait avec l'identité que j'avais élaborée. Station allait me réévaluer, j'en étais sûr. Ainsi qu'Anaander Mianaaï.

« Ah, a fait une civil derrière moi. Mais notre visiteur ici est sans doute heureuse d'entendre que nos frontières sont fixées. »

C'est à peine si j'ai tourné la tête pour répondre d'une voix égale : « Le Gérantat constituerait une très grosse bouchée. » Personne ici ne pouvait voir ma consternation durable après mon sursaut, quelques instants plus tôt.

Sauf, bien entendu, Station et Anaander Mianaaï. Et Anaander Mianaaï – ou une partie d'elle, au moins – aurait de très bonnes raisons de remarquer une conversation sur le *Justice de Toren*, et les réactions qu'elle suscitait.

« Je ne sais pas, capitaine Seivarden, disait la capitaine Vel, si vous avez entendu parler de la mutinerie d'Imé. Une unité entière a refusé les ordres pour passer à une puissance extérieure.

— Ce ne serait certainement pas arrivé sur un vaisseau avec un équipage d'ancillaires, a soufflé quelqu'une derrière Seivarden.

— Pas une trop grosse bouchée pour le Radch, j'imagine, est intervenue une voix derrière moi.

— Je dois reconnaître (de nouveau, j'ai à peine forcé mon accent du Gérantat) qu'en partageant une frontière avec nous, vous avez appris de meilleures manières à table. » J'ai refusé de me retourner entièrement pour voir si le silence qui me répondait était amusé, indigné ou simplement focalisé sur Seivarden et la capitaine Vel. J'essayais de ne pas trop songer aux conclusions qu'Anaander Mianaaï tirerait de ma réaction en entendant mon nom.

« Je crois que j'en ai entendu parler, a déclaré Seivarden en fronçant les sourcils d'un air pensif. Imé. C'est là que la gouverneur provinciale et les capitaines des vaisseaux du système assassinaient et volaient, et sabotaient vaisseaux et station afin qu'ils ne puissent pas transmettre de rapport aux autorités supérieures, non ? » Inutile de s'inquiéter de ce que Station – ou la Maître du Radch – tirerait de ma réaction à *ça*. Les choses tomberaient où elles le devaient. Il me fallait rester calme.

« Le problème n'est pas là, a répondu Rose et Azur. Le problème, c'est qu'il s'agissait d'une mutinerie. Une mutinerie tolérée, alors qu'on ne peut pas dénoncer tout simplement les dangers de promouvoir la mauvaise éducation et la vulgarité à des postes d'autorité, ou des politiques qui encouragent les plus viles conduites quand elles ne sapent pas toutes les valeurs de la civilisation, sans perdre des contacts commerciaux ou des promotions.

— Vous devez être très brave, en ce cas, pour parler ainsi », ai-je fait observer. Mais j'étais certain que Rose et Azur ne l'était pas particulièrement. Elle parlait de la sorte parce qu'elle le pouvait sans danger pour elle.

Du calme. Je pouvais contrôler ma respiration, la garder fluide et régulière. Ma peau était trop sombre pour trahir une coloration, mais Station verrait ma température changer. Il pourrait simplement penser que j'étais en colère. J'avais de bonnes raisons de l'être.

« Honorable », a dit subitement Seivarden. D'après la tension de sa mâchoire et de ses épaules, elle réprimait une envie de croiser les bras. Se retrouverait, très bientôt, dans une de ces humeurs de silence face au mur. « Nous allons être en retard à notre prochain rendez-vous. » Elle s'est levée, avec plus de brusquerie qu'une stricte politesse ne le voulait.

« En effet », ai-je acquiescé, et j'ai posé mon thé sans l'avoir goûté. J'espérais qu'elle agissait pour des raisons personnelles et non parce qu'elle avait noté chez moi des signes d'agitation. « Capitaine Vel, merci de votre très aimable invitation. Ce fut un honneur de toutes vous rencontrer. »

Une fois dans le grand hall, Seivarden, marchant derrière moi, a marmonné : « Putains de snobs ». Des gens sont passées, la plupart sans nous prêter attention. C'était bien. C'était normal. Je sentais décroître mes niveaux d'adrénaline.

Mieux. Je me suis arrêté et tourné pour regarder Seivarden, levant un sourcil.

« Mais elles sont *vraiment* snobs. À quoi croient-elles que *servent* les aptitudes ? Tout l'*intérêt* vient de ce que, par les tests, tout le monde peut accéder n'importe où. »

Je me suis souvenu d'une lieutenant Skaaïat, vingt-quatre ans plus jeune, demandant, dans l'obscurité humide de la haute-ville, si les aptitudes manquaient d'impartialité auparavant ou maintenant, et répondant, pour elle-même, *les deux, bien entendu*. Et la peine et le chagrin de la lieutenant Awn.

Seivarden a croisé les bras, les a décroisés, ses mains gantées serrées en poings. « Et *bien sûr* que les gens d'une maison secondaire seront mal élevées et auront un accent vulgaire. Elles peuvent difficilement faire autrement.

» Et à quoi pensaient-elles donc, en tenant une pareille conversation dans un salon de thé. Sur une *station de palais*. Je veux dire, pas simplement *quand nous étions jeunes* ou *les provinciales sont vulgaires*, mais dire que les aptitudes sont corrompues ? Que le personnel militaire est très mal géré ? » Je n'ai rien dit, mais elle a réagi comme si j'avais répondu. « Oh, bien sûr, tout le monde se plaint que les choses sont mal gérées. Mais *pas comme ça*. Qu'est-ce qui se passe ?

— Ce n'est pas à moi qu'il faut demander. » Mais je savais, bien sûr – ou pensais le savoir. Et me suis à nouveau demandé ce que cela signifiait que Rose et Azur, et d'autres là-bas, se soient senties capables de parler aussi librement qu'elles le faisaient. Quelle Anaander Mianaaï pouvait avoir l'avantage, ici ? Même si une telle liberté de parole pouvait simplement signifier que la Maître du Radch préférait laisser ses ennemis s'identifier clairement et sans ambiguïté. « Et as-tu toujours été favorable à ce que les mal élevées accèdent par leurs tests à de hautes positions ? » ai-je demandé, en sachant que non.

M'apercevant, soudain, que si Station n'avait jamais rencontré personne qui venait du Gérantat, Anaander Mianaaï l'avait pu. Pourquoi cela ne m'était-il pas venu à l'idée avant ? Une programmation dans mon esprit de vaisseau, invisible pour moi jusqu'à maintenant, ou simplement les limitations de cet unique cerveau réduit qu'il me restait ?

J'avais pu abuser Station, et toutes les autres ici, mais pas un instant je n'avais trompé la Maître du Radch. Elle savait sûrement, à l'instant où j'avais posé le pied sur les quais du palais, que je n'étais pas ce que je prétendais être.

Les choses tomberaient où elles devraient.

« J'ai réfléchi à ce que tu m'as raconté, sur Imé », a dit Seivarden comme si cela répondait à ma question. Inconsciente de mon inquiétude ravivée. « Je ne sais pas si la chef de cette unité a bien agi. Mais je ne sais pas ce qu'il aurait été juste de faire. Et je ne sais pas si j'aurais eu le courage de mourir pour cette chose juste, si je l'avais su. Je veux dire… » Une pause. « Je veux dire que j'aimerais croire que oui. Il fut un temps où j'en aurais été sûre. Mais je ne peux même pas… » Elle a laissé sa voix mourir, chevrotant légèrement. Elle paraissait près de fondre en larmes, comme la Seivarden d'un an plus tôt, presque tous ses sentiments trop à vif pour qu'elle puisse les maîtriser. Cette politesse soutenue, dans le salon de thé, avait dû être le résultat d'un effort considérable.

Je n'avais pas fait très attention aux gens qui nous croisaient sur le chemin. Mais à présent, j'avais l'impression que quelque chose n'allait pas. J'ai soudain pris conscience de la disposition et de l'orientation des autres personnes autour de nous. Quelque chose d'indéfini me troublait, quelque chose dans la façon dont certaines se déplaçaient.

Au moins quatre personnes nous observaient, subrepticement. Nous suivaient sans doute, et je ne le remarquais que maintenant. Ce devait être nouveau, assurément. Si on m'avait suivi depuis le moment où j'avais mis le pied sur les docks, je m'en serais aperçu. J'en étais convaincu.

Station avait certainement vu ma surprise, dans le salon de thé, quand Rose et Azur avait dit « *Justice de Toren* ». Il avait certainement dû se demander pourquoi j'avais réagi de la sorte. Avait sans doute commencé à m'observer d'encore plus près qu'avant. Cependant, Station n'avait pas besoin de me faire suivre, pour me surveiller. Il ne s'agissait pas ici d'une simple mise sous observation.

Ce n'était pas Station.

Je n'avais jamais été enclin à la panique. Je n'allais pas m'affoler à présent. J'avais effectué ce lancer, et si j'avais commis une légère erreur de calcul dans la trajectoire d'une pièce, je n'avais fait aucune erreur sur les autres. Gardant ma voix très, très égale, j'ai dit à Seivarden : « Nous allons arriver en avance chez la première inspecteur.

— Sommes-nous obligées d'aller chez cette Awer ?

— Je pense, oui. » J'ai immédiatement regretté mes paroles. Je n'avais aucune envie de voir Skaaïat Awer, pas maintenant, pas dans cet état.

« Peut-être pas, non, a insisté Seivarden. Et si nous rentrions à la chambre ? Tu pourras méditer, prier ou je ne sais quoi, et puis nous prendrons notre repas et nous écouterons de la musique. Je pense que ça vaudrait mieux. »

Elle s'inquiétait pour *moi*. C'était clair. Et elle avait raison : il vaudrait mieux rentrer à la chambre. J'aurais une chance de me calmer, de faire un bilan.

Et Anaander Mianaaï aurait une chance de me faire disparaître sans que personne le voie, sans que personne s'en doute. « Chez la première inspecteur, ai-je décidé.

— Oui, honorable », a obtempéré Seivarden, soumise.

*
* *

Les quartiers de Skaaïat Awer composaient leur propre petit dédale de coursives et de salles. Elle vivait là avec une collection d'inspecteurs de quais, de clients et même de clients de clients. Elle ne représentait certainement pas la seule présence des Awer ici, et la maison devait posséder ses propres quartiers quelque part ailleurs sur la station, mais Skaaïat préférait de toute évidence cet arrangement. Excentrique, mais il fallait s'y attendre avec les Awer. Bien que, comme pour tant d'Awer, son excentricité possède un côté pratique – nous nous trouvions très près des docks, ici.

Une domestique nous a fait entrer, nous a escortés dans un salon dallé de pierre bleu et blanc, tapissé du sol au plafond de plantes de toutes espèces, vert sombre ou pâle, larges feuilles ou étroites, dressées ou rampantes, certaines en fleurs, çà et là des grappes et des gerbes de blanc, rouge, mauve ou jaune. Elles devaient être l'unique occupation d'au moins une des membres de cette maisonnée.

Daos Ceit nous y attendait. Elle s'est inclinée bas, paraissant sincèrement heureuse de nous voir. « Honorable Breq, citoyen Seivarden. La première inspecteur sera ravie que vous soyez venues. Asseyez-vous, je vous en prie. » Elle a désigné d'un geste les chaises éparpillées. « Voulez-vous prendre du thé ? Ou êtes-vous rassasiées ? Je sais que vous aviez un autre rendez-vous, aujourd'hui.

— Je prendrai un thé avec plaisir, merci », ai-je accepté. En fait, ni Seivarden ni moi n'en avions bu, à la réunion de la capitaine Vel. Mais je ne voulais pas m'asseoir. Toutes les chaises donnaient l'impression qu'elles limiteraient ma liberté de mouvement si j'étais attaqué et si je devais me défendre.

« Breq ? » Seivarden, à voix très basse. Inquiète. Elle voyait que quelque chose n'allait pas, mais ne pouvait pas s'enquérir discrètement du problème.

Daos Ceit m'a tendu un bol de thé en souriant, avec sincérité selon toutes apparences. Inconsciente, semblait-il, de la tension sous laquelle je me trouvais, tellement évidente pour Seivarden. Comment ne l'avais-je pas reconnue à l'instant où je l'avais vue ? N'avais-je pas immédiatement identifié son accent orsien ?

Comment n'avais-je pas compris que je ne pouvais pas abuser Anaander Mianaaï plus qu'un infime instant ?

Je ne pouvais pas rester debout indéfiniment, pas avec courtoisie. J'allais devoir choisir un siège. Aucune des chaises disponibles n'était tenable. Mais, même assis, j'étais plus dangereux que quiconque ou presque s'en doutait, ici. J'avais encore l'arme, une pression rassurante sur mes côtes, sous ma veste. Je retenais encore l'attention de Station, de la *totalité* d'Anaander Mianaaï, oui, et c'était ce que j'avais *recherché*. Je menais toujours le jeu. En effet. Choisis un siège. Les augures tomberaient où ils tomberaient.

Avant que je puisse me résoudre à m'asseoir, Skaaïat Awer est entrée dans la pièce. Aussi modestement embijoutée que dans son travail, mais j'avais vu le tissu jaune pâle de sa veste de coupe élégante sur un rouleau dans cette coûteuse boutique de tailleur. À sa manchette droite, son épinglette en or bon marché, faite à la machine, étincela.

Elle s'est inclinée. « Honorable Breq. Citoyen Seivarden. Quel plaisir de vous voir toutes les deux. Je note que l'adjoint Ceit vous a servi du thé. » Seivarden et moi avons acquiescé par des gestes polis. « Permettez-moi de dire, avant que d'autres n'arrivent, que j'espère que vous resterez toutes les deux dîner.

— Vous avez essayé de nous prévenir hier, n'est-ce pas ? a demandé Seivarden.

— Seivarden », l'ai-je rappelée à l'ordre.

La première inspecteur Skaaïat a levé une main élégamment gantée de jaune. « Tout va bien, honorable. Je savais que la capitaine Vel s'enorgueillissait d'être conservatrice. De savoir combien tout allait mieux lorsque les enfants respectaient leurs aînées et que le bon goût et des manières raffinées étaient la règle. Tout cela est assez familier, je suis sûre que vous avez entendu de pareils discours il y a mille ans, citoyen. » Seivarden a émis un petit *hah* de confirmation. « Je suis sûre que vous avez entendu dire combien les Radchaaïs ont le devoir d'apporter la civilisation à l'humanité. Et que les ancillaires sont bien plus efficaces pour cette tâche que des soldats humaines.

— Ma foi, est intervenu Seivarden, je ne leur conteste pas ce point.

— Je m'en doute. » Skaaïat a laissé paraître un bref éclair de colère. Seivarden ne l'a sans doute pas remarqué, ne la connaissant pas assez. « Vous ne savez vraisemblablement pas, citoyen, que j'ai personnellement commandé des troupes humaines durant une annexion. » Seivarden l'ignorait. Sa surprise fut manifeste. Moi, je le savais, bien sûr. Mon absence de surprise dut être évidente pour Station. Pour Anaander Mianaaï.

Il était inutile de s'en soucier. « Il est vrai, poursuivait Skaaïat, qu'on n'a pas à payer des ancillaires, et qu'ils n'ont jamais de problèmes personnels. Ils font tout ce qu'on leur demande, sans la moindre protestation ni le moindre commentaire, et ils le font bien, et complètement. Et ce n'était pas vrai de mes troupes humaines. Et la plupart de mes soldats étaient de braves gens, mais c'est tellement facile, n'est-ce pas ? de décider que celles que vous combattez ne sont pas humaines. Ou peut-être est-ce obligatoire pour être en mesure de les tuer. Des gens comme la capitaine Vel adorent mettre en évidence les atrocités commises par les troupes humaines, que jamais des ancillaires ne commettraient. Comme si le fait de fabriquer ces ancillaires n'était pas en soi-même une atrocité.

» Ils sont plus efficaces, je l'ai dit. » À Ors, Skaaïat aurait été sarcastique sur ce sujet, mais elle parlait avec sérieux. Avec soin et précision. « Et si nous continuions notre expansion, nous devrions continuer à les employer. Parce que nous ne pourrions pas y arriver avec des soldats humaines, pas longtemps. Et nous sommes faites pour l'expansion, nous nous déployons depuis plus de deux mille ans, s'arrêter nous obligera à changer complètement ce que nous sommes. À l'heure actuelle, la plupart des gens ne voient pas cela, elles s'en moquent. Elles ne verront rien tant que leur vie ne sera pas directement affectée et, pour la plupart, ce moment n'est pas encore arrivé. C'est un problème abstrait, sauf pour des gens comme la capitaine Vel.

— Mais l'opinion de la capitaine Vel n'a aucune importance, a objecté Seivarden. Comme pour tout le monde. La Maître du Radch a décidé, pour on ne sait quelle raison. Et il est sot d'aller se répandre en paroles à l'encontre de ça.

— Elle pourrait décider autrement, si on la convainquait », a fait observer Skaaïat. Nous étions encore toutes debout ; j'étais trop tendue pour m'asseoir, Seivarden trop agitée, Skaaïat, me semblait-il, trop en colère. Daos Ceit se tenait figée, feignant de ne rien entendre de tout cela. « Ou la décision pourrait être un signe que la Maître du Radch, on ne sait comment, a été corrompue. Toutes les homologues de la capitaine Vel n'approuvent pas les pourparlers que nous avons avec les extérieurs. Le Radch a toujours représenté la civilisation, et la civilisation a toujours été une humanité pure, sans corruption. Traiter avec des non-humains plutôt que de simplement les tuer ne peut pas être bon pour nous.

— Était-ce la raison de cette affaire à Imé ? s'est enquise Seivarden, qui avait clairement passé le trajet jusqu'ici à réfléchir à tout ceci. Quelqu'une a décidé d'établir une base et d'amasser des ancillaires et… et quoi ? Forcer la résolution ? On parle de rébellion. De trahison. Pourquoi parle-t-on d'une telle chose, maintenant ? À moins que, lorsqu'on a pris les responsables à Imé, on n'ait pas capturé tout le monde. Et maintenant, on laisse quelques personnes relever la tête et faire du bruit ; et une fois qu'on estimera que toutes celles qui sont impliquées se sont manifestées… » Elle était ouvertement en colère, désormais. L'hypothèse était assez valable. Elle devait être plus ou moins juste. En fonction de l'Anaander qui avait la haute main ici. « Pourquoi ne nous avez-vous pas averties ?

— J'ai essayé, citoyen, mais j'aurais dû parler plus directement. D'ailleurs, je n'étais pas sûre que la capitaine Vel était allée si loin. Tout ce que je savais, c'est qu'elle idéalisait le passé d'une façon avec laquelle je ne peux être d'accord. Les gens les plus nobles, les mieux intentionnées du monde ne peuvent pas faire des annexions de bonnes choses. Avancer que les ancillaires sont efficaces et pratiques n'est pas, pour moi, un argument en faveur de leur emploi. Cela ne le rend pas meilleur, cela sert juste à le faire paraître un peu plus propre. »

Et cela, seulement si on ignorait ce qu'étaient les ancillaires, au départ. « Dites-moi… (j'ai failli dire : *Ditesmoi, lieutenant*, mais je me suis retenu à temps)… dites-moi, première inspecteur, qu'arrive-t-il aux gens qui attendent d'être transformées en ancillaires ?

— Certaines sont encore en stockage, ou sur des transports de troupes, répondit Skaaïat. Mais la plupart ont été détruites.

« — Ah, voilà qui arrange tout, en ce cas », ai-je commenté, sérieusement. Calmement.

« Awer y était opposée dès le départ », a déclaré Skaaïat. Elle parlait de l'expansion perpétuelle, pas de toutes les expansions. Et le Radch avait employé des ancillaires longtemps avant qu'Anaander Mianaaï n'ait fait d'elle-même ce qu'elle était. Simplement, il n'y en avait pas autant. « Les maîtres d'Awer l'ont fait savoir à la Maître du Radch, à plusieurs reprises.

— Mais les maîtres d'Awer n'ont pas refusé d'en tirer profit. » J'ai gardé une voix égale. Aimable.

« Il est tellement facile d'aller dans le sens des choses, n'est-ce pas ? Surtout quand, comme vous dites, on en tire profit. » Skaaïat a alors froncé les sourcils et incliné légèrement la tête de côté, écoutant quelques secondes un message qu'elle était seule à entendre. Puis elle a lancé, à moi, et à Seivarden, un regard interrogatif. « La Sécurité de Station est à la porte. Elle demande la citoyen Seivarden. » Le verbe *demander* était sûrement plus courtois que la réalité. « Excusez-moi un instant. » Elle est sortie dans le couloir, suivie par Daos Ceit.

Seivarden m'a regardé, étrangement calme. « Je commence à regretter de ne pas être restée congelée dans ma nacelle de sauvetage. » Mon sourire ne l'a apparemment pas convaincue. « Tu te sens bien ? Tu n'as pas l'air bien depuis que nous avons quitté cette Vel Osck. Foutue Skaaïat Awer, de ne pas avoir été plus directe ! D'habitude, on ne peut jamais faire taire les rosseries d'une Awer. Et c'est maintenant qu'elle choisit d'être discrète !

— Je vais bien », ai-je menti.

Alors que je parlais, Skaaïat est revenue avec une citoyen portant le beige de la Sécurité de Station, qui s'est inclinée, puis s'est adressée à Seivarden : « Citoyen, voulez-vous m'accompagner, avec cette personne ? » La courtoisie, bien entendu, était de pure forme. On ne refusait pas les invitations de la Sécurité de Station. Même si nous le tentions, il y avait des renforts dehors pour s'assurer de notre assentiment. Ces gens qui nous avaient suivies depuis la réunion de la capitaine Vel n'étaient pas la Sécurité de Station. C'était les Missions Spéciales, voire la garde personnelle d'Anaander Mianaaï. La Maître du Radch avait assemblé toutes les pièces du puzzle et décidé de m'éliminer avant que je puisse causer de sérieux dégâts. Mais il était presque certainement trop tard pour ça. La totalité d'elle suivait avec attention. Le fait qu'elle ait envoyé la Sécurité de Station pour m'arrêter, et non une officier des Missions Spéciales pour me tuer de façon rapide et discrète, me l'apprenait.

« Bien entendu », a répondu Seivarden, toute de calme et de courtoisie. Bien entendu. Elle se savait innocente de toute malversation, elle était certaine que j'appartenais aux Missions Spéciales et que je travaillais pour Anaander en personne, pourquoi se serait-elle inquiétée ? Mais je savais que le moment était enfin arrivé. Les augures suspendus en l'air depuis vingt ans allaient tomber et me montrer – montrer à Anaander Mianaaï – quel dessin ils traçaient.

Cette officier de sécurité ne frémit pas même d'un sourcil en ajoutant : « La Maître du Radch souhaite vous parler en privé, citoyen. » Pas un regard vers moi. Elle ne savait sans doute pas pourquoi on l'avait envoyée pour nous escorter jusqu'à la Maître du Radch, ne se rendait pas compte que j'étais dangereux, qu'elle avait besoin des renforts qui nous attendaient dehors dans les coursives de la station. En supposant qu'elle connaissait leur présence.

L'arme était toujours sous ma veste, et des munitions supplémentaires réparties çà et là, partout où la bosse ne paraîtrait pas. Presque à coup sûr, Anaander Mianaaï ignorait mes intentions.

« S'agit-il de l'audience que j'ai demandée, alors ? » s'est enquise Seivarden.

L'officier de sécurité a fait un geste ambigu. « Je ne saurais dire, citoyen. »

Anaander Mianaaï ne pouvait connaître l'objet de ma venue, savait seulement que j'avais disparu une vingtaine d'années plus tôt. Une partie d'elle pouvait savoir qu'elle se trouvait à mon bord durant mon dernier voyage, mais aucune d'entre elle n'avait la moindre idée de ce qu'il s'était passé après mon départ par la porte du système de Shis'urna.

« J'ai bien demandé, a dit la première inspecteur Skaaïat, si vous pouviez prendre le thé et dîner d'abord. » Qu'elle ait posé la question suggérait certains aspects de ses rapports avec la Sécurité. Qu'elle se soit vu dire non en disait long sur l'urgence derrière cette arrestation – car c'était une arrestation, j'en avais la conviction.

L'officier de la Sécurité, ignorante, a exécuté un geste d'excuse. « Mes ordres, première inspecteur. Citoyen.

— Bien sûr », a fait Skaaïat, voix douce et paisible, mais je la connaissais suffisamment pour entendre l'inquiétude cachée dans son ton. « Citoyen Seivarden. Honorable Breq. Si je puis vous être de la moindre assistance, je vous en prie, n'hésitez pas à faire appel à moi.

— Merci, première inspecteur », ai-je dit, et je me suis incliné. Ma crainte et mon incertitude, ma quasi-panique, se sont évaporées. Le présage Immobilité s'était retourné, pour devenir Mouvement. Et Justice allait atterrir devant moi, clair et sans ambiguïté.

*

* *

L'officier de la Sécurité nous a escortées, non pas vers l'entrée principale du palais, mais dans le temple, calme à cette heure où nombre de personnes étaient en visite, ou assises chez elles en famille devant un bol de thé. Une jeune prêtre, morose, s'ennuyait, assise derrière les paniers de fleurs désormais à moitié vides. Elle nous a jeté un regard plein de ressentiment à notre entrée, mais n'a même pas tourné la tête sur notre passage.

Nous avons traversé la nef centrale, Amaat aux quatre bras nous dominant, l'air encore parfumé de l'encens et de la jonchée de fleurs aux pieds et aux genoux de la Divinité, pour remonter jusqu'à une minuscule chapelle enfoncée dans un recoin, dédiée à une vieille divinité provinciale, désormais obscure, une de ces personnifications de concept abstrait qu'on trouve dans tant de panthéons, en l'occurrence, une déification de l'autorité politique légitime. Nul doute que, lors de la construction du palais, sa position aux côtés d'Amaat n'avait soulevé aucune question, mais elle semblait être tombée en disgrâce, avec un changement de démographie de la station, voire simplement de mode. Ou quelque chose de plus inquiétant, peut-être.

Dans le mur derrière la figure de la divinité un panneau a coulissé. Derrière lui une garde armée et armurée, arme au fourreau mais pas loin de sa main, son armure lisse et argentée lui couvrant le visage. Ancillaire, me suis-je dit, mais il n'y avait aucun moyen d'en être certain. Je me demandais, comme je l'avais fait à l'occasion au long des vingt dernières années, comment cela fonctionnait. Le palais n'était sûrement pas gardé par Station. Les gardes d'Anaander Mianaaï n'étaient-elles qu'une autre partie d'elle-même ?

Seivarden m'a regardé avec irritation et, possiblement, un peu d'appréhension. « Je n'imaginais pas que je méritais l'entrée secrète. » Bien qu'elle ne soit sans doute pas si secrète que cela, juste un peu moins publique que celle qui débouchait dans le grand hall.

L'officier de la Sécurité a refait ce geste ambigu, mais sans rien ajouter.

« Eh bien », ai-je fait, et Seivarden m'a jeté un regard d'expectative. Clairement, elle pensait que tout cela était dû au statut spécial qu'elle m'imaginait. J'ai franchi la porte, devant la garde immobile, qui n'a pas changé d'attitude à ma vue, ni à celle de Seivarden qui venait derrière moi. Le panneau a coulissé pour se refermer derrière nous.

Chapitre vingt et un

Au bout de la courte longueur de coursive nue,
une autre porte s'ouvrait sur une pièce de quatre
mètres sur huit, au plafond à trois mètres de hauteur. Des plantes grimpantes feuillues serpentaient sur les parois, à partir de tuteurs montant du sol. Des parois bleu pâle suggéraient de vastes distances au-delà de la verdure, faisant paraître la pièce plus grande qu'elle n'était, dernier vestige d'une mode des panoramas en trompe l'œil, désuète depuis plus de cinq cents ans. À l'autre bout, une estrade et, derrière elle, des représentations des quatre Émanations suspendues dans les tiges rampantes.

Sur l'estrade se tenait Anaander Mianaaï – deux Anaander. La Maître du Radch était si curieuse de nous qu'elle voulait avoir sur place plus d'une partie d'elle-même afin de nous interroger, ai-je supposé. Bien qu'elle ait sans doute rationalisé cela d'une autre façon, vis-à-vis d'elle-même.

Nous nous sommes avancées jusqu'à trois mètres de la Maître du Radch, et Seivarden s'est agenouillée, puis s'est prosternée. Censément, je n'étais pas radchaaï, pas sujet à Anaander Mianaaï. Mais Anaander Mianaaï savait, devait savoir, qui j'étais réellement. Elle ne nous avait pas convoquées ainsi sans le savoir. Néanmoins, je ne me suis pas agenouillé, pas même incliné. Aucune des Mianaaï n'a manifesté de surprise ou d'indignation devant cette attitude.

« Citoyen Seivarden Vendaaï, a commencé la Mianaaï de droite. À quoi croyez-vous que vous jouez, exactement ? »

Les épaules de Seivarden ont frémi, comme si, face contre terre, elle avait un instant eu envie de croiser les bras.

La Mianaaï de gauche a commenté : « La conduite du seul *Justice de Toren* a déjà été assez alarmante et inexplicable comme ça. Pénétrer dans le temple, profaner les offrandes ! Qu'as-tu bien pu vouloir exprimer par cet acte ? Que dois-je raconter aux prêtres ? »

L'arme reposait toujours contre mon flanc, sous ma veste, insoupçonnée. J'étais un ancillaire. Les ancillaires étaient connus pour leur visage inexpressif. Je pouvais aisément me retenir de sourire.

« N'en déplaise à votre Altesse », a répliqué Seivarden durant la pause qui a suivi les paroles d'Anaander Mianaaï. Elle parlait d'une voix légèrement essoufflée, elle faisait sans doute un peu d'hyperventilation. « Que… je ne… »

La Mianaaï de droite a poussé un *ha* sardonique. « La citoyen Seivarden est surprise, elle ne me comprend pas, a poursuivi cette Mianaaï. Et toi, *Justice de Toren*. Tu as l'intention de me tromper. Pourquoi ?

— Quand j'ai commencé à soupçonner ton identité, a enchaîné la Mianaaï de gauche avant que je puisse répondre, j'ai failli ne pas le croire. Un autre augure perdu depuis longtemps qui roulait à mes pieds. Je t'ai surveillé, pour voir ce que tu ferais, pour essayer de comprendre ce que tu préparais au travers de ton extraordinaire conduite. »

Si j'avais été humain, j'aurais ri. Deux Mianaaï face à moi. Aucune n'avait assez confiance en l'autre pour mener cette entrevue sans supervision, sans obstruction. Aucune ne connaissait les détails de la destruction du *Justice de Toren*, chacune soupçonnait sans doute l'autre d'être impliquée. Je pouvais être un instrument de l'une ou de l'autre, aucune ne se fiant à l'autre. Laquelle était chacune ?

La Mianaaï de droite a déclaré : « Tu t'es assez bien chargée de dissimuler ton origine. C'est l'inspecteur adjointe Ceit qui, la première, m'a fait soupçonner. » *Je n'ai plus entendu cette chanson depuis que j'étais enfant*, avait-elle dit. Cette chanson, qui venait à l'évidence de Shis'urna. « J'avoue qu'il m'a fallu une journée entière pour tout assembler et, même alors, j'y croyais à peine. Tu as dissimulé tes implants raisonnablement bien. Station a été complètement trompé. Mais le fredonnement t'aurait trahi tôt ou tard, j'imagine. As-tu conscience que tu fais ça presque constamment ? Je te soupçonne d'exercer en ce moment même un effort pour te retenir. Ce que j'apprécie. »

Toujours face contre terre, Seivarden a demandé, d'une petite voix : « Breq ?

— Pas Breq, a corrigé la Mianaaï de gauche. Le *Justice de Toren*.

— Un Esk du *Justice de Toren* », ai-je rectifié, abandonnant toute prétention à un accent du Gérantat ou à une expression humaine. J'avais fini de feindre. C'était terrifiant, parce que je savais que je ne vivrais pas longtemps au-delà de ce moment, mais c'était aussi, étrangement, un soulagement. La disparition d'un poids.

La Mianaaï de droite a marqué d'un geste l'évidence de ma déclaration. « Le *Justice de Toren* est détruit », ai-je précisé. Les deux Mianaaï ont paru cesser de respirer. M'ont fixé. De nouveau, j'aurais éclaté de rire si j'en avais été capable.

« En implorant l'indulgence de Votre Altesse, a dit Seivarden à terre d'une voix hésitante. Assurément, il y a erreur. Breq est humaine. Elle ne peut pas être Un Esk du *Justice de Toren*. J'ai servi dans la décade Esk du *Justice de Toren*. Aucune médic du *Justice de Toren* n'aurait donné à Un Esk un corps avec une voix comme celle de Breq. Pas à moins de vouloir sérieusement irriter les lieutenants Esk. »

Le silence, épais et lourd, pendant trois secondes.

« Elle croit que j'appartiens aux Missions Spéciales, ai-je indiqué, brisant ce silence. Je ne l'ai jamais prétendu. Je ne lui ai jamais affirmé être quoi que ce soit, sinon Breq du Gérantat, et cela, elle ne l'a jamais cru. J'ai voulu l'abandonner où je l'avais trouvée, mais je n'ai pas pu, et j'ignore pourquoi. Elle n'a jamais fait partie de mes préférées. » Je savais que ce discours ressemblait à de la démence. Une sorte de démence particulière, celle d'une IA. Je m'en moquais. « Elle n'a rien à voir dans tout ceci. »

La Mianaaï de droite a levé un sourcil. « Alors, pourquoi est-elle ici ?

— Nulle ne pouvait ignorer son arrivée ici. Puisque je suis arrivé avec elle, personne ne pouvait ignorer ou dissimuler la mienne. Et vous savez déjà pourquoi je ne pouvais pas simplement venir directement à vous. »

Le léger frémissement d'un froncement de sourcils sur la Mianaaï de droite.

« Citoyen Seivarden Vendaaï, a dit la Mianaaï de gauche, il est à présent clair pour moi que le *Justice de Toren* vous a abusée. Vous ignoriez ce qu'il était. Il vaudrait mieux, je pense, que vous partiez tout de suite. Sans, bien entendu, parler de cela à quiconque.

— Non ? » a soufflé Seivarden contre le sol, comme si elle posait une question. Ou comme si elle était surprise d'entendre ce mot sortir de sa bouche. « Non, a-t-elle répété avec plus de conviction. Il doit y avoir une erreur quelque part. Breq a sauté *d'un pont* pour moi. »

J'ai eu mal à la hanche, rien qu'à y penser. « Aucune être humaine sensée n'aurait agi ainsi.

— Je n'ai jamais dit que tu étais *sensée*, a répliqué doucement Seivarden, la gorge légèrement nouée.

— Seivarden Vendaaï, a repris la Mianaaï de gauche, cet ancillaire – car c'est bel et bien un ancillaire – n'est pas humain. Le fait que vous l'ayez pris pour une humain explique en grande part votre conduite, qui n'était jusqu'ici pas claire pour moi. Je suis navrée de sa tromperie et de votre déception, mais vous devez partir. *Sur-le-champ.*

— En implorant l'indulgence de votre Altesse. » Seivarden reposait toujours face contre terre, parlant contre le sol. « Que vous me l'accordiez ou non, je ne quitterai pas Breq.

— Va-t'en, Seivarden, ai-je renchéri, sans expression.

— Désolée, a-t-elle dit, semblant presque insouciante excepté sa voix qui tremblait légèrement. Tu es coincée avec moi. »

J'ai baissé les yeux vers elle. Elle a tourné la tête vers le haut pour me regarder, avec un mélange de peur et de détermination. « Tu ne sais pas ce que tu fais, lui ai-je dit. Tu ne comprends pas ce qui se passe ici.

— Je n'en ai pas besoin.

— Eh bien, soit », a décrété la Mianaaï de droite, paraissant presque amusée. Celle de gauche semblait l'être moins. Je me suis demandé pourquoi. « Explique-toi, *Justice de Toren.* »

Le voilà, le moment pour lequel j'avais œuvré vingt années durant. Que j'avais attendu. Dont j'avais craint qu'il n'arrive jamais. « Premièrement, ai-je commencé, comme je suis sûr que vous le soupçonnez déjà, vous vous trouviez à bord du *Justice de Toren*, et c'est vous en personne qui l'avez détruit. Vous avez fracturé le bouclier thermique parce que vous avez découvert que vous m'aviez déjà suborné vous-même, quelque temps auparavant. Vous vous combattez vous-même. Au moins deux d'entre vous, davantage peut-être. »

Les deux Mianaaï ont battu des paupières et rectifié leur attitude d'une fraction de millimètre, d'une façon que j'ai reconnue. Je m'étais vue agir ainsi, à Ors, lorsque les communications avaient été coupées. Un autre de ces boîtiers de blocage des communications – une partie d'Anaander Mianaaï, au moins, avait dû s'inquiéter de ce que je pouvais dire, et devait attendre, la main sur le commutateur. Je me suis demandé à quelle distance portait l'effet, et quelle Mianaaï l'avait déclenché, pour essayer, trop tard, de se cacher mes révélations à elle-même. Me suis demandé quelle impression cela pouvait faire, de savoir que m'affronter de cette façon ne pouvait mener qu'au désastre ; et pourtant obligée par la nature de sa lutte contre elle-même d'agir ainsi. La pensée m'amusa brièvement.

« Deuxièmement. » J'ai plongé la main sous ma veste, en ai tiré l'arme, le gris sombre de mon gant imprégnant le blanc que l'arme avait pris à ma chemise. « Je vais te tuer. » J'ai visé la Mianaaï de droite.

Qui s'est mise à chanter, un ton légèrement au-dessous du baryton, dans une langue morte depuis dix mille ans. « La personne, personne, personne armée. » Je ne pouvais pas bouger. Ne pouvais pas presser la détente.

La personne armée doit-on douter. Doit-on douter.
On a fait partout crier,
Que chacun se vienne armé
D'une armure de fer.
La personne, personne, personne armée.
La personne armée doit-on douter. Doit-on douter.

Elle n'aurait pas dû connaître ce chant. Pourquoi Anaander Mianaaï serait-elle allée fouiller dans les archives oubliées de Valskaay, pourquoi se donnerait-elle la peine d'apprendre une chanson que très vraisemblablement personne d'autre que moi n'avait chantée depuis plus longtemps qu'elle n'avait vécu ?

« Un Esk du *Justice de Toren*, a ordonné la Mianaaï de droite, abats l'instance de moi à la gauche de celle qui te parle. »

Des muscles se murent sans que je le veuille. J'ai déplacé ma visée vers la gauche et fait feu. La Mianaaï de gauche s'est écroulée sur le sol.

Celle de droite a déclaré : « À présent, je dois juste atteindre les docks avant moi. Eh oui, Seivarden, je sais que vous êtes troublée, mais je vous avais prévenue.

— Où avez-vous appris ce chant ? » ai-je demandé. Toujours figée, par ailleurs.

« Par toi, a répondu Anaander Mianaaï. Il y a cent ans, à Valskaay. » C'était donc l'Anaander Mianaaï qui avait poussé les réformes, commencé à démanteler les vaisseaux radchaaïs. Celle qui m'avait d'abord visité en secret à Valskaay et avait établi ces ordres que je pouvais sentir, mais jamais voir. « Je t'ai demandé de m'enseigner la chanson la moins susceptible d'être chantée par qui que ce soit d'autre, et je l'ai ensuite instaurée en accès et dissimulée à ta conscience. Mon ennemie et moi sommes de forces beaucoup trop égales. Le seul avantage que je possède est ce qui pourrait m'advenir quand je suis séparée de moi-même. Et ce jour-là, l'idée m'est venue que je ne t'avais jamais assez prêté attention – à toi, Un Esk. À ce que tu pouvais être.

— Quelque chose comme vous, ai-je deviné. Séparé de moi-même. » Mon bras toujours tendu, l'arme visant le mur du fond.

« Une assurance, a corrigé Mianaaï. Un accès que je ne songerais pas à aller chercher, pour l'effacer ou l'invalider. Tant d'habileté de ma part. Et voilà que cela m'éclate à la figure. Tout cela, semble-t-il, arrive parce que j'ai prêté attention à toi, en particulier, et parce que je n'ai jamais prêté attention à toi. Je vais te restituer le contrôle de ton corps, parce que ce sera plus efficace, mais tu constateras que tu ne peux pas m'abattre. »

J'ai abaissé l'arme. « Quel *moi* ?

— *Qu'est-ce* qui a éclaté ? a demandé Seivarden, toujours à terre. Votre Altesse, a-t-elle ajouté.

— Elle est divisée, ai-je expliqué. Ça a commencé à Garsedd. Elle a été horrifiée par ce qu'elle avait fait, mais n'a pas pu décider comment réagir. Elle fait mouvement en secret contre elle-même depuis ce temps-là. Les réformes – se débarrasser des ancillaires, arrêter les annexions, ouvrir des affectations aux maisons secondaires, elle a fait tout cela. Et Imé était l'autre partie d'elle, établissant une base et des ressources, pour partir en guerre contre elle-même et rétablir les choses telles qu'elles étaient. Et tout ce temps, la totalité d'elle a feint de ne pas savoir ce qui se passait, parce que dès qu'elle l'admettrait, le conflit éclaterait au grand jour, et serait inévitable.

— Mais tu l'as confié directement à la totalité de moi, a confirmé Mianaaï. Parce que je ne pouvais pas exactement prétendre que le reste de moi ne s'intéressait pas au second retour de Seivarden Vendaaï. Ni à ce qui t'était arrivé. Tu es apparu de façon tellement publique, tellement évidente, que je ne pouvais pas la dissimuler et prétendre qu'elle n'avait pas eu lieu, et ne te parler que seule. Et maintenant, je ne peux plus l'ignorer. Pourquoi ? Pourquoi as-tu fait une telle chose ? Je ne t'ai jamais donné un tel ordre.

— Non. En effet.

— Et assurément, tu avais deviné ce qui arriverait si tu commettais un tel acte.

— Oui. » Je pourrais être de nouveau mon moi ancillaire. Sans sourire. Sans satisfaction dans ma voix.

Anaander m'a considéré un moment puis a poussé une sorte de *hmpf*, comme si elle était parvenue à une conclusion qui la surprenait. « Relevez-vous, citoyen », a-t-elle ordonné à Seivarden.

Elle a obéi, époussetant ses jambes de pantalon d'une main gantée. « Tu vas bien, Breq ?

— Breq, a interrompu Mianaaï avant que je puisse répondre, descendant de l'estrade et passant à grands pas, est le dernier fragment survivant d'une IA folle de chagrin, qui vient de réussir à déclencher une guerre civile. » Elle s'est tournée vers moi. « C'est ce que tu voulais ?

— Je ne suis plus fou de chagrin depuis au moins dix ans, ai-je protesté. Et la guerre civile aurait eu lieu, tôt ou tard.

— J'espérais bien en éviter le pire. Si nous avons beaucoup de chance, cette guerre ne provoquera que des décennies de chaos, au lieu de totalement déchirer le Radch. Venez avec moi.

— Les vaisseaux ne sont plus *capables* de ça, insistait Seivarden, en marchant à mes côtés. Vous les avez faits ainsi, Altesse, afin qu'ils ne perdent pas la raison à la mort de leur capitaine, comme cela leur arrivait avant, ou qu'ils ne suivent pas leur capitaine contre vous. »

Mianaaï a haussé un sourcil. « Pas exactement. » Elle a trouvé sur le mur près de la porte un panneau qui m'avait auparavant été invisible, l'a ouvert d'une traction et a enclenché le système manuel de la porte. « Ils continuent à s'attacher, à avoir des préférées. » La porte s'est ouverte en coulissant. « Un Esk, abats la garde. » Mon bras s'est relevé brusquement et j'ai fait feu. La garde a reculé en titubant contre le mur, tendu la main vers son arme, avant de glisser au sol où elle est restée immobile. Morte, vu comme son armure se rétractait. « Je ne pouvais pas leur retirer cela sans les rendre inutiles pour moi », a poursuivi Anaander Mianaaï, indifférente à la personne – la citoyen ? – dont elle venait d'ordonner la mort. Expliquant toujours à Seivarden, qui fronçait les sourcils, sans comprendre. « Ils doivent être intelligents. Ils doivent être capables de penser.

— Vrai », a acquiescé Seivarden. Sa voix tremblait, très légèrement, les limites de sa maîtrise de soi presque atteintes, me suis-je avisé.

« Et ce sont des vaisseaux armés, avec des moteurs capables de vaporiser des planètes. Que vais-je faire s'ils ne veulent plus m'obéir ? Les menacer ? Avec quoi ? »

Quelques enjambées nous avaient amenées à la porte de communication avec le temple. Anaander l'a ouverte et s'est avancée d'un pas ferme dans la chapelle de l'autorité politique légitime.

Seivarden a produit au fond de sa gorge un son curieux. Rire avorté ou bruit de détresse, je n'étais pas sûr. « Je croyais qu'ils étaient simplement conçus pour exécuter ce qu'on leur demandait.

— Eh bien, exactement », a répondu Anaander Mianaaï tandis que nous la suivions à travers la grande nef du temple. Des bruits nous parvenaient du grand hall, quelqu'une qui parlait d'un ton pressant, d'une voix aiguë et sonore. Le temple lui-même semblait abandonné. « C'est ainsi qu'ils étaient conçus dès le début, mais ils ont des esprits complexes, et c'est une proposition délicate. Les concepteurs d'origine y sont parvenues en leur donnant une raison suprême de *vouloir* obéir. Ce qui avait des avantages et d'assez spectaculaires inconvénients. Je ne pouvais pas totalement modifier leur nature, je l'ai simplement… ajustée à ma convenance. J'ai fait de l'obéissance à *ma personne* une priorité absolue pour eux. Mais j'ai brouillé les enjeux quand j'ai donné au *Justice de Toren* deux *moi* auxquelles obéir. Et ensuite, je le soupçonne, j'ai sans le savoir ordonné la destruction d'une préférée. N'est-ce pas ? » Elle m'a regardé. « Pas de la préférée du *Justice de Toren*, je n'aurais pas été aussi sotte. Mais je n'avais jamais prêté attention à *toi*. Je n'aurais jamais songé à demander si *Un Esk* avait une préférée.

— Vous avez pensé que personne ne se soucierait de la fille d'un cuisinier sans importance. » Je voulais lever l'arme, briser tout ce verre magnifique dans la chapelle mortuaire sur notre passage.

Anaander Mianaaï s'est arrêtée et s'est tournée vers moi. « Ce n'était pas *moi*. Aide-moi, à présent, je combats cette autre moi en ce moment même, j'en suis tout à fait convaincue. Je n'étais pas prête à agir au grand jour, mais à présent que tu m'as forcé la main, aide-moi et je la détruirai et la retirerai complètement de moi.

— Vous ne pouvez pas, ai-je objecté. Je sais ce que vous êtes, mieux que n'importe qui. Elle est vous, et vous êtes elle. Vous ne pouvez pas la retirer de vous-même sans vous détruire. Parce qu'*elle est vous*.

— Une fois que j'aurai atteint les docks, a annoncé Anaander Mianaaï comme si c'était une réponse à ce que je venais de dire, je peux trouver un vaisseau. N'importe quel vaisseau civil me conduira où je veux aller sans poser de questions. Les vaisseaux militaires... seront un recours plus aléatoire. Mais je peux te dire une chose, Un Esk du *Justice de Toren*, une chose dont je suis certaine. Je détiens plus de vaisseaux qu'elle.

— Ce qui signifie quoi, exactement ? a demandé Seivarden.

— Ce qui signifie, ai-je deviné, que l'autre Mianaaï est susceptible de perdre une bataille ouverte, aussi a-t-elle encore plus de raisons de vouloir empêcher que cela ne se répande plus avant. » J'ai vu que Seivarden ne comprenait pas ce que cela signifiait. « Elle l'a réprimé en se le dissimulant à elle-même, mais à présent, toutes les elle ici...

— La plus grande partie de moi, en tout cas, corrigea Anaander Mianaaï.

— Maintenant qu'elle l'a entendu dire directement, elle ne peut plus l'ignorer. Pas ici. Mais elle pourrait empêcher que ce savoir n'atteigne les parties d'elle qui ne sont pas sur les lieux. Assez longtemps, du moins, pour consolider sa situation. »

La compréhension a fait s'écarquiller les yeux de Seivarden. « Elle devra détruire les portes dès que possible. Mais ça ne peut pas marcher. Le signal voyage à la vitesse de la lumière, forcément. Elle ne peut absolument pas le rattraper.

— L'information n'a pas encore quitté la station, a dit Anaander Mianaaï. Il existe toujours un léger décalage. Il serait beaucoup plus efficace de plutôt détruire le palais. » Ce qui signifierait retourner un vaisseau de guerre contre la station tout entière, pour la vaporiser, avec tout le monde dessus. « Et je devrais détruire *tout* le palais, pour empêcher l'information d'aller plus loin. Il n'existe pas qu'un seul endroit où mes mémoires sont conservées. Il a délibérément été rendu difficile à détruire ou à trafiquer.

— Croyez-vous que même vous pourriez obtenir cela d'un *Épée* ou d'un *Miséricorde* ? ai-je demandé face au silence choqué de Seivarden. Même avec les accès ?

— À quel point tenez-vous à connaître la réponse à cette question ? s'est enquise Anaander Mianaaï. Vous savez que *moi*, j'en suis capable.

— Je le sais, ai-je reconnu. Quelle option préférez-vous ?

— Aucun des choix actuellement disponibles n'est très bon. La perte du palais ou des portes, voire des deux, causera des disruptions sur une échelle sans précédent, à travers tout l'espace du Radch. Des disruptions qui dureront des années, simplement à cause de la taille de cet espace. Ne *pas* détruire le palais – et les portes, elles font bel et bien partie du problème – sera pire encore, au bout du compte.

— Skaaïat Awer est-elle au courant de ce qui se passe ? ai-je demandé.

— Les Awer sont une épine dans mon pied depuis presque trois mille ans », a déclaré Mianaaï. Avec calme. Comme si tout cela était une conversation ordinaire, banale. « Tant d'indignation morale ! Je les croirais issues d'un élevage sélectif, même si toutes ne sont pas génétiquement apparentées. Mais si je m'écarte de la voie de la correction et de la justice, je suis certaine d'en entendre parler par les Awer.

— Alors, pourquoi ne pas se débarrasser d'elles ? a demandé Seivarden. Pourquoi faire de l'une d'elles une première inspecteur ici ?

— La douleur est une mise en garde, a répondu Anaander Mianaaï. Qu'arriverait-il si vous retiriez tous les inconforts de votre vie ? Non, je prise cette indignation morale, a poursuivi Mianaaï, en ignorant l'abattement évident de Seivarden à ces mots. Je l'encourage.

— Oh, pas du tout », suis-je intervenu. Nous étions parvenues dans le grand hall. La Sécurité et les militaires canalisaient des sections de la foule apeurée − nombre d'entre elles devaient porter des implants, et recevaient des informations de Station quand elles s'étaient subitement interrompues, sans explication.

Une capitaine de vaisseau inconnue de moi nous a aperçues et s'est hâtée vers nous. « Altesse, a-t-elle dit en s'inclinant.

— Évacuez ces gens du grand hall, capitaine, a ordonné Anaander Mianaaï, et dégagez les coursives, aussi vite et aussi sûrement que vous pourrez. Continuez à coopérer avec la sécurité de la station. Je travaille à résoudre ceci aussi rapidement que possible. »

Pendant qu'Anaander Mianaaï parlait, l'éclair d'un mouvement m'a attiré l'œil. Une arme. Instinctivement, j'ai déployé mon armure, vu que la personne qui tenait l'arme était l'une de celles qui nous suivaient dans le grand hall, juste avant que la Sécurité ne vienne nous chercher. La Maître du Radch avait dû envoyer des ordres avant d'actionner son engin et de couper toutes les communications. Avant de découvrir l'existence de l'arme garseddaïe.

La capitaine à laquelle Anaander Mianaaï parlait a reculé, visiblement surprise par la subite apparition de mon armure. J'ai levé mon arme et un choc violent comme un coup de marteau m'a frappé le flanc − quelqu'une d'autre m'avait tiré dessus. J'ai fait feu, atteint celle qui tenait l'arme. Elle est tombée, son propre coup de feu se perdant, percutant la façade du temple derrière moi, brisant une divinité, avec une averse d'éclats vivement colorés. Un silence soudain, choqué, chez les citoyens déjà effrayées à travers le hall. Je me suis retourné, ai remonté des yeux la trajectoire de la balle qui m'avait frappé, vu des citoyens paniquées et le subit reflet argenté d'une armure – cette autre tireur m'avait vu abattre la première, n'ignorait pas que son armure ne lui serait d'aucun secours. À cinquante centimètres d'elle, nouvel éclair d'argent alors que quelqu'une d'autre s'armurait. Des citoyens entre mes cibles et moi, se déplaçant de façon imprévisible. Mais j'avais l'habitude des foules de gens apeurées ou hostiles. J'ai tiré de nouveau, deux fois. L'armure a disparu, mes deux cibles tombées. Seivarden s'est exclamé : « Putain, tu es *vraiment* un ancillaire !

— Nous ferions mieux de quitter le hall », a décidé Anaander Mianaaï. Et à la capitaine anonyme à côté d'elle : « Capitaine, menez ces gens en sécurité.

— Alt… », a commencé la capitaine. Mais nous nous éloignions déjà, Seivarden et Anaander Mianaaï faisant profil bas, se déplaçant aussi vite qu'elles pouvaient.

Je me suis brièvement demandé ce qui se passait dans d'autres secteurs de la station. Le palais d'Omaugh était immense. Il y avait quatre autres halls, plus petits que celui-ci, toutefois, et des niveaux et des niveaux de logements, de bureaux, d'écoles, d'espaces publics, tous remplis de citoyens qui devaient être affolées et désorientées. Au moins, toutes celles qui vivaient ici savaient la nécessité de suivre les procédures d'urgence et ne s'arrêteraient pas pour discuter et s'étonner, une fois l'ordre de se mettre à l'abri donné. Mais, bien entendu, Station était dans l'incapacité de lancer cet ordre.

Je ne pouvais rien savoir, ni aider. « Qui se trouve dans le système ? » ai-je demandé, dès que nous avons été hors de portée d'oreille, descendant dans le puits d'une échelle d'accès d'urgence, mon armure rétractée.

« Assez près pour compter, veux-tu dire ? m'a répondu Anaander Mianaaï au-dessus de moi. Trois *Épées* et quatre *Miséricordes* aisément joignables par navette. » Tout ordre d'Anaander Mianaaï sur la station devrait arriver par navette, à cause du black-out sur les communications. « Je ne m'inquiète pas pour eux en ce moment. Il n'y a aucune possibilité de leur transmettre des ordres, d'ici. » Et à l'instant où il y en aurait une, à l'instant où le black-out serait levé, toute la question serait déjà réglée, les informations qu'Anaander Mianaaï était tellement déterminée à se cacher à elle-même filant déjà vers les portes, qui les transmettraient à travers tout l'espace du Radch.

« Y a-t-il quelqu'une à quai ? » ai-je demandé. Pour l'heure, ce serait les seuls vaisseaux qui comptaient.

« Rien qu'une navette du *Miséricorde de Kalr*, a répondu Anaander Mianaaï, qui semblait à demi amusée. Elle est à moi.

— Vous êtes certaine ? » Et comme elle ne répondait pas, j'ai insisté : « La capitaine Vel n'est pas des vôtres.

— C'est l'impression que tu as eue, toi aussi ? » La voix d'Anaander Mianaaï était badine, indéniablement, à présent. Au-dessus de moi et d'Anaander, Seivarden descendait en silence, hormis le bruit de ses chaussures sur les barreaux de l'échelle. J'ai vu une porte, me suis arrêté, ai tiré sur la poignée. L'ai ouverte et ai jeté un coup d'œil dans la coursive au-delà. J'ai reconnu la zone derrière les bureaux des docks.

Une fois que nous sommes toutes descendues dans la coursive et que nous avons fermé la porte d'urgence, Anaander Mianaaï est passée devant Seivarden et moi. « Comment savoir si elle est celle qu'elle prétend ? » m'a demandé Seivarden, très bas. Sa voix tremblait toujours, sa mâchoire paraissait crispée. J'étais surpris qu'elle ne se soit pas recroquevillée quelque part dans un coin, ou qu'elle n'ait pas fui.

« Peu importe laquelle c'est, ai-je répondu sans faire d'effort pour baisser ma voix. Je n'ai confiance en aucune d'elle. Si elle essaie seulement d'approcher de la navette du *Miséricorde de Kalr*, tu prends cette arme et tu l'abats. » Tout ce qu'elle m'avait dit pouvait aisément être une ruse, conçue pour que je l'aide à atteindre les docks et le *Miséricorde de Kalr*, afin de détruire elle-même cette station.

« Vous n'avez pas besoin de l'arme garseddaïe pour me tuer, a annoncé Anaander Mianaaï sans regarder derrière elle. Je ne suis pas armurée.

— Mais dans le grand hall…, a protesté Seivarden.

— Non, juste *moi*. Une partie de moi en porte. Mais pas la majorité. » Elle a tourné brièvement la tête, pour me regarder. « C'est ennuyeux, n'est-ce pas ? »

De ma main libre, j'ai exprimé d'un geste mon absence d'inquiétude ou de commisération.

Nous avons tourné à un coin, pour nous arrêter net face à l'inspecteur adjointe Ceit, qui tenait un choqueur, le genre d'arme de dissuasion qu'employait la sécurité des stations. Elle avait dû nous entendre discuter dans la coursive, parce qu'elle n'a manifesté aucune surprise à nous voir apparaître, rien qu'un air de détermination terrifiée. « La première inspecteur m'a ordonné de ne laisser passer personne. » Elle ouvrait de grands yeux, sa voix manquait de conviction. Elle a regardé Anaander Mianaaï. « Surtout pas vous. »

Anaander Mianaaï a ri. « Silence, ai-je dit, ou Seivarden vous abat. »

Anaander Mianaaï a haussé un sourcil, visiblement sceptique à l'idée que Seivarden puisse se résoudre à commettre un tel acte, mais elle s'est tue.

« Daos Ceit, ai-je lancé dans cette langue dont je savais qu'elle avait été sa première. Te souviens-tu du jour où tu es venue chez la lieutenant et y as trouvé la despote ? Tu as eu peur et tu m'as saisi la main. » Ses yeux, de façon impossible, se sont encore écarquillés. « Tu avais dû t'éveiller avant toutes les autres, chez toi, sinon elles ne t'auraient jamais laissée venir, pas après ce qui s'était passé la nuit précédente.

— Mais...

— Je *dois* parler à Skaaïat Awer.

— Vous êtes vivante ! s'est-elle écriée, toujours avec de grands yeux, n'y croyant toujours pas tout à fait. La première inspecteur sera tellement...

— Elle est morte, ai-je coupé avant qu'elle puisse aller plus loin. *Je suis* morte. Je suis tout ce qui reste. Je dois parler à Skaaïat Awer *tout de suite*. La despote va rester ici et si elle refuse, alors tu devras la frapper aussi fort que tu le pourras. »

J'avais cru que Daos Ceit était surtout stupéfaite, mais à présent des larmes montaient, dont une tomba sur sa manche, sur le bras qui tenait son choqueur prêt. « Très bien, a-t-elle obtempéré. Je le ferai. » Elle a considéré Anaander Mianaaï et a à peine levé le choqueur, clarifiant la menace. Bien qu'il me paraisse téméraire de ne poster ici que Daos Ceit.

« Que fait la première inspecteur ?

— Elle a envoyé des gens verrouiller manuellement tous les docks. » Ça exigerait beaucoup de monde, et beaucoup de temps et expliquait pourquoi Daos Ceit était ici toute seule. J'ai songé aux volets de tempête qui s'abattaient, dans la basse-ville. « Elle a dit que c'était exactement comme cette nuit-là à Ors, et que ce devait être le fait de la despote. »

Anaander Mianaaï écoutait tout ceci, abasourdie. Seivarden semblait être tombée dans une sorte d'état de choc, au-delà de la stupeur.

« Vous allez rester ici, ai-je indiqué en radchaaï à Anaander Mianaaï. Sinon Daos Ceit vous paralyse.

— Oui, j'avais bien compris ça, a répondu Anaander Mianaaï. Je vois que je n'ai pas laissé une impression très positive lors de notre dernière rencontre, citoyen.

— Chacun sait que vous avez tué tous ces gens », lui a rétorqué Daos Ceit. Deux nouvelles larmes lui ont échappé. « Et que vous avez fait porter le blâme sur la lieutenant. »

Je la croyais trop jeune pour nourrir des sentiments si forts sur l'événement. « Pourquoi pleures-tu ?

— J'ai peur. » Sans détacher les yeux d'Anaander Mianaaï, ni abaisser son choqueur.

Ça m'a paru très raisonnable. « Viens, Seivarden. » Je suis passé devant Daos Ceit.

Des voix résonnaient devant nous, à l'emplacement du bureau en façade, après un tournant. Un pas, et puis le suivant. Ça n'avait jamais été autre chose.

Seivarden a poussé un soupir convulsif, l'esquisse d'un rire, ou des mots qu'elle avait retenus. « Allez, se reprit-elle. Nous avons bien survécu au pont.

— Ça, c'était facile. » Je me suis arrêté et j'ai vérifié sous ma veste de brocart, comptant les chargeurs alors même que j'en connaissais déjà le nombre. En ai fait passer un de la ceinture de mon pantalon à une poche de veste. « Ceci ne le sera pas autant. Et ne se terminera pas à moitié aussi bien. Tu es avec moi ?

— Toujours, a-t-elle confirmé d'une voix encore étrangement ferme bien que je sois sûr qu'elle était au bord de l'effondrement. Est-ce que je ne l'ai pas déjà dit ? »

Je n'ai pas compris de quoi elle parlait, mais ce n'était pas le moment de s'étonner, ou de poser des questions. « Alors, allons-y. »

Chapitre vingt-deux

Nous avons tourné au coin, mon arme levée, et avons trouvé le bureau en façade vide. Pas silencieux. La voix de la première inspecteur Skaaïat résonnait au-dehors, légèrement étouffée en traversant le mur. « Je comprends bien, capitaine, mais, au final, c'est moi qui suis responsable de la sécurité des quais. »

Une réponse, amortie, des mots indistincts, mais il m'a semblé que je reconnaissais la voix.

« J'assume mes actes, capitaine », a répondu Skaaïat Awer au moment où Seivarden et moi, ayant traversé le bureau, arrivions dans le large vestibule juste au-dehors.

La capitaine Vel se tenait là, tournant le dos à un puits d'ascenseur ouvert, une lieutenant et deux soldats derrière elle. La lieutenant avait encore des miettes de pâtisserie sur sa veste brune. Elles avaient dû effectuer la descente par le puits, car j'étais tout à fait certain que Station contrôlait les ascenseurs. Devant nous, faisant face à elles et à toutes les divinités qui observaient dans le vestibule, se tenaient Skaaïat Awer et quatre inspecteurs des quais. La capitaine Vel m'a vu, a vu Seivarden et a légèrement froncé les sourcils sous l'effet de la surprise. « Capitaine Seivarden », a-t-elle dit.

La première inspecteur Skaaïat ne s'est pas retournée, mais j'ai deviné ce qu'elle pensait, qu'elle avait envoyé Daos Ceit défendre toute seule le passage à l'arrière. « Elle va bien, lui ai-je indiqué, lui répondant plutôt qu'à la capitaine Vel. Elle m'a laissé passer. » Puis, sans l'avoir prémédité, les mots semblant sortir de ma bouche de leur propre volonté : « C'est moi, lieutenant : je suis Un Esk du *Justice de Toren*. » En le disant, j'ai su qu'elle allait se retourner. J'ai levé mon arme pour viser la capitaine Vel. « Ne bougez pas, capitaine. » Mais elle n'avait pas fait un geste. Elle et le reste du *Miséricorde de Kalr* restaient là, tentant de comprendre ce que je venais de dire.

Skaaïat Awer s'est retournée. « Daos Ceit ne m'aurait jamais laissé passer, sinon », ai-je expliqué. Et je me suis souvenu de la question pleine d'espoir de Daos Ceit. « La lieutenant Awn est morte. Le *Justice de Toren* est détruit. Il n'y a plus que moi, à présent.

— Vous mentez », a-t-elle dit, mais même avec mon attention tournée sur la capitaine Vel et les autres, j'ai vu qu'elle me croyait.

Une porte des ascenseurs s'est ouverte avec des secousses et Anaander Mianaaï en est sortie d'un bond. Et puis une autre. La première a pivoté, le poing levé, tandis que la seconde se jetait sur elle. Soldats et inspecteurs de quais ont reculé par réflexe devant les Anaander en train de lutter, dans ma ligne de feu. « *Miséricorde de Kalr*, dégagez ! » ai-je crié, et les soldats se sont écartés, même la capitaine Vel. J'ai tiré à deux reprises, frappant une Anaander Mianaaï à la tête et l'autre dans le dos.

Toutes les autres sont restées figées. Choquées. « Première inspecteur, ai-je dit, il ne faut pas laisser la Maître du Radch parvenir au *Miséricorde de Kalr*. Elle fracturera le bouclier thermique et nous détruira toutes. »

Une Anaander vivait encore, se débattait en vain pour se remettre debout. « Vous avez tout compris de travers », a-t-elle hoqueté, en perdant son sang. Mourante, à moins qu'elle ne voie rapidement une médic. Mais cela n'importait guère, ce n'était qu'un corps sur des milliers. Je me suis demandé ce qu'il se passait dans le centre privé du palais proprement dit, quel genre de violence y avait éclaté. « Je ne suis pas celle que vous devez abattre.

— Si vous êtes Anaander Mianaaï, lui ai-je répondu, alors je veux vous abattre. » Quelle que soit la moitié qu'elle représentait, ce corps n'avait pas entendu toute la conversation dans la salle d'audience, croyait encore que je pouvais être dans son camp.

Elle a eu un spasme et, l'espace d'un instant, j'ai cru qu'elle avait péri. Puis elle a ajouté, faiblement : « Ma faute. » Et puis : « Si j'étais moi… » Un bref moment d'amusement douloureux. « … j'ai dû aller trouver la Sécurité. »

Sauf, bien entendu, qu'à la différence de la garde personnelle d'Anaander Mianaaï (et de celles qui m'avaient tiré dessus dans le grand hall), « armé », pour la Sécurité de la Station, signifiait des choqueurs, et « armuré », des casques et des gilets. Jamais elles n'avaient dû affronter des adversaires avec des armes. J'en avais une et, parce que j'étais qui j'étais, je l'employais avec une efficacité mortelle. Cette Mianaaï avait également manqué cette partie de la conversation. « Vous avez remarqué mon arme ? lui ai-je demandé. Vous l'avez reconnue ? » Elle ne portait pas d'armure, n'avait pas pris conscience que l'arme avec laquelle je l'avais abattue différait de toutes les autres.

N'avait pas pris le temps ni la peine de se demander comment quelqu'une sur la station pouvait détenir une arme sans qu'elle en sache rien. Ou peut-être avait-elle supposé que je l'avais abattue avec une arme qu'elle s'était cachée à elle-même. Mais elle voyait, à présent. Personne d'autre n'a compris, personne d'autre n'a reconnu l'arme, hormis Seivarden qui savait déjà. « Je peux rester ici même et abattre toutes celles qui passeront par les puits d'ascenseurs. Exactement comme je l'ai fait pour vous. J'ai largement assez de munitions. »

Elle n'a pas répondu. Le choc viendrait à bout d'elle dans quelques minutes, ai-je jugé.

Avant que quelqu'une du *Miséricorde de Kalr* ait pu réagir, une douzaine de membres de la Sécurité de la Station en gilets et casques ont bruyamment dévalé le puits d'ascenseur. Les six premières ont dégringolé dans la coursive, puis se sont arrêtées, choquées et désorientées face aux Anaander Mianaaï gisant mortes.

J'avais dit vrai, je pouvais les abattre une à une, les tuer en cet instant de surprise figée. Mais je ne le voulais pas. « Sécurité », ai-je lancé, avec toute la fermeté et l'autorité en mon pouvoir. Notant quel chargeur neuf était le plus proche de ma main. « Quels ordres suivez-vous ? »

La garde principale de Sécurité s'est retournée et m'a dévisagé, a vu Skaaïat Awer et ses inspecteurs des docks, face à la capitaine Vel et à ses deux lieutenants. A hésité le temps de nous réunir selon une configuration qu'elle comprendrait.

« J'ai reçu de la Maître du Radch l'ordre de sécuriser les quais », a-t-elle annoncé. Pendant qu'elle parlait, j'ai lu sur son visage l'instant où elle associait les Mianaaï mortes à l'arme que je tenais. Cette arme que je n'aurais pas dû posséder.

« J'ai sécurisé les docks, a affirmé la première inspecteur Skaaïat.

— Avec tout le respect que je vous dois, première inspecteur. » La principale de Sécurité paraissait raisonnablement sincère. « La Maître du Radch doit atteindre une porte afin de pouvoir appeler à l'aide. Nous devons assurer qu'elle parvienne en toute sécurité à un vaisseau.

— Pourquoi pas sa propre sécurité ? » ai-je demandé, connaissant déjà la réponse qu'ignorait la principale de Sécurité. Il était évident à son visage que la question ne lui était pas venue à l'esprit.

Avec brusquerie, la capitaine Vel a déclaré : « La navette de mon vaisseau est à quai. Je serai plus qu'heureuse de conduire son Altesse où elle souhaite aller. » Cela avec un regard lourd de sens en direction de Skaaïat Awer.

Une autre Anaander Mianaaï se trouvait presque certainement dans ce puits d'ascenseur, derrière ces autres officiers de Sécurité. « Seivarden, ai-je dit, escorte la principale de Sécurité à l'endroit où se trouve l'inspecteur adjointe Daos Ceit. » Et devant l'expression d'inquiétude sceptique de la principale de Sécurité : « Ça va éclaircir pas mal de choses pour vous. Vous aurez toujours l'avantage du nombre, et si vous n'êtes pas revenue dans cinq minutes, elles peuvent m'abattre. » Ou essayer. Elles n'avaient sans doute jamais rencontré d'ancillaire et ne savaient pas combien je pouvais être dangereux.

« Et si je refuse ? » a demandé la principale de Sécurité.

J'avais gardé un visage impassible, mais, en réponse, j'ai souri, aussi aimablement que je l'ai pu. « Essayez, vous verrez bien. »

Le sourire l'a décontenancée ; elle n'avait visiblement aucune idée de ce qui se passait, et le savait, savait que la situation n'aboutissait à rien qui ait un sens pour elle. Elle avait probablement passé sa carrière entière à s'occuper d'ivrognes et de disputes entre voisins. « Cinq minutes, a-t-elle accepté.

— Par ici, citoyen. » Seivarden, toute en politesse élégante de domestique.

Quand elles ont eu disparu, la capitaine Vel a lancé, d'un ton pressant : « Sécurité, nous avons sur elles la supériorité du nombre, malgré l'arme.

— Elles. » L'officier de Sécurité qui semblait la suivante en grade était à l'évidence toujours désorientée, n'avait toujours pas compris ce qui se passait. Et, je m'en apercevais, la Sécurité avait coutume de considérer la première inspecteur Skaaïat, ou n'importe quelle inspecteur des quais, d'ailleurs, comme des alliées. Et, bien entendu, les officiers militaires avaient tant pour les autorités des quais que pour les forces de sécurité de la station un léger mépris, un fait que la sécurité ici présente connaissait bien. « Pourquoi y a-t-il un *elles* ? »

Une expression d'irritation et de frustration a traversé le visage de la capitaine Vel.

Pendant tout ce temps, la Sécurité sur la terre ferme avait échangé des mots à voix basse avec celle qui était toujours accrochée à l'intérieur du puits. J'étais certain qu'une Anaander Mianaaï se trouvait avec elles, et que la seule chose qui l'avait dissuadée d'ordonner elle-même à Sécurité de me donner l'assaut, c'était la conscience qu'en dépit de ce que Station (et ses propres senseurs, certainement) lui avait affirmé, j'avais une arme. Elle avait besoin de protéger ce corps particulier, maintenant qu'elle ne pouvait plus compter sur aucun des autres. Cela, et le temps de latence de l'information qui circulait de citoyen en citoyen dans les deux sens au long du puits l'avaient retenue d'agir jusqu'à maintenant, mais sans doute ne tarderait-elle plus à faire mouvement. Comme en réponse à mes pensées, les chuchotements se sont intensifiés dans le puits, et les officiers de Sécurité ont changé de posture, très légèrement, d'une façon qui m'apprenait qu'elles se préparaient à charger.

À cet instant précis, la principale de Sécurité est revenue. Elle s'est tournée vers moi au passage, une expression horrifiée sur le visage. A déclaré à ses officiers qui hésitaient, à présent : « Je ne sais pas quoi faire. La Maître du Radch est là-bas, et elle affirme que la première inspecteur et ce… cette personne agissent sous ses ordres directs, et que nous ne devons pas en laisser une seule accéder aux quais ou à un vaisseau, sous aucun prétexte. » Sa peur et sa confusion étaient manifestes.

Je savais ce qu'elle ressentait, mais le moment n'était pas à la commisération. « Elle vous a demandés, vous, et non ses propres gardes, parce que ses gardes la combattent, et se battent probablement entre elles. En fonction de celles d'entre elles qui ont reçu des ordres, et de laquelle elles les ont reçus.

— Je ne sais pas qui croire », a déclaré la principale de Sécurité. Mais j'ai supposé que l'inclination naturelle de la Sécurité à prendre le parti de l'autorité des quais pourrait faire pencher la balance en notre faveur.

Et la capitaine Vel et ses lieutenants et troupes avaient perdu l'initiative, perdu toute chance de me désarmer, avec la Sécurité dans la balance mais prête à basculer de mon côté, elles et leurs choqueurs. Peut-être les choses auraient-elles été différentes si les gens du *Miséricorde de Kalr* avaient connu le combat, vu une ennemi qui n'était pas un exercice d'entraînement. N'avaient pas passé tant de temps sur un *Miséricorde*, à transporter des ravitaillements ou à mener de longues et mornes patrouilles. Ou à visiter des palais et à déguster des pâtisseries.

Déguster des pâtisseries et prendre le thé avec des associées aux opinions politiques bien arrêtées. « Vous ne savez même pas, ai-je lancé à la capitaine Vel, laquelle donne quels ordres. » Elle a froncé les sourcils, perplexe. Elle n'avait donc pas entièrement compris la situation. J'avais supposé qu'elle en savait plus long.

« Vous avez perdu vos repères, s'est opposée la capitaine Vel. Ce n'est pas votre faute, l'ennemi vous a abusé, et vous n'avez jamais eu d'esprit qui vous appartienne en propre, pour commencer.

— Son Altesse s'en va ! » a crié un officier de Sécurité. Comme un seul corps, la Sécurité s'est tournée vers la principale de Sécurité. Qui s'est tournée vers moi.

Rien de tout cela n'a distrait l'attention de la première inspecteur Skaaïat. « Et qui, au juste, est l'ennemi, capitaine ?

« — Vous ! a craché la capitaine, véhémente et amère. Et toutes celles comme vous, qui aidez et soutenez ce qui nous est arrivé au cours des cinq cents dernières années. Cinq cents ans d'infiltration et de corruption extérieures. » Le mot qu'elle a employé était un proche cousin de celui qu'avait utilisé la Maître du Radch pour décrire ma pollution des offrandes du temple. La capitaine Vel s'est de nouveau adressée à moi. « Vous avez perdu vos repères, mais vous avez été fabriqué par Anaander Mianaaï pour servir Anaander Mianaaï. Pas ses ennemis.

— Il n'y aucun moyen de servir Anaander Mianaaï sans servir son ennemi, ai-je dit. Principale de Sécurité, la première inspecteur Skaaïat s'est chargée des docks. À vous de sécuriser tous les sas que vous pourrez atteindre. Nous devons être certaines que personne ne quitte cette station. Son existence en dépend.

— À vos ordres, a répondu la principale de Sécurité, et elle a engagé un conseil avec ses officiers.

— Elle vous a parlé, ai-je deviné en me retournant vers la capitaine Vel. Elle vous a raconté que les Presgers avaient infiltré le Radch, de façon à le subvertir et à le détruire. » J'ai vu une compréhension en réponse sur le visage de la capitaine Vel. J'avais correctement deviné. « Elle n'aurait pas pu raconter ce mensonge à quelqu'une qui se souvenait de ce que faisaient les Presgers, quand elles jugeaient que les humains étaient leurs proies légitimes. Elles sont assez puissantes pour nous détruire quand elles le désireront. Personne ne subvertit la Maître du Radch, sinon la Maître du Radch. Elle est secrètement en guerre contre elle-même depuis mille ans. Je l'ai obligée à le voir, toutes ces elles présentes ici, et elle fera tout pour empêcher de devoir reconnaître le fait devant le reste d'elle-même. Y compris utiliser le *Miséricorde de Kalr* pour détruire cette station avant que l'information puisse partir d'ici. »

Un silence choqué. Puis la première inspecteur Skaaïat a dit : « Nous ne pouvons pas contrôler tous les accès à la coque. Si elle sort et qu'elle trouve une navette sans surveillance, ou disposée à l'embarquer... » Ce qui serait le cas de toutes celles qu'elle rencontrerait, car qui, ici, songerait à désobéir à la Maître du Radch ? Et il n'y avait aucun moyen de transmettre une mise en garde à tout le monde. Ou d'assurer que tout le monde croirait à la mise en garde.

« Portez le message aussi vite que vous pourrez, aussi loin que vous pourrez, ai-je repris, et que les augures tombent comme ils le voudront. Et j'ai besoin d'avertir le *Miséricorde de Kalr* de ne laisser personne monter à son bord. » La capitaine Vel a eu un rapide geste de colère. « Non, capitaine. Je préférerais ne pas devoir annoncer au *Miséricorde de Kalr* que je vous ai tuée. »

*
* *

La pilote de la navette était armée et armurée, et réticente à partir sans ordre direct de sa capitaine. Je rechignais à laisser la capitaine Vel trop approcher de la navette. Si la pilote avait été un ancillaire, je n'aurais pas hésité à le tuer, mais étant donné les circonstances je lui ai tiré dans la jambe et j'ai laissé Seivarden et les deux inspecteurs des quais venues procéder pour moi à l'appareillage manuel la traîner sur la station.

« Exerce une pression sur la blessure, ai-je dit à Seivarden. Je ne sais pas s'il est possible d'atteindre Médical. » J'ai songé à la sécurité, aux soldats et aux gardes du palais à travers toute la station, qui avaient sans doute des ordres et des priorités conflictuels, et ai espéré que toutes les civils étaient désormais à l'abri.

« Je viens avec toi, a déclaré Seivarden, levant les yeux de sa position, à demi agenouillée sur le dos de la pilote de la navette, en train de lui lier les poignets.

— Non. Tu pourrais avoir une certaine autorité sur les congénères de la capitaine Vel. Peut-être même sur la capitaine Vel elle-même. Tu as mille ans de séniorité, après tout.

— Mille ans d'arriérés de solde », a soufflé une inspecteur des quais, d'une voix impressionnée.

« Comme s'il y avait la moindre chance que ça arrive, a répliqué Seivarden, puis : Breq. » Et, se reprenant : « Vaisseau.

— Je n'ai pas le temps », ai-je riposté, brusque et net.

Un rapide éclat de colère sur son visage, et puis : « Tu as raison. » Mais sa voix a tremblé, très légèrement, et ses mains.

Je me suis retourné sans ajouter autre chose et suis monté à bord de la navette, me repoussant, de la gravité de la station à son absence sur la navette, et ai refermé le sas, puis me suis lancé d'un coup de pied vers le siège de la pilote, écartant d'un mouvement une goutte de sang, et me suis sanglé en place. Des chocs et des martèlements m'ont appris que l'appareillage avait commencé. J'avais une caméra incorporée à la proue, qui me montrait quelques-uns des vaisseaux autour du palais, des navettes, des vaisseaux miniers, de petits ravitailleurs et des nacelles à voile, les plus gros vaisseaux de passagers et cargos, soit en train de partir, soit attendant la permission d'approche. Le *Miséricorde de Kalr*, coque blanche, forme pataude, ses moteurs mortels plus gros que le reste du bâtiment, se trouvait quelque part par là. Et au-delà de tout ça, les balises signalant les portes qui amenaient les vaisseaux de système en système. Pour eux, la station avait dû se taire complètement, subitement. Pilotes et capitaines de ces vaisseaux devaient être désorientées ou affolées. J'espérais qu'aucune d'elles n'aurait la sottise de procéder à une approche sans clairance des autorités des docks.

Ma seule autre caméra intégrée, à la poupe, me montrait la coque grise de la station. Le dernier choc de l'appareillage a résonné à travers la navette, et j'ai passé les contrôles en manuel et commencé ma sortie – lentement, précautionneusement, car je n'avais aucune vision latérale. Une fois que j'ai eu jugé m'être dégagé, j'ai pris de la vitesse. Puis je me suis enfoncé dans mon fauteuil pour attendre – même à la vitesse maximale de cette navette, le *Miséricorde de Kalr* était à quelques heures de distance.

J'ai mis ce délai à profit pour réfléchir. Après tout ce temps, après tous ces efforts, voilà où j'en étais. J'avais à peine osé espérer me venger aussi complètement, à peine espéré pouvoir tuer ne serait-ce qu'une Anaander Mianaaï, et j'en avais abattu quatre. Et d'autres Anaander Mianaaï devaient très certainement s'entre-tuer au palais, tandis qu'elle se battait pour le contrôle de la station et, au final, du Radch même, en conséquence de mon message.

Rien de tout cela ne ramènerait la lieutenant Awn. Ni moi. J'étais pratiquement mort, je l'étais depuis vingt ans, rien qu'un ultime fragment minuscule de moi-même qui avait réussi à exister un peu plus longtemps que le reste, chacun de mes actes un excellent candidat à devenir le dernier. Une chanson est montée par bouffées de ma mémoire. *Oh, es-tu allée au champ de bataille, armurée et bien armée, et d'affreux événements te forceront-ils les armes à lâcher ?* Et cela me ramena, inexplicablement, au souvenir des enfants sur la place du temple, à Ors. *Une, deux, ma tante a dit, Trois, quatre, soldat cadavre.* J'avais très peu à faire, pour le moment, sinon chanter tout seul, et personne à déranger, aucune crainte de choisir un air qui me trahirait, ou que quelqu'une ne se plaigne de la qualité de ma voix.

J'ai ouvert la bouche pour chanter à pleine voix, comme je ne l'avais plus fait depuis des années, quand le bruit de quelque chose qui cognait contre le sas m'a arrêté au milieu de mon inspiration.

Ce type de navette comptait deux sas. L'un ne s'ouvrait que lorsqu'il était amarré à un vaisseau ou à une station. L'autre était une écoutille de secours plus petite sur le flanc. C'était exactement le genre d'issue que j'avais employé pour monter à bord de la navette que j'avais prise en quittant le *Justice de Toren*, il y avait si longtemps.

Le bruit a retenti une fois de plus, puis a cessé. L'idée m'est venue que ce pouvait être tout simplement des débris qui heurtaient la coque au passage. Mais, après tout, si je m'étais trouvé à la place d'Anaander Mianaaï, j'aurais essayé tout ce qui était possible pour arriver à mes fins. Et je ne pouvais pas voir l'extérieur de la navette avec le blocage des communications, rien que ces deux champs de vision étroits en tête et en poupe. Je pouvais fort bien être en train de mener moi-même Anaander Mianaaï au *Miséricorde de Kalr*.

S'il y avait quelqu'une là-dehors, s'il ne s'agissait pas de simples débris, c'était Anaander Mianaaï. Combien d'elles ? Le sas était petit et aisément défendable, mais le plus facile serait de ne pas avoir à le défendre du tout. Il valait mieux empêcher Anaander Mianaaï de l'ouvrir. Assurément, le black-out sur les communications ne devait plus s'étendre loin du palais. J'ai procédé rapidement aux changements de cap qui m'écarteraient du *Miséricorde de Kalr* mais me mèneraient toujours, je l'espérais, vers les limites extrêmes du blocage des communications. Je pourrais parler au *Miséricorde de Kalr* sans jamais en approcher. Cela fait, j'ai tourné mon attention vers le sas.

Les deux portes du sas étaient conçues pour basculer vers l'intérieur, si bien que toute différence de pression les refermait. Et je savais comment retirer la porte intérieure, j'avais nettoyé et entretenu des navettes comme celle-ci des décennies durant. Des siècles. Une fois que j'aurais enlevé le battant intérieur, il serait pratiquement impossible d'ouvrir l'extérieur, tant qu'il y aurait de l'air à bord de la navette.

Il me fallut douze minutes pour ôter les gonds et manœuvrer la porte à un endroit où je pourrais l'attacher. Cela aurait dû en prendre dix, mais les broches étaient sales et ne glissaient pas avec la fluidité qu'elles auraient dû avoir, une fois que j'ai eu détaché leurs soutiens. Une négligence d'unités humaines, j'en étais sûre – jamais je n'aurais toléré une telle chose sur aucune de mes navettes.

Juste au moment où je finissais, la console de la navette s'est mise à parler, d'une voix morne et régulière dont je savais qu'elle appartenait à un vaisseau. « Navette, répondez. Navette, répondez.

— *Miséricorde de Kalr*, ai-je commencé en me propulsant d'un coup de pied vers l'avant. Ici le *Justice de Toren* qui pilote votre navette. » Pas de réponse immédiate – mes paroles avaient sans doute rendu le *Miséricorde de Kalr* muet de surprise. « Ne laissez monter personne à bord. En particulier, ne laissez aucune version d'Anaander Mianaaï vous approcher. Si elle est déjà là-bas, tenez-la à l'écart de vos moteurs. » Maintenant que je pouvais accéder aux caméras qui n'étaient pas physiquement branchées, j'ai enclenché l'interrupteur qui me présenterait une vue panoramique de ce qui se trouvait à l'extérieur de la navette – je voulais davantage que cette simple vue par la caméra avant. Appuyé sur les boutons qui retransmettraient ma voix à qui pouvait l'entendre. « À tous les vaisseaux. » Écouteraient-ils – ou obéiraient-ils ? je ne pouvais le prédire, mais il n'était pas réaliste de penser que je pouvais les contrôler de toute façon. « Ne laissez personne monter à bord. Ne laissez Anaander Mianaaï monter à votre bord sous aucun prétexte. Vos vies en dépendent. Les vies de tout le monde sur la station en dépendent. »

Tandis que je parlais, les parois grises parurent se dissoudre. La console principale, les sièges, les deux écoutilles des sas demeurèrent, mais sinon, j'aurais aussi bien pu flotter sans protection dans le vide. Trois silhouettes en scaphandre s'agrippaient à des prises autour du sas que j'avais désactivé. L'une d'elles avait tourné la tête pour regarder une nacelle-voilier passer dangereusement près. Une quatrième se halait le long de la coque vers l'avant.

« Elle n'est pas à mon bord, a déclaré la voix du *Miséricorde de Kalr* par ma console. Mais elle est sur votre coque et ordonne à mes officiers de l'assister. M'ordonne de vous ordonner de la laisser entrer dans la navette. Comment pouvez-vous être le *Justice de Toren* ? » Pas *comment ça, ne laissez pas monter la Maître du Radch à bord ?*, ai-je noté.

« Je suis arrivé avec la capitaine Seivarden », ai-je dit. L'Anaander Mianaaï qui avait progressé vers l'avant s'est fixée à une prise, puis à une autre, et a tiré une arme du fourreau d'outillage sur son scaphandre. « Que fiche cette nacelle ? » La nacelle-voilier était encore trop près de moi.

« La pilote offre son aide aux gens sur votre coque. Elle vient tout juste de s'apercevoir que c'était la Maître du Radch, qui lui a dit de s'en aller.

— Y a-t-il d'autres Anaander à l'extérieur de la station ?

— Il ne semble pas. »

L'Anaander Mianaaï avec l'arme a déployé son armure dans un éclair d'argent qui a couvert son scaphandre, a collé l'arme contre la coque de la navette et fait feu. J'ai entendu dire que les armes ne tirent pas dans le vide, mais cela dépend de l'arme, en fait. Celle-ci a fonctionné, l'impact donnant un *bam* que j'ai senti tandis que je me cramponnais au siège de pilotage. La force du tir l'a repoussé en arrière, mais pas loin, solidement amarrée à la coque comme elle l'était. Elle a tiré de nouveau, *bam*. Et encore. Et encore.

Certaines navettes étaient blindées. Certaines possédaient même une plus grande version de mon armure. Pas celle-ci. Sa coque était conçue pour résister à un bon nombre d'impacts aléatoires, mais pas pour soutenir un stress continu au même point, encore et encore. *Bam*. Elle avait tiré la leçon de son incapacité à ouvrir le sas, compris que la personne qui pilotait cette navette était son ennemi. Compris que j'avais retiré la porte intérieure de façon à ce que l'extérieure ne puisse pas s'ouvrir tant que l'air n'aurait pas entièrement quitté la navette. Si Anaander Mianaaï arrivait à pénétrer à bord, elle pourrait utiliser l'appareil pour atteindre le *Miséricorde de Kalr*. Ou n'importe quel autre vaisseau militaire. Si elle avait essayé d'ordonner la destruction du palais de sa position, accrochée au flanc de cette navette, elle avait échoué. Plus vraisemblablement, ai-je compris, elle savait d'avance qu'un tel ordre échouerait et n'avait pas essayé de le donner. Elle avait besoin de monter à bord d'un vaisseau, de lui ordonner d'approcher du palais, et d'endommager elle-même son bouclier thermique. Elle ne parviendrait pas à obtenir de quiconque qu'elle le fasse à sa place.

Si le *Miséricorde de Kalr* avait raison et qu'il n'y ait aucune autre Anaander Mianaaï à l'extérieur de la station, il me suffisait de me débarrasser de celles-ci. Le reste, quoi qu'il puisse se passer sur la station, je devrais le laisser aux bons soins de Skaaïat et de Seivarden. Et d'Anaander Mianaaï.

« Je me souviens de notre dernière rencontre, a déclaré le *Miséricorde de Kalr*. C'était à Prid Nadeni. »

Question piège. « Nous ne nous sommes jamais rencontrées. » *Bam*. La nacelle-voilier s'écarta, mais pas loin. « Jusqu'à maintenant. Et je ne suis jamais allé à Prid Nadeni. » Mais qu'est-ce que cela prouvait, que je le sache ?

Vérifier mon identité aurait été facile, si je n'avais pas désactivé ou caché tant de mes implants. J'ai réfléchi un moment, évaluant, et puis j'ai prononcé une suite de mots, les plus proches que je pouvais exprimer, avec mon unique bouche humaine, de la façon dont je me serais identifié à un autre vaisseau, il y avait si longtemps de ça.

Un silence, ponctué par une nouvelle détonation contre la coque de la navette.

« Êtes-vous réellement le *Justice de Toren* ? a enfin demandé le *Miséricorde de Kalr*. Qu'étiez-vous devenu ? Et où est le reste de vous ? Et qu'est-ce qui se passe ?

— Où j'étais, c'est une longue histoire. Le reste de moi est détruit. Anaander Mianaaï a fracturé mon bouclier thermique. » *Bam*. Lente et méthodique, l'Anaander à l'avant a éjecté un chargeur et en a inséré un nouveau. Les autres étaient encore groupées autour du sas. « Je présume que vous savez ce qui se passe avec Anaander Mianaaï.

— En partie, seulement. Je constate que j'ai des difficultés à articuler ce que je crois qu'il se passe. »

Pas une surprise du tout, pour moi. « La Maître du Radch vous a rendu visite en secret, et a placé de nouveaux accès. D'autres choses aussi, sans doute. Des ordres. Des instructions. En secret, parce qu'elle se cachait à elle-même ce qu'elle faisait. Au palais... » Cela semblait des siècles, à présent, mais cela n'avait été que quelques heures plus tôt. « ... je lui ai déclaré ouvertement ce qui se passait. Qu'elle était divisée, qu'elle faisait mouvement contre elle-même. Elle ne veut pas que ce savoir aille plus loin, et il y a une partie d'elle qui veut se servir de vous pour détruire la station avant que l'information ne sorte. Elle préfère agir ainsi plutôt que d'affronter les conséquences de ce savoir. » Silence du *Miséricorde de Kalr*. « Vous êtes tenu de lui obéir. Mais je sais... » Ma gorge s'est nouée. J'ai dégluti. « Je sais qu'on ne peut vous forcer à obéir que jusqu'à un certain point. Il serait cependant extrêmement regrettable pour les résidents du palais d'Omaugh que vous ne découvriez ce point qu'*après* les avoir toutes tuées. » *Bam*. Régulier. Patient. Anaander Mianaaï n'avait besoin que d'un très petit trou, et de temps. Et il y avait abondance de temps.

« Laquelle vous a détruit ?

— Est-ce important ?

— Je ne sais pas, a répondu le *Miséricorde de Kalr* depuis la console, voix calme. Je suis mécontent de la situation depuis un certain temps. »

Anaander Mianaaï avait dit que le *Miséricorde de Kalr* lui appartenait, mais pas la capitaine Vel. Ce devait être inconfortable pour lui. Avait le potentiel de le devenir pour moi, et d'être extrêmement regrettable pour le reste du palais, si le *Miséricorde de Kalr* était suffisamment attaché à sa capitaine. « Celle qui m'a détruit était celle que soutient la capitaine Vel. Pas celle qui vous a visité, je pense. Mais je n'en suis pas totalement certain. Comment pouvons-nous les distinguer alors qu'elles sont toutes la même personne ?

— Où est ma capitaine ? » a demandé le *Miséricorde de Kalr*. Cela m'a appris certaines choses, qu'il ait attendu aussi longtemps pour me poser la question.

« Elle allait bien quand je l'ai quittée. Votre lieutenant, aussi. » *Bam.* « J'ai blessé la pilote de la navette, elle refusait de quitter son poste. J'espère qu'elle va bien. *Miséricorde de Kalr*, quelle que soit la Maître du Radch qui a votre soutien, je vous supplie de n'en laisser aucune monter à bord, ou de ne pas obéir à ses ordres. »

Les coups de feu ont cessé. La Maître du Radch s'inquiétait, peut-être, que son arme surchauffe. Mais elle avait largement le temps, aucun besoin de se précipiter.

« Je vois ce que fait la Maître du Radch à la navette, a déclaré le *Miséricorde de Kalr*. Cela en soi-même suffirait à m'apprendre que quelque chose ne va pas. »

Mais bien entendu le *Miséricorde de Kalr* possédait plus d'indications que simplement celle-là. Le black-out des communications, qui ressemblait à ce qui s'était passé sur Shis'urna vingt ans plus tôt, sans doute uniquement rapporté par la rumeur, mais une matière à réflexion néanmoins, en supposant que la rumeur soit arrivée jusqu'ici. Ma disparition – celle du *Justice de Toren*. Sa propre visite clandestine par la Maître du Radch. Les opinions politiques de sa capitaine.

Le silence, les quatre Anaander Mianaaï accrochées sans bouger à la coque de la navette.

« Vous aviez encore vos ancillaires, a dit le *Miséricorde de Kalr*.

— Oui.

— J'aime mes soldats, mais avoir des ancillaires me manque. »

Ce qui m'a remis un détail en mémoire. « Elles n'effectuent pas l'entretien comme elles le devraient. Les charnières de la porte du sas étaient très poisseuses.

— J'en suis désolé.

— Peu importe pour l'instant, ai-je dit, et la pensée m'est venue qu'un problème analogue avait pu retarder les tentatives d'Anaander Mianaaï pour ouvrir le sas de son côté. Mais vous allez devoir demander à vos officiers de les reprendre en main. »

Anaander a recommencé à tirer. *Bam*. « C'est drôle, a dit le *Miséricorde de Kalr*. Vous êtes ce que j'ai perdu, et je suis ce que vous avez perdu.

— Je suppose. » *Bam*. À l'occasion, au cours de ces vingt dernières années, j'avais connu des moments où je ne me sentais pas tout à fait aussi totalement seul, perdu et impuissant que je l'étais depuis le moment où le *Justice de Toren* s'était vaporisé derrière moi. Ce n'en était pas un, actuellement.

« Je ne peux pas vous aider, a déclaré le *Miséricorde de Kalr*. Je ne pourrais envoyer personne qui arriverait là-bas à temps. » Et d'ailleurs, pour moi, la question de savoir si au final le *Miséricorde de Kalr* m'aiderait, moi, ou la Maître du Radch, restait ouverte. Mieux valait ne pas laisser Anaander entrer dans cette navette, approcher de son système de pilotage ou même de ses équipements de communication.

« Je sais. » Si je ne trouvais pas un moyen de me débarrasser de ces Anaander, et rapidement, tout le monde à bord de la station du palais allait mourir. Je connaissais chaque millimètre de cette navette, ou d'autres exactement identiques. Il devait y avoir quelque chose que je pouvais utiliser, que je pouvais faire. J'avais toujours l'arme, mais j'aurais tout autant de difficultés à traverser la coque que la Maître du Radch. Je pouvais remettre la porte en place, et la laisser pénétrer dans le sas, étroit, facile à défendre, mais si j'échouais à toutes les tuer... J'échouerais de toute façon si je ne faisais rien. J'ai sorti mon arme de la poche de ma veste, me suis assuré qu'elle était chargée, me suis repoussé pour faire face au sas et me suis calé contre un siège de passager. J'ai déployé mon armure, même si cela ne m'aiderait pas, au cas où une balle ricocherait vers moi. Pas avec cette arme.

« Qu'allez-vous faire ? s'est enquis le *Miséricorde de Kalr*.

— *Miséricorde de Kalr*, dis-je, l'arme levée, j'ai eu plaisir à vous rencontrer. Ne laissez pas Anaander Mianaaï détruire le palais. Parlez aux autres vaisseaux. Et je vous en prie, demandez à cette pilote de nacelle-voilier incroyablement et stupidement entêtée de foutre le camp loin de mon sas. »

La navette n'était pas seulement trop petite pour avoir un générateur de gravité, elle l'était aussi pour que des plantes lui fabriquent sa propre atmosphère. Du côté poupe du sas, derrière une cloison, se trouvait un important réservoir d'oxygène. Juste au-dessous de l'endroit où les trois Mianaaï attendaient. J'ai jaugé les angles. La Maître du Radch a de nouveau fait feu. *Bam.* Sur la console, une lumière orange s'est mise à clignoter et une alarme suraiguë a retenti. Fissure de la coque. La quatrième Maître du Radch, voyant l'éruption de fins cristaux de glace sortir de la coque, s'est détachée, a pivoté, s'est halée de nouveau vers le sas, je voyais cela par l'affichage. Elle se déplaçait plus lentement que je ne l'aurais voulu, mais elle avait tout le temps du monde. C'était moi qui étais pressé. La nacelle-voilier a allumé son petit moteur et s'est écartée du passage. Avec l'arme, j'ai fait feu sur le réservoir d'oxygène.

J'aurais pensé qu'il faudrait plusieurs tirs, mais le monde a immédiatement basculé, tout bruit a cessé, un nuage de vapeur gelée se formant autour de moi puis se dispersant, et tout s'est mis à tourbillonner. Ma langue picotait, la salive bouillonnant dans le vide, et je ne pouvais plus respirer. J'avais probablement dix – voire quinze – secondes de conscience devant moi, et dans deux minutes je serais mort. J'avais mal partout – une brûlure ? Une autre blessure, malgré mon armure ? Peu importait. J'ai guetté, tout en tournoyant, en comptant les Maîtres du Radch. Une, scaphandre de vide ouvert, le sang bouillonnant par la déchirure. Une autre, un bras arraché, certainement morte. Ça faisait deux.

Et demi. *Ça compte comme une complète*, me suis-je dit, et cela en faisait trois. Encore une. Ma vision virait au rouge et au noir, mais j'ai vu qu'elle était encore accrochée à la coque de la navette, toujours armurée, hors d'atteinte du réservoir explosé.

Mais j'avais toujours été, d'abord et avant tout, une arme. Une machine conçue pour tuer. Au moment où j'ai vu cette Anaander Mianaaï encore vivante, j'ai braqué mon arme sans pensée consciente, et j'ai fait feu. Je n'ai pu voir les résultats du tir, n'ai rien pu voir sinon l'éclair argenté d'une nacelle-voilier et, après ça, le noir. Et puis j'ai perdu conscience.

Chapitre vingt-trois

Quelque chose de rêche qui se tortillait a reflué de ma gorge, et j'ai vomi et hoqueté convulsivement. Quelqu'une me tenait par les épaules, la gravité m'attirait vers l'avant. J'ai ouvert les yeux, vu la surface d'un lit médical, et un récipient peu profond qui contenait une masse enchevêtrée de tentacules verts et noirs, couverts de bile, palpitants et mobiles, qui menaient à ma bouche. Un nouveau haut-le-cœur m'a forcé à fermer les yeux et la chose s'est détachée totalement avec un choc audible dans le récipient. Quelqu'une m'a essuyé la bouche et m'a retourné, pour m'allonger. Le souffle toujours court, j'ai ouvert les yeux.

Une médic se tenait à côté du lit sur lequel je reposais, la créature visqueuse verte et noire que je venais tout juste de vomir pendant de sa main. Elle l'a scrutée, fronçant les sourcils. « Ça paraît bon, a-t-elle commenté, et puis elle l'a laissée de nouveau choir sur son plateau. C'est désagréable, citoyen, je sais, a-t-elle dit, à moi apparemment. Vous aurez la gorge à vif quelques minutes. Vous...

— Qu... » J'ai tenté de parler, mais me suis retrouvé à vomir de nouveau.

« Il ne faut pas essayer de parler tout de suite, a expliqué la médic tandis que quelqu'une – une autre médic – me retournait de nouveau. Vous l'avez échappé belle. La pilote qui vous a amenée vous a récupérée juste à temps, mais elle n'avait qu'une trousse de premiers soins de base. » Cette idiote butée de nacelle-voilier. Forcément. Elle ignorait que je n'étais pas humain, ignorait qu'il ne servait à rien de me sauver. « Et elle n'a pas pu vous conduire ici tout de suite, a poursuivi la médic. Nous nous sommes fait du souci pour vous, pendant un petit moment. Mais le correctif pulmonaire est complètement ressorti et les mesures sont bonnes. Dommages cérébraux très minimes, s'il y en a – il est possible que vous ne vous sentiez pas tout à fait vous-même pendant quelque temps. »

La remarque m'a paru cocasse, de fait, mais l'envie de vomir s'était apaisée et je ne voulais pas la relancer, aussi n'ai-je pas réagi. J'ai gardé les yeux clos et suis resté aussi calme et immobile que je le pouvais, tandis qu'on me retournait et qu'on m'allongeait de nouveau. Si j'ouvrais les yeux, j'aurais envie de poser des questions.

« Elle pourra prendre du thé dans dix minutes, a dit la médic à je ne savais pas qui. Rien de solide pour le moment. Ne lui parlez pas pendant les cinq minutes à venir.

— Bien, docteur. » Seivarden. J'ai ouvert les yeux, tourné la tête. Seivarden se tenait à mon chevet. « Ne parle pas. La décompression brutale…

— Il lui sera plus facile de garder le silence, l'a rabrouée la médic, si vous ne lui parlez pas. »

Seivarden s'est tue. Mais je savais ce que la décompression brutale avait dû me faire. Les gaz dissous dans mon sang avaient dû s'échapper, de façon soudaine et violente. Assez violemment pour me tuer, c'était très possible, même sans l'absence totale d'air. Mais une augmentation de pression – disons, le fait d'être ramené dans l'atmosphère – avait dû dissoudre de nouveau ces bulles.

La différence de pression entre mes poumons et le vide avait pu me blesser. Surpris par l'explosion du réservoir, et préoccupé par le besoin d'abattre des Anaander Mianaaï, j'avais pu ne pas exhaler comme je l'aurais dû. Et cela devait être la moindre de mes blessures, étant donné la détonation qui m'avait propulsé dans le vide, pour commencer. Une nacelle-voilier ne devait avoir que des moyens très rudimentaires de traiter de telles blessures, et la pilote m'avait sans doute enfourné dans une version basique d'une nacelle de suspension pour me maintenir jusqu'à ce que je puisse parvenir à une médic.

« Bien, a déclaré la médic. Soyez sage et taisez-vous. » Elle est partie.

« Combien de temps ? » ai-je interrogé Seivarden. Et sans vomir, même si, comme l'avait promis la médic, ma gorge était encore à vif.

« Une semaine, environ. » Seivarden a avancé une chaise et s'est assise.

Une semaine. « J'en conclus que le palais est toujours là.

— Oui », a répondu Seivarden, comme si ma question n'avait pas été complètement idiote et méritait une réponse. « Grâce à toi. La Sécurité et l'équipe des quais ont réussi à condamner toutes les issues avant que d'autres Maîtres du Radch ne gagnent la coque. Si tu n'avais pas arrêté celles qui y étaient parvenues… » Elle a fait un geste de refus. « Deux portes sont tombées. » Sur douze, donc. Cela causerait d'énormes problèmes, à la fois ici et aux autres extrémités de ces portes. Et tout vaisseau à l'intérieur quand elles avaient disparu avait pu ne pas regagner la Sécurité. « Mais notre camp a gagné, c'est bien. »

Notre camp. « Je n'ai pas de camp dans l'affaire. »

De quelque part derrière elle, Seivarden a sorti un bol de thé. Elle a donné un coup de pied dans quelque chose au-dessous de moi, et le lit s'est incliné, doucement. Elle a porté le bol à ma bouche et j'en ai bu une petite gorgée prudente. C'était merveilleux. « Pourquoi est-ce que je suis ici ? ai-je demandé après en avoir avalé une autre. Je sais pourquoi l'idiote qui m'a traîné ici l'a fait, mais pourquoi les médics se sont-elles donné tant de peine pour moi ? »

Seivarden a froncé les sourcils. « Tu es sérieuse ?

— Toujours.

— C'est vrai. » Elle s'est levée, a ouvert un tiroir et en a sorti une couverture, qu'elle a étendue sur moi, et qu'elle a soigneusement bordée autour de mes mains nues.

Avant qu'elle puisse répondre à ma question, la première inspecteur Skaaïat a passé une tête dans la petite chambre. « La médic m'a dit que vous étiez réveillée.

— Pourquoi ? » ai-je encore demandé. Et en réponse à son expression perplexe : « Pourquoi suis-je réveillé ? Pourquoi est-ce que je ne suis pas mort ?

— Vous voudriez l'être ? s'est enquise la première inspecteur Skaaïat, donnant toujours l'impression qu'elle ne me comprenait pas.

— Non. » Seivarden m'a présenté à nouveau le thé, et j'ai bu, une plus grosse gorgée qu'avant. « Non, je ne veux pas être mort, mais ça semble être beaucoup de travail simplement pour ressusciter un ancillaire. » Et cruel de m'avoir ramené simplement pour que la Maître du Radch puisse ordonner ma destruction.

« Je ne crois pas que quiconque ici vous considère comme un ancillaire », a déclaré la première inspecteur Skaaïat.

Je l'ai dévisagée. Elle paraissait absolument sérieuse.

« Skaaïat Awer…, ai-je commencé d'une voix blanche.

— Breq, est intervenue Seivarden d'une voix pressante avant que je puisse en dire plus. La docteur a dit de rester couchée sans bouger. Tiens, bois encore du thé. »

Pourquoi Seivarden était-elle même ici ? Et Skaaïat ? « Qu'avez-vous fait pour la sœur de la lieutenant Awn ? ai-je demandé, ferme et cassant.

— Je lui ai proposé un clientélage, pour tout dire. Qu'elle a refusé. Elle était sûre que sa sœur me tenait en haute estime, mais elle ne me connaissait pas elle-même et n'avait pas besoin de mon assistance. Très entêtée. Elle est dans l'horticulture, à deux portes d'ici. Elle va bien, je garde un œil sur elle, du mieux que je peux, étant donné la distance.

— En avez-vous proposé un à Daos Ceit ?

— C'est à propos d'Awn, a répondu la première inspecteur Skaaïat. Je le vois bien, mais vous refusez de le reconnaître et de le dire. Et vous avez raison. Il y a beaucoup plus de choses que j'aurais pu lui dire avant qu'elle parte, et j'aurais dû les dire. Vous êtes l'ancillaire, la non-personne, l'outil, mais à comparer nos actions, vous l'avez aimée plus que je ne l'ai jamais fait. »

Comparer nos actions. Ce fut comme une gifle. « Non », ai-je objecté. Heureux de ma voix inexpressive d'ancillaire. « Vous l'avez laissée douter. Je l'ai tuée. » Un silence. « La Maître du Radch doutait de votre loyauté, doutait d'Awer, elle voulait que la lieutenant Awn vous espionne. La lieutenant Awn a refusé et a exigé d'être interrogée pour prouver sa loyauté. Bien entendu, Anaander Mianaaï ne voulait pas de cela. Elle m'a ordonné d'abattre la lieutenant Awn. »

Trois secondes de silence. Seivarden est restée figée. Puis Skaaïat Awer a déclaré : « Vous n'aviez pas le choix.

— Je ne sais pas si je l'avais ou non. Je ne pensais pas l'avoir. Mais ce que j'ai fait ensuite, après avoir tué la lieutenant Awn, ça a été d'abattre Anaander Mianaaï. Et c'est pourquoi... » Je me suis arrêté. Ai repris ma respiration. « C'est pourquoi elle a fracturé mon bouclier thermique. Skaaïat Awer, je n'ai aucun droit d'éprouver de la colère à votre encontre. » Et je n'ai pas pu en dire davantage.

« Vous avez tous les droits d'éprouver autant de colère que vous voulez, a corrigé la première inspecteur Skaaïat. Si j'avais compris, à votre arrivée ici, je vous aurais parlé autrement.

— Et si j'avais des ailes, je serais une nacelle-voilier. » Les *si* et les *j'aurais* ne changeaient rien. « Dites à la despote (j'ai employé le mot orsien) que j'irai la voir dès que je pourrai me lever. Seivarden, apporte-moi mes vêtements. »

*

* *

La première inspecteur Skaaïat, je l'ai appris, était en fait venue voir Daos Ceit, qui avait été gravement blessée lors des dernières convulsions de la lutte d'Anaander Mianaaï contre elle-même. J'ai longé lentement un couloir bordé de blessées emballées dans des correctifs, étendues sur des couchettes rapidement fabriquées, ou encloses dans des nacelles qui les maintiendraient en suspension jusqu'à ce que les médics puissent s'occuper d'elles. Daos Ceit reposait sur un lit, dans une chambre, inconsciente. L'air plus petite et plus jeune qu'elle ne l'était en réalité. « Est-ce qu'elle va se rétablir ? » ai-je demandé à Seivarden. La première inspecteur Skaaïat n'avait pas attendu que je termine ma lente progression dans le couloir, elle avait dû regagner les docks.

« Oui, a répondu la médic derrière moi. Vous ne devriez pas être debout. »

Elle avait raison. Le simple fait de m'habiller, même avec l'assistance de Seivarden, m'avait laissé tremblant d'épuisement. J'avais parcouru le couloir à force de détermination pure. À présent, j'avais l'impression que tourner la tête pour répondre à la médic exigerait plus de vigueur que je n'en possédais.

« Vous venez de faire pousser une nouvelle paire de poumons, a poursuivi la médic. Entre autres choses. Vous n'allez pas pouvoir vous promener avant quelques jours. Au grand minimum. » Daos Ceit avait une respiration légère et régulière, ressemblant tellement à l'enfant minuscule que j'avais connue que je me suis étonné un instant de ne pas l'avoir reconnue dès que je l'avais vue.

« Vous avez besoin de place, ai-je protesté, puis cela est venu s'associer à une autre information. Vous auriez pu me laisser en suspension jusqu'à ne plus être si débordée.

— La Maître du Radch a dit qu'elle avait besoin de vous, citoyen. Elle vous voulait debout dès que possible. » Légèrement agacée, ai-je jugé. Les médics, de façon assez raisonnable, auraient assigné des priorités différentes aux patients. Et elle n'avait pas protesté quand j'avais dit qu'elle avait besoin de la place.

« Tu devrais retourner au lit », a rappelé Seivarden. Seivarden la solide, la seule chose qui me séparait de l'écroulement total, à cet instant. Je n'aurais pas dû me lever.

« Non.

— Elle a ses humeurs, a fait Seivarden sur un ton d'excuses.

— Je vois ça.

— Retournons à la chambre. » Seivarden semblait extrêmement patiente et calme. Il a fallu un instant avant que je comprenne qu'elle s'adressait à moi. « Tu pourras te reposer un peu. Nous nous occuperons de la Maître du Radch quand tu seras totalement prête.

— Non, me suis-je entêté. Allons-y. »

Avec le soutien de Seivarden j'ai réussi à sortir du Médical, à entrer dans un ascenseur, puis dans ce qui parut être une longueur infinie de coursive, et enfin, subitement, un formidable espace dégagé, dont le sol s'étirait au loin, couvert d'éclats scintillants de verre coloré qui craquait et se broyait sous mes quelques pas.

« Le combat a débordé dans le temple », a expliqué Seivarden sans que je le lui demande.

Le grand hall. Voilà où j'étais. Et ce verre cassé était tout ce qu'il restait de cette salle emplie d'offrandes funéraires. Il n'y avait dehors que de rares personnes, surtout occupées à trier les éclats, à la recherche, sans doute, de grands fragments susceptibles d'être restaurés. La Sécurité en veste beige regardait.

« Les communications ont été rétablies en une journée, il me semble, a poursuivi Seivarden en me guidant autour des amas de verre vers l'entrée du palais lui-même. Et puis, des gens ont commencé à comprendre ce qui se passait. Et à choisir leur camp. Après quelque temps, on ne pouvait pas ne pas choisir son camp. Pas vraiment. Pendant un moment, nous avons eu peur que les vaisseaux militaires ne commencent à s'attaquer mutuellement, mais il n'y en avait que deux pour l'autre camp, et ils ont préféré gagner les portes et quitter le système.

— Des pertes civiles ?

— Il y en a toujours. » Nous avons traversé les derniers mètres du hall jonché de verre pour entrer dans le palais. Une officiel se tenait là, vareuse d'uniforme crasseuse, tachée de sombre sur une manche. « Porte un », dit-elle en nous regardant à peine. L'air épuisée.

La porte un menait à une pelouse. Sur trois côtés, une perspective de collines et d'arbres et, au-dessus, un ciel bleu strié de nuages couleur perle. Le quatrième était une paroi beige, l'herbe creusée et arrachée à sa base. Une chaise verte ordinaire mais très rembourrée se dressait à quelques mètres de moi. Certainement pas pour moi, mais je m'en moquais un peu. « J'ai besoin de m'asseoir. »

Seivarden m'y a conduit et m'a aidé à m'y asseoir. J'ai fermé les yeux, juste un instant.

*

* *

Une enfant parlait, une voix flûtée, aiguë. « Les Presgers m'avaient approchée avant Garsedd, disait l'enfant. Les traducteurs qu'ils m'avaient envoyés avaient été développés à partir de ce qu'ils avaient pris sur des vaisseaux humains, bien sûr, mais ils avaient été élevés et formés par les Presgers, et j'aurais tout aussi bien pu parler à des extérieurs. Ils sont meilleurs, maintenant, mais leur compagnie est encore dérangeante.

— Pardonnez-moi, Altesse. » Seivarden. « Pourquoi leur avoir refusé ?

— Je songeais déjà à les détruire », a dit l'enfant. Anaander Mianaaï. « J'avais commencé à réunir les ressources dont je pensais avoir besoin. J'ai cru qu'elles avaient eu vent de mes plans et qu'elles avaient assez peur pour vouloir la paix. J'ai cru qu'elles montraient de la faiblesse. » Elle éclata d'un rire amer et plein de regret, curieux à entendre dans une voix si jeune. Mais Anaander Mianaaï n'était pas vraiment jeune.

J'ai ouvert les yeux. Seivarden était agenouillée à côté de ma chaise. Une enfant de cinq ou six ans était assise en tailleur sur l'herbe devant moi, toute de noir vêtue, une pâtisserie dans chaque main, le contenu de mes bagages étalé autour d'elle. « Vous êtes réveillée.

— Vous avez mis du glaçage sur mes icônes, l'ai-je accusée.

— Elles sont magnifiques. » Elle a ramassé le disque de la plus petite, l'a allumé. L'image a jailli, bijoux et émail, le couteau dans sa troisième main luisant dans la lumière solaire factice. « C'est bien vous, n'est-ce pas ?

— Oui.

— La Tétrarchie itrane ! Est-ce là que vous avez trouvé l'arme ?

— Non. C'est là que j'ai obtenu l'argent. » Anaander Mianaaï m'a dévisagé franchement avec stupeur. « Elles vous ont laissée partir avec autant d'argent ?

— Une des tétrarques me devait une faveur.

— Ce devait être une sacrée faveur.

— En effet.

— Est-ce qu'elles pratiquent vraiment les sacrifices humains, là-bas ? Ou est-ce que ceci… (elle a désigné d'un geste la tête tranchée que tenait l'effigie)… est pure métaphore ?

— C'est compliqué.

— Hmpf… », a-t-elle soupiré. Seivarden était agenouillée, en silence et immobile.

« La médic a dit que vous aviez besoin de moi. »

Anaander Mianaaï, cinq ans, rit. « Et c'est la vérité.

— En ce cas, allez vous faire foutre. » Elle pouvait même s'en charger toute seule, en fait.

« Une moitié de votre colère est dirigée contre vous-même. » Elle a mangé sa dernière bouchée de pâtisserie et a frotté ses petites mains gantées l'une contre l'autre, faisant pleuvoir des fragments de sucre glace sur l'herbe. « Mais c'est une colère d'une énormité si monumentale que même une moitié est parfaitement dévastatrice.

— Je pourrais être dix fois plus en colère, et ça ne signifierait rien tant que je suis désarmé. »

Sa bouche s'est tordue en un demi-sourire. « Je ne suis pas arrivée où j'en suis en écartant des instruments utiles.

— On détruit les instruments de son ennemie partout où on les trouve. Vous m'avez dit ça vous-même. Et je ne vous serai d'aucune utilité.

— Je suis celle qui convient, a dit l'enfant. Je chanterai pour vous, si vous voulez, même si je ne sais pas si ça marchera avec cette voix. Tout ceci va se répandre sur d'autres systèmes. C'est déjà fait, simplement je n'ai pas encore vu le signal de réponse des palais provinciaux voisins. J'ai besoin de vous à mes côtés. »

J'ai essayé de me redresser pour m'asseoir. Ça a paru bien se passer. « Peu importe de quel côté on peut être. Peu importe qui gagnera, parce que de toute façon, ce sera *vous* et rien ne changera vraiment.

— C'est facile à dire, pour *vous*, a déclaré l'Anaander Mianaaï de cinq ans. Et peut-être que, par certains aspects, vous avez raison. Beaucoup de choses n'ont pas réellement changé, beaucoup d'autres peuvent rester les mêmes quel que soit le côté de moi qui l'emporte. Mais dites-moi, croyez-vous que ça n'a pas fait de différence pour la lieutenant Awn, laquelle de moi était à bord, ce jour-là ? »

Je n'avais rien à répondre à ça.

« Si vous avez du pouvoir, de l'argent et des relations, certaines différences ne changeront rien. Ou si vous vous êtes résigné à mourir dans un proche avenir, ce qui, ai-je cru comprendre, est votre position actuelle. Ce sont les gens sans argent ni pouvoir, qui veulent désespérément vivre, pour ces gens-là, les petites choses ne sont pas si petites que ça. Ce que vous appelez aucune différence représente la vie et la mort, pour elles.

— Et vous vous souciez tellement des insignifiants et des impuissants… Je suis sûr que vous passez des nuits blanches à vous inquiéter pour elles. Que votre cœur doit saigner.

— Ne jouez pas les moralistes avec moi. Vous m'avez servie sans broncher pendant deux mille ans. Vous savez ce que cela signifie, mieux qu'à peu près n'importe qui ici. Et je m'en soucie, oui. Mais peut-être de façon plus abstraite que vous, du moins de nos jours. Néanmoins, tout cela est de mon fait. Et vous avez raison, je peux difficilement me débarrasser de moi-même. Je pourrais avoir l'usage d'un aide-mémoire sur ce point. Il vaudrait peut-être mieux que j'aie une conscience qui soit armée et indépendante.

— La dernière fois que quelqu'une s'est essayée au rôle, elle est morte.

— À Imé, vous voulez dire. Vous parlez de la soldat Une Amaat Une du *Miséricorde de Sarrsé* qui a refusé les ordres, a dit l'enfant, souriant comme à un souvenir particulièrement délicieux. On ne m'a jamais invectivée de la sorte de toute ma longue vie. Elle m'a maudit, pour finir, et elle a avalé son poison cul sec, comme si c'était de l'arrack. » Du poison. « Vous ne l'avez pas abattue ?

— Les blessures par balle font tellement de saletés, a répondu l'enfant, souriant toujours. Mais, j'y songe... » Elle a tendu la main derrière elle et caressé l'air d'une petite main gantée. Soudain une boîte est apparue, d'un noir qui buvait la lumière. « Citoyen Seivarden. »

Seivarden s'est penchée en avant, a pris la boîte.

« J'ai bien conscience, a repris Anaander Mianaaï, que vous n'usiez pas de métaphore quand vous disiez que votre colère devait être armée pour avoir une signification. Moi non plus, quand j'ai dit que ma conscience devrait l'être. Simplement pour que vous sachiez que je pense ce que je dis, et juste pour que vous ne commettiez pas de bêtise par ignorance, il faut que je vous explique exactement ce que vous détenez.

— Vous savez comment cela fonctionne ? » Mais elle avait les autres depuis mille ans. Plus qu'assez longtemps pour comprendre.

« Jusqu'à un certain point. » Anaander Mianaaï m'a décoché un sourire acerbe. « Une balle, comme je suis sûre que vous le savez déjà, agit comme elle le fait parce que l'arme qui la tire lui communique une grande quantité d'énergie cinétique. La balle frappe quelque chose, et cette énergie doit passer quelque part. » Je n'ai pas répondu, pas même levé un sourcil. « Les balles de l'arme garseddaïe, a poursuivi la Mianaaï de cinq ans, ne sont pas vraiment des balles. Ce sont des... dispositifs. Dormants, jusqu'à ce que l'engin les arme. À ce moment-là, peu importe la quantité d'énergie cinétique qu'ils ont en quittant l'arme. Depuis le moment d'impact, la balle fabrique toute l'énergie dont elle a besoin pour traverser la cible sur précisément un mètre onze. Et puis elle s'arrête.

— S'arrête. » J'étais horrifié.

« Un mètre onze ? » a demandé Seivarden, agenouillée près de moi. Perplexe.

Mianaaï a fait un geste négligent. « Des extérieurs. Des unités standards différentes, je présume. En théorie, une fois qu'elle est armée, vous pouvez jeter doucement une de ces balles contre quelque chose, et elle se brûlera un passage à travers. Mais on ne peut les armer qu'avec l'engin. Pour autant que je sache, il n'est rien dans l'univers que ces balles ne puissent traverser.

— D'où vient toute cette énergie ? » ai-je demandé. Toujours horrifié. Révolté. Pas étonnant que je n'aie eu besoin que d'une balle pour détruire ce réservoir d'oxygène. « Elle doit bien venir de quelque part.

— On le penserait. Et vous allez me demander comment elle sait de combien elle aura besoin, ou la différence entre l'air et ce vers quoi vous la tirez. Je ne le sais pas non plus. Vous voyez pourquoi j'ai conclu ce traité avec les Presgers. Et pourquoi je tiens tellement à en observer les termes.

— Et tellement à les détruire », ai-je ajouté. Le but, le fervent désir de l'autre Anaander, ai-je deviné.

« Je ne suis pas arrivée où j'en suis en poursuivant des objectifs raisonnables, a déclaré Anaander Mianaaï. Vous ne parlerez de ceci à personne. » Avant que je puisse réagir, elle a enchaîné : « Je *pourrais* vous forcer à garder le silence. Mais je ne le ferai pas. Vous êtes de toute évidence une pièce significative de ce lancer, et il ne serait pas convenable que j'intervienne sur votre trajectoire.

— Je ne vous aurais pas crue superstitieuse.

— Je ne dirais pas superstitieuse. Mais. J'ai d'autres affaires à traiter. Il reste peu de moi, ici – assez peu pour que le nombre soit une information tenue secrète. Et il y a beaucoup à faire, aussi n'ai-je pas vraiment le temps de rester assise ici à bavarder.

» Le *Miséricorde de Kalr* a besoin d'une capitaine. Et de lieutenants, en fait. Vous pourrez probablement les promouvoir à partir de votre équipage.

— Je ne peux pas être capitaine. Je ne suis pas citoyen. Je ne suis pas même *humain*.

— Vous le serez si je dis que vous l'êtes.

— Demandez à Seivarden. » Seivarden avait déposé la boîte sur mes genoux et s'était à nouveau agenouillée en silence près de ma chaise. « Ou à Skaaïat.

— Seivarden n'ira nulle part où vous n'irez pas. Elle me l'a clairement indiqué pendant que vous dormiez.

— Skaaïat, alors.

— Elle m'a déjà dit d'aller me faire foutre.

— Quelle coïncidence.

— Et, à vrai dire, j'ai vraiment besoin d'elle ici. » Elle s'est remise debout, à peine assez grande pour me regarder dans les yeux sans lever le regard, alors même que j'étais assis. « Médical juge que vous avez besoin d'au moins une semaine. Je peux vous laisser quelques jours supplémentaires pour inspecter le *Miséricorde de Kalr* et embarquer toutes les provisions dont vous pourriez avoir besoin. Il sera plus simple pour tout le monde que vous disiez simplement oui tout de suite, que vous nommiez Seivarden première lieutenant et la laissiez s'occuper des choses. Mais vous gérerez tout ça à votre guise. » Elle a brossé l'herbe et la terre de ses jambes. « Dès que vous serez prête j'ai besoin que vous vous rendiez le plus vite possible à la station Athoek. C'est à deux portes d'ici. Ou ça le serait si l'*Épée de Tlen* n'avait pas incapacité cette porte. » *À deux portes de là*, avait dit de la sœur de la lieutenant Awn la première inspecteur Skaaïat. « Qu'allez-vous faire d'autre de vous ?

— Ai-je vraiment une autre option ? » Elle m'avait donné la citoyenneté, mais elle pouvait me la retirer tout aussi aisément. « À part la mort, je veux dire. »

Elle a fait un geste ambigu. « Autant que nous tous. Ce qui signifie *aucune*, sans doute. Mais nous pourrons discuter philosophie plus tard. Nous avons toutes les deux des tâches à accomplir en ce moment même. » Et elle est partie.

Seivarden a ramassé mes affaires, les a remballées et m'a aidé à me relever et à partir. Elle n'a pas parlé avant que nous ayons atteint le grand hall. « C'est un vaisseau. Même si ce n'est qu'une *Miséricorde*. »

Apparemment, j'avais dormi longtemps, assez pour qu'on ait déblayé les débris de verre, assez pour que les gens soient de sortie, quoique en nombre réduit. Tout le monde paraissait légèrement hébétée, donnait l'impression qu'on les ferait sursauter aisément. Toutes les conversations se tenaient à voix basse, retenue, si bien que les lieux paraissaient déserts, mais avec des gens présentes. J'ai tourné la tête pour regarder Seivarden, et levé un sourcil. « C'est toi la capitaine, ici. Prends-le si tu veux.

— Non. » Nous nous sommes arrêtées près d'un banc, et elle m'y a fait asseoir. « Si j'étais toujours capitaine, on me devrait des arriérés de solde. J'ai officiellement quitté le service quand on m'a déclarée morte il y a mille ans. Si je veux y retourner, je devrai tout reprendre à zéro. D'ailleurs... » Elle a hésité, avant de s'asseoir à côté de moi. « D'ailleurs, quand je suis sortie de cette nacelle de suspension, on aurait dit que tout le monde et tout le reste m'avaient failli. Le Radch m'avait failli. Mon vaisseau m'avait failli. » J'ai froncé les sourcils et elle a fait un geste d'apaisement. « Non, ce n'est pas juste. Rien de tout ça n'est juste, c'est simplement ce que j'ai ressenti. Et j'ai failli à moi-même. Mais pas toi. Tu n'as pas failli. » Je n'ai su que répondre à ça. Elle ne semblait pas attendre de réponse.

« Le *Miséricorde de Kalr* n'a pas besoin de capitaine, ai-je dit après quatre secondes de silence. Peut-être n'en veut-il pas.

— Tu ne peux pas refuser ton affectation.

— Je peux, si j'ai assez d'argent pour subsister. »

Seivarden a pris sa respiration comme si elle voulait argumenter, mais n'en a rien fait. Au terme d'un nouveau moment de silence, elle a dit : « Tu pourrais aller dans le temple et demander un lancer. »

Je me suis demandé si l'image de piété étrangère que j'avais fabriquée l'avait convaincue que je possédais une sorte de foi, ou si elle était simplement trop radchaaïe pour ne pas croire que le lancer d'une poignée d'augures répondrait à n'importe quelle question pressante, me persuaderait de choisir l'action adéquate. J'ai fait un petit geste de doute. « Je n'en ressens pas vraiment le besoin. Tu peux, si tu en as envie. Ou faire un lancer tout de suite. » Si elle avait quelque chose avec une face et un avers, elle pouvait procéder à un lancer. « Si c'est pile qui sort, tu arrêtes de m'ennuyer avec ça et tu m'apportes du thé. »

Elle a lâché un *ha !* rapide et amusé. Puis a dit : « Oh » et a plongé la main dans sa veste. « Skaaïat m'a remis ça pour te le donner. » Skaaïat. Pas *cette Awer*.

Seivarden a ouvert la main, m'a montré un disque d'or de deux centimètres de diamètre. Une minuscule frange feuillue était frappée autour de son rebord, légèrement décentrée, entourant un nom. AWN ELMING.

« Je ne crois pas que tu tiennes à le lancer, cependant », a commenté Seivarden. Et, comme je ne répondais pas : « Elle a dit que tu devrais l'avoir. »

Pendant que j'essayais de trouver quelque chose à dire, et une voix avec laquelle le dire, une officier de Sécurité s'est approchée, avec prudence. A dit, d'une voix déférente : « Excusez-moi, citoyen. Station aimerait vous parler. Il y a une console juste là-bas.

— Tu n'as pas d'implants ? a demandé Seivarden.

— Je les ai dissimulés. Désactivé quelques-uns. Station ne peut sans doute pas les voir. » Et je ne savais pas où mon portatif était passé. Probablement dans mes bagages, quelque part.

J'ai dû me lever et marcher jusqu'à la console, et rester debout pendant que je discutais. « Tu voulais me parler, Station, me voici. » La semaine de repos dont avait parlé Anaander Mianaaï revêtait de plus en plus d'attraits.

« Citoyen Breq Mianaaï », a dit Station de sa voix égale et impassible.

Mianaaï. Ma main toujours serrée autour de l'épinglette mémorielle de la lieutenant Awn, je regardai Seivarden qui arrivait derrière moi avec mes bagages. « Il n'y avait pas de raison de te perturber encore plus que tu ne l'étais déjà », s'est-elle justifiée comme si j'avais parlé.

La Maître du Radch avait dit *indépendante*, et je n'étais pas surprise de découvrir qu'elle n'était pas sincère. Mais le moyen par lequel elle avait choisi de restreindre l'affaire me surprit.

« Citoyen Breq Mianaaï », a répété Station, depuis la console, la voix aussi lisse et sereine que jamais, mais j'ai jugé la répétition légèrement malveillante. Mon soupçon s'est trouvé confirmé quand Station a poursuivi : « J'aimerais que vous partiez d'ici.

— Vraiment. » Aucune réponse plus élaborée que celle-ci ne m'est venue à l'esprit. « Pourquoi ? »

Une demi-seconde de délai, puis la réponse. « Regardez autour de vous. » Je n'avais pas l'énergie pour le faire réellement, aussi ai-je considéré l'ordre comme rhétorique. « Médical est noyé sous les citoyens blessées et mourantes. Nombre de mes services sont endommagés. Mes résidents sont alarmées et anxieuses. Je suis moi-même alarmé et anxieux. Je ne parle même pas de la confusion qui englobe le palais proprement dit. Et *vous* êtes la cause de tout ceci.

— Non. » Je me suis remis en mémoire que, si puéril et mesquin qu'il paraisse en ce moment, Station ne différait guère de ce que j'avais été, et que par certains aspects le travail qu'il accomplissait était bien plus complexe et pressant que le mien, s'occupant comme il le faisait de centaines de milliers, voire de millions de citoyens. « Et mon départ n'y changera rien.

— Je m'en moque », a dit Station, calmement. La mauvaise humeur que je discernais venait certainement de mon imagination. « Je vous conseille de partir à présent, tant que c'est possible. Cela pourrait devenir difficile dans un proche avenir. »

Station ne pouvait pas m'ordonner de partir. Strictement parlant, il n'aurait pas dû s'adresser à moi comme il l'avait fait, pas si j'étais, effectivement, une citoyen. « Il ne *peut* pas te forcer à partir, a dit Seivarden, faisant écho à une partie de mes pensées.

— Mais il peut exprimer sa désapprobation. » De façon tranquille. Subtile. « Nous faisons cela tout le temps. En général, personne ne s'en rend compte, sauf qu'on visite un autre vaisseau et qu'inexplicablement, on trouve soudain les choses plus confortables. »

Une seconde de silence de la part de Seivarden, et puis : « Oh. » D'après le ton, elle se souvenait de son passage sur le *Justice de Toren*, et du transfert sur l'*Épée de Nathtas*.

Je me suis penché en avant, mon front contre le mur jouxtant la console. « Tu as terminé, Station ?

— Le *Miséricorde de Kalr* voudrait vous parler. »

Cinq secondes de silence. J'ai poussé un soupir, sachant que je ne pouvais pas gagner à ce jeu, que je ne devrais même pas essayer d'y jouer. « Je vais parler au *Miséricorde de Kalr*, à présent, Station.

— *Justice de Toren* », a salué le *Miséricorde de Kalr* depuis la console.

Ce nom m'a pris par surprise, me tirant des larmes d'épuisement. Je les ai refoulées en clignant des yeux. « Je ne suis qu'Un Esk », ai-je protesté. Et j'ai dégluti. « Dix-Neuf.

— La capitaine Vel est en état d'arrestation, m'a informé le *Miséricorde de Kalr*. Je ne sais pas si elle sera rééduquée ou exécutée. Et mes lieutenants également.

— J'en suis désolé.

— Ce n'est pas votre faute. Elles ont fait leur choix.

— Alors qui commande ? » ai-je demandé. À côté de moi Seivarden se tenait sans rien dire, une main sur mon bras. Je voulais m'étendre et dormir, rien que ça, rien d'autre.

« Une Amaat Une. » La soldat la plus âgée dans l'unité de plus haut grade du *Miséricorde de Kalr*, en principe. Chef d'unité. Les unités ancillaires n'avaient pas besoin de chefs.

« Elle peut être capitaine, en ce cas.

— Non, dit le *Miséricorde de Kalr*. Elle fera une bonne lieutenant, mais elle n'est pas prête à être capitaine. Elle fait de son mieux, mais elle est dépassée.

— *Miséricorde de Kalr*. Si *moi*, je peux être capitaine, pourquoi ne pouvez-vous pas être le vôtre ?

— Ce serait ridicule », a répondu le *Miséricorde de Kalr*. Sa voix était toujours aussi calme, mais il me sembla qu'elle était exaspérée. « Mon équipage a besoin d'une capitaine. Mais après tout, je ne suis qu'une *Miséricorde*, n'est-ce pas. Je suis sûr que la Maître du Radch vous confierait une *Épée* si vous le demandiez. Non qu'une capitaine d'*Épée* serait tellement plus heureuse de se voir transférée sur une *Miséricorde*, mais je suppose que cela vaut mieux que pas de capitaine du tout.

— Non, Vaisseau, ce n'est pas… »

Seivarden a interrompu d'une voix sévère. « Ça suffit, Vaisseau.

— *Vous* ne faites pas partie de mes officiers, a déclaré le *Miséricorde de Kalr* depuis la console, et à présent l'impassibilité de sa voix s'est brisée de façon audible, même si c'était infime.

— Pas *encore*. »

J'ai commencé à suspecter une comédie, mais Seivarden ne m'aurait pas obligée à me tenir comme ça au milieu du grand hall. Pas en ce moment. « Vaisseau, je ne peux pas être ce que tu as perdu. Tu ne pourras jamais le retrouver, j'en suis navré. » Et je ne pourrais pas retrouver ce que j'avais perdu, non plus. « Je ne peux pas continuer à rester debout ici.

— Vaisseau, a déclaré Seivarden, sévère. Ta capitaine est encore en train de récupérer de ses blessures et Station la force à se tenir ici debout au milieu du grand hall.

— J'ai dépêché une navette, a indiqué le *Miséricorde de Kalr* après une pause qui était, ai-je supposé, censée exprimer ce qu'elle pensait de Station. Vous serez plus à votre aise à bord, capitaine.

— Je ne suis pas…, ai-je commencé, mais le *Miséricorde de Kalr* avait déjà coupé le contact.

— Breq, a dit Seivarden en m'écartant du mur contre lequel j'étais appuyé. Allons-y.

— Où ?

— Tu sais que tu seras plus à l'aise à bord. Plus qu'ici. » Sans commentaire, j'ai simplement laissé Seivarden m'entraîner.

« Tout cet argent ne représentera pas grand-chose si d'autres portes s'arrêtent, si les vaisseaux sont bloqués et les ravitaillements coupés. » Nous nous dirigions, je le voyais, vers une rangée d'ascenseurs. « Tout s'effondre. Ça ne va pas se passer uniquement ici, tout va s'effondrer dans l'espace du Radch entier, n'est-ce pas. » C'était vrai, mais je n'avais pas l'énergie de l'envisager. « Tu crois peut-être que tu pourras te tenir à l'écart, regarder les choses arriver. Mais je ne pense pas vraiment que tu le puisses. »

Non. Si je le pouvais, je ne serais pas ici. Seivarden non plus, je l'aurais laissée dans la neige sur Nilt, ou je ne serais jamais allé sur Nilt, pour commencer.

Les portes de l'ascenseur se sont refermées sur nous, vivement. Un peu plus vivement que d'habitude, mais j'imaginais peut-être simplement que Station exprimait son empressement à me voir partir. Pourtant l'ascenseur ne bougea pas. « Les quais, Station ! » ai-je lancé. Vaincu. Il n'y avait, en vérité, nulle part ailleurs où aller, pour moi. C'était ce pourquoi j'avais été fait, ce que j'étais. Et même si les protestations de la despote n'étaient pas sincères, ce qu'elles ne devaient pas être, au fond, quelles que soient ses intentions actuelles, elle avait raison. Mes actes feraient une certaine différence, même modeste. Une certaine différence, peut-être, pour la sœur de la lieutenant Awn. Et j'avais déjà failli une fois à la lieutenant Awn. Gravement. Je ne recommencerais pas.

« Skaaïat va te donner du thé », a dit Seivarden, d'une voix sans surprise, tandis que l'ascenseur progressait.

Je me suis demandé quand j'avais mangé pour la dernière fois. « Je crois que j'ai faim.

— C'est bon signe », a décrété Seivarden, et elle a serré plus fermement mon bras tandis que l'ascenseur s'arrêtait et que les portes s'ouvraient sur le vestibule des docks, rempli de divinités.

Choisir mon objectif, faire un pas, et puis le suivant. Il n'en avait jamais été autrement.

Remerciements

C'est une banalité de dire que l'écriture est un art solitaire, et il est vrai que l'acte de déposer des mots en soi est une chose qu'une romancière doit faire elle-même. Cependant, tant de choses se passent avant de déposer ces mots, et puis après, quand on essaie d'arranger son ouvrage sous la meilleure forme possible.

Je ne serais pas l'écrivaine que je suis sans le bénéfice de l'atelier Clarion West et de mes camarades de classe là-bas. Et j'ai bénéficié de l'assistance généreuse et perspicace de nombreux amis : Charlie Allery, S. Hutson Blount, Carolyn Ives Gilman, Anna Schwind, Kurt Schwind, Mike Swirsky, Rachel Swirsky, Dave Thompson et Sarah Vickers m'ont tous apporté une aide et des encouragements considérables, et ce livre aurait été amoindri sans eux. (Toutes les maladresses, cependant, m'appartiennent entièrement.)

J'aimerais aussi remercier Puddinhead Books à Saint-Louis, la bibliothèque universitaire Webster, la bibliothèque du comté de St. Louis et le consortium de la bibliothèque municipale du comté de St. Louis. Les bibliothèques sont une ressource formidable et précieuse, et je ne crois pas qu'il soit possible d'en avoir trop.

Merci aussi à mes impressionnants directeurs littéraires, Tom Bouman et Jenni Hill, dont les commentaires attentifs ont aidé à faire de ce livre ce qu'il est. (Les maladresses, là encore, sont de moi.) Et merci à mon fabuleux agent, Seth Fishman.

Dernier point – mais non le moindre, pas du tout – je n'aurais même pas pu commencer à écrire ce livre sans l'amour et le soutien de mon époux Dave et de mes enfants Aidan et Gawain.

Composition
NORD COMPO

Achevé d'imprimer en Espagne
par BLACKPRINT CPI
le 8 janvier 2016.

1er dépôt légal dans la collection : août 2015
EAN 9782290111345
OTP L21EDDN000735C002

ÉDITIONS J'AI LU
87, quai Panhard-et-Levassor, 75013 Paris

Diffusion France et étranger : Flammarion